Дмитрий ВЕРЕСОВ

ИЗБРАННИК ВОРОНА

Санкт-Петербург
«Издательский Дом „Нева"»
Москва
Издательство «ОЛМА-ПРЕСС»
2003

ББК 84. (2Рос-Рус) 6
   В31

Вересов Д.

В 31   Избранник Ворона: Роман. — СПб.: «Издательский Дом „Нева“»; М.: «ОЛМА-ПРЕСС Звездный мир», 2003. — 479 с. — («Огни большого города»).
   ISBN 5-7654-2255-1
   ISBN 5-94850-041-1

Новая книга Дмитрия Вересова «Избранник Ворона» продолжает серию блестящих романов «Черный ворон», «Крик ворона» и «Полет ворона», где читатели встретятся как с полюбившимися, так и с новыми героями. Роман эксцентричен по своему сюжету и неожиданно злободневен. Тайная подоплека поведения героев предыдущих романов Дмитрия Вересова находит здесь реальное объяснение.

ББК 84.(2Рос-Рус)6

ISBN 5-7654-2255-1
ISBN 5-94850-041-1

«Издательский Дом „Нева“»
и Издательство «Олма-Пресс»
представляют следующие
произведения
Дмитрия Вересова
в цикле
«Черный Ворон»

- Черный Ворон

- Полет Ворона

- Крик Ворона

- Избранник Ворона

«Черный Ворон»

У Татьяны Захаржевской было все: любящие родители, выполнявшие любую ее прихоть, красота, блестящий ум, деньги. Но только рискуя своей жизнью, она чувствует, что живет по-настоящему. Татьяна начинает с шайки воров, где из подруги вожака быстро превращается во вдохновительницу и организатора самых головокружительных преступлений. Ее подвиги не остаются незамеченными: Таней заинтересовался подпольный король Шеров, и она становится его самой талантливой помощницей...

У второй Татьяны не было ничего, кроме красоты и желания выбиться в люди, с которым она приезжает в Ленинград... Смысл ее жизни — любовь, и она, казалось, находит свое счастье с Ваней Лариным. Но первая любовь Вани — бутылка...

«Избранник Ворона»

Обе Татьяны проносятся по жизням других людей, как кометы, и необратимо меняют чужие судьбы. Так и Нил Баренцев стал их жертвой. Таня Захаржевская открыла ему новый мир, где все дозволено и где законы морали не смеют стать на пути к желанной цели. Таня Ларина показала ему, что такое красота...

«Крик Ворона»

После дела с кражей картины у старого коллекционера Тане Захаржевской приходится «лечь на дно». Она выходит замуж за англичанина и уезжает за границу. Кто бы мог подумать, что ее супруг окажется поставщиком девочек для борделя! Но Таня не такова, чтобы смириться с подобной участью. Она становится хозяйкой этой «ночной империи». Куда еще заведет ее жажда приключений?

Татьяна Ларина обретает настоящую любовь, о которой мечтала всю жизнь. Но недолго длится ее счастье: Танин муж вынужден скрываться от преступников, которые хотят использовать его изобретение в целях обогащения...

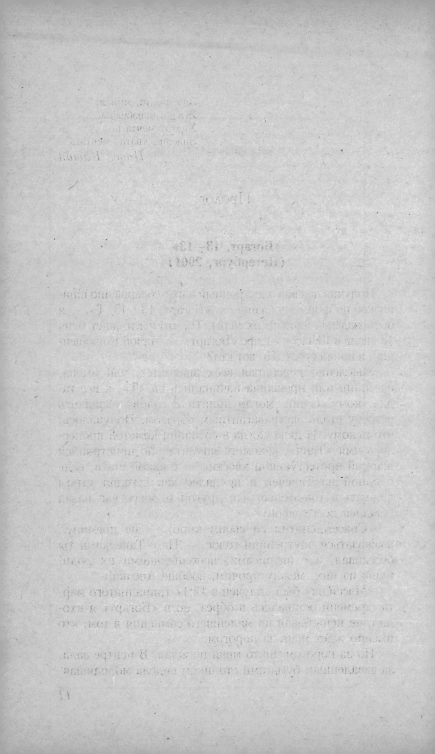

Знаешь ли, милая,
Жизнь неизбежна.
Хватит мечтать,
Знаешь, хватит мечтать…
Павел Кашин

Пролог

«Богарт, 13—13»
(Петербург, 2001)

Получив на свой электронный адрес совершенно шпионское по форме послание — «Богарт, 13—13. Т», — я был озадачен явно сверх меры. То, что некто ждет меня 13 числа в 13 часов в кафе «Богарт» на Малой Конюшенной, я понял сразу. Но вот кто?

Мысленно перебирая всех знакомых, чьи имена, фамилии или прозвища начинались на «Т», я все гадал, кому из них могло прийти в голову назначить встречу столь экстравагантным образом. Получалось, что некому. И даже когда в сознании кометой пронеслось имя «Таня», к комете моментально пристроился жаркий протестующий хвостик — с какой стати, ведь с одной из Танечек я не далее как сегодня утром виделся в тон-ателье, а с другой и вовсе час назад общался по телефону!

«Совсем спятил со своим кино! — не преминул высказаться внутренний голос. — Не с Танечками ты беседовал, а с актрисами, исполняющими их роли! Одна из них, между прочим, вообще Анечка!»

«Мэссидж» был получен в 12:17 тринадцатого марта, времени оставалось в обрез, но в «Богарт» я входил, не испытывая ни малейшего сомнения в том, кто именно ждет меня за порогом.

Но за порогом никто меня не ждал. В центре зала, за заваленным бумагами столиком сидела молодящаяся бизнес-дама лет шестидесяти в обществе делового партнера, похожего на малолетнего форточника, да в «бельэтаже» виднелся кудрявый профиль юной брюнетки, лениво потягивающей что-то красное из высокого бокала.

Я уселся и от нечего делать принялся любоваться интерьером. Розовые стены украшали увеличенные фотографии великого Боги, в экранных образах и без, с его любимой Бэби — Лорен Бейкал — и без. Негромко журчали голливудские шлягеры пятидесятых. Стильной обстановке соответствовала стильная скудность меню: фирменный салат, фирменное горячее блюдо, кофе и лично мне неинтересная карта вин.

Выкурив сигаретку, я поднялся и подошел к стойке.

— Эспрессо.

— И бокал «Сант-Эмильон», — произнес сзади женский голос.

Молоденькая буфетчица в бейсбольной кепке посмотрела на меня вопросительно.

— Ну да... — неуверенно подтвердил я.

— Сто пятьдесят шесть, — бесстрастно сообщила буфетчица.

Я безропотно расстегнул кошелек.

Обернуться я позволил себе, лишь когда получил заказ.

До чего же она была элегантна, чертовка, — до кончиков холеных ногтей! И выглядела максимум лет на тридцать, хотя кому, как не мне, было знать, что через два с небольшим месяца ей стукнет сорок пять. Что ж, как сказано у классика, это кровь.

— А я ждал рыжую, — сказал я после двукратного, на французский манер, поцелуя.

— Кто сказал, что цвет волос женщины — величина постоянная?

— А цвет глаз?

— Тонированные линзы, ты же сам писал... Ладно, рассказывай.

— О чем ты хотела бы услышать? Прошлым летом начали снимать кино, телевизионное. Очень долго искали, кто бы мог сыграть тебя. В Питере не нашли, в Москве не нашли. Пришлось из Праги выписывать... Но попадание удивительное. Даже имя...

— Да я читала... Любопытно было бы взглянуть.

— Это несложно устроить.

— Желательно не очень заметно... Что пописываешь?

— Сценарии.

— И?

— И сценарии...

— А где обещанный «Дальний берег Нила»? Мы ждем с нетерпением.

— Мы?!. Ах да, конечно... Процесс так затягивает... Главное — чем дальше, тем лучше понимаешь, что решительно некому передать бразды... Так что самое раннее — через годик. Зато грядет переиздание «Ближнего берега».

— Когда?

— Через месяц-другой. Издательство хочет подгадать под трансляцию первых серий.

— Вполне успеем.

— Извини, что успеем?

Она достала из блестящей черной сумочки кожаный портсигар, извлекла из него короткую толстую сигару, протянула портсигар мне.

— Хочешь? Брунейские.

Я покачал головой и достал из кармана «Кент № 4».

— Спасибо. Здоровья осталось только на сигареты супер-лайт.

Она вынула маленькие, похоже, серебряные щипчики, обрезала кончик сигары, щелкнула черной с золотом зажигалкой. Выпустила два колечка пряного дыма, пригубила вина...

— Так что же мы должны успеть?

— Слегка подредактировать твой опус.

Я поперхнулся кофе и долго не мог откашляться. Она курила и с усмешкой смотрела на меня, потом извлекла лазоревый томик Вересова, а из нагрудного кармана черного пиджачка — очки в тонкой металлической оправе. Раскрыла книгу на титульном листе. Рядом с названием «Ближний берег Нила, или Воспитание чувств» я через стол прочитал — и тоже вверх ногами — «Избранник Ворона».

— Кое-какие мелочи я уже подправила, — перехватив мой взгляд, сообщила она. — Потом разберешься — этот экземпляр я оставлю тебе.

— Ты сделала мне предложение, от которого я не в силах отказаться... По всей справедливости, я должен буду обозначить тебя соавтором. А что — «Дмитрий Вересов, Татьяна Захаржевская». Будет неплохо смотреться на обложке...

Она вздохнула вздохом учителя, беседующего с особо тупым учеником.

— Татьяны Захаржевской не существует. Есть мадам Ван-Норден, ничем не примечательная домохозяйка из кантона Женева. А здесь я вообще предпочитаю быть инкогнито.

— Как же мне тебя называть?

— Да как хочешь. Допустим, Галина...

Глава первая

ПСИХОАНАЛИЗ
ПО ЕГО ПРЕВОСХОДИТЕЛЬСТВУ

I
(Москва, 1982)

В спальных вагонах «Красной стрелы» народ ездит непростой — иностранцы, артисты, большое и малое начальство, — и обхождение с ними требуется нестандартное, галантерейное. Памятуя об этом, Настя поостереглась дать волю праведному гневу, а осторожно переступила через спущенные в проход ноги в импортных джинсах и самым деликатным образом потеребила храпящего пассажира за рукав, при этом автоматически отметив мягкую добротность кожаной выделки.

— Гражданин, а гражданин, вы бы поднимались. Прибыли уже.

— М-м-м...

Упитанный брюнет характерного московско-грузино-еврейского обличья зачмокал пухлыми губами, но глаз так и не раскрыл.

— Нажрался, паразит! — Настя вложила в свой свистящий шепот всю рабоче-крестьянскую ненависть.

И впрямь, гражданин, похоже, провел веселенькую ночку. Откидной столик был завален элитарными ошметками — шкурками сырокопченой колбасы, апельсиновой и банановой кожурой, обертками шоколадных трюфелей, тут же банка из-под камчатских крабов, пустая сигаретная пачка с иностранными бук-

15

вами, опорожненная бутылка дорогого коньяку. На одеяле бесстыдно валялась упаковка известного резинового изделия. Дух стоял соответствующий — окна в поезде не открывались, а кондиционер был уже отключен.

— Гражданин, я вам русским языком говорю!

Настя дернула за рукав куда решительней.

Толстая волосатая пятерня плавно приподнялась, пошарила в воздухе и замерла на груди проводницы. Этого Настя не выдержала, с маху шлепнула по руке и заорала благим матом:

— Глаза разуй, кобелина!

Брюнет затряс головой, разлепил наконец мутные очи и с тупым недоумением уставился на Настю.

— Эт-то... Ты кто вообще?

— Во нажрался, а? Проводница я!

— Проводница? А где Аня? Аня где?! Аня!

— Чего разорался?! Нет тут никакой Ани! А вот милицию позвать — это мигом! В пикете отоспишься!

Брюнет растерянно захлопал глазами.

— В каком пикете?

— В вокзальном!

— Так мы что, приехали уже?

— Приехали! — со злорадной усмешкой заявила проводница. — Вы бы еще дольше дрыхли, гражданин, так и обратно бы в Питер уехали. Давайте-ка, выметайтесь по-быстрому!

Заспавшийся пассажир дернулся и поднес ладонь к виску.

— Болит? — с иронией осведомилась Настя. — Неудивительно. Вон как гульнули. — Она показала на захламленный стол. — Совсем наглость потеряли.

— Погоди... Минуточку, минуточку... — Брюнет усиленно заморгал. — А где Аня? Ушла, что ли?

— Да какая тебе еще Аня? Если ты про рыженькую, попутчицу вашу, так она в Бологом вышла и очень просила не будить.

— Что!!! — взревел брюнет так, что Настя отпрянула и перекрестилась. — А вещи?! Вещи где?

Он ухватился за край полки, надсадно крякнув, рванул ее вверх и вытащил на свет Божий серый пластмассовый портфель-«дипломат» с номерным замком, прижал к сердцу.

— Все... Все... — с натугой проговорил брюнет. — Не сердись, хозяюшка, дело такое... Слушай, у тебя в заначке граммулек сто не найдется? Я заплачу.

Настя мгновенно успокоилась и, оценив ситуацию по-новому, вновь шагнула в купе.

— Я тебе что, корчма?

Ох и перепугал же ее этот деляга холеный! А с другой стороны, вон как страдает человек, бодун его бодает нешуточный, видать, не слабей, чем любого пролетария. Проводница сжалилась:

— Ладно, на Ярославском в буфете тетю Асю найдешь, скажешь, от Насти со «Стрелы», она тебя остаканит.

— Вот спасибо! — Брюнет достал из кармана кожанки желтый пакетик жвачки и дрожащей рукой протянул ей. — В знак благодарности.

— Иди, иди!

Проводница вытолкала его сначала в коридор, потом и вовсе на перрон. Брюнет потряс в воздухе портфелем, прислушиваясь к чему-то, и нетвердой походкой двинулся к зданию Ленинградского вокзала.

Дойдя до начала перрона, он двинулся не на Ярославский, а к телефонам-автоматам.

— Вадим Ахметович? Доброе утро, это Яков Даниилович. Я в Москве. Наша договоренность в силе?

— Разумеется, Яков Даниилович. Вас не затруднит подъехать ко мне на службу часикам, скажем, к пяти?

— Нисколько, Вадим Ахметович. Буду ровно к пяти.

— Адрес знаете?

II
(Ленинград, 1982)

— Ну-ну, успокойтесь, Мария Кирилловна, вот, хлебните водички и давайте продолжим. Итак, вы говорите, что мужчина садился в поезд один?

Пожилая проводница всхлипнула и протерла глаза рукавом. Капитан Самойлов одновременно с ней смахнул со лба обильный пот — и тоже рукавом.

— Один, один, — закивала проводница. — Веселый такой, обходительный. Когда я зашла к нему, он на оба места билеты предъявил, попросил никого не подсаживать, сказал, что в Бологом друг присоединится... Чаю заказал, с сухариками...

Мария Кирилловна вновь опустила голову и шмыгнула носом.

— Понятно. И багажа, значит, при нем, кроме ременной сумочки-визитки, не было?

Проводница кивнула, подтверждая — не было, мол.

— И в дороге, говорите, никто к нему не подсаживался?

— Не видела. В Бологом, правда, меня бригадир к себе в третий вагон вызывал, так что, может быть...

Дверь служебного купе приотворилась, в щели показалась стриженая голова и лацкан милицейского мундира.

— Разрешите, товарищ капитан.

— Что там? — недовольно спросил Самойлов.

— Да вот, пассажиры... по домам просятся.

— Фамилии, адреса, телефоны у всех записал?

— Так точно!

— Предупредил, что вызовем в ближайшее время?

— Так точно!

— Иди... Ну все, Мария Кирилловна, спасибо вам.

— Не за что. — Проводница отвернулась.

— Да, и вот еще что — вы точно ничего там не трогали, не убирали? Ну, когда...

— Да что вы! Только вошла сказать, что подниматься пора, приезжаем скоро... Подошла, за ручку тронула...

Проводница прикрыла глаза рукой и заплакала. Капитан Самойлов встал и вышел в коридор, тихо прикрыв за собой дверь. Там было уже пусто, только у ближнего тамбура дежурил милиционер, да возле прикрытой двери седьмого купе нервно курил высокий мужчина в штатском. Капитан подошел к нему.

— Ну что, Феденька, отдыхаем?

— Да, там теперь эксперты колдуют.

— А ты уже отстрелялся?

— Отстрелялся... Похоже, Коля, в этом деле все мы уже отстрелялись.

— То есть? — нахмурился Самойлов.

— Судя по всему, не наша тут епархия. Во всяком случае, без смежников не обойтись.

— Вещички?

— Они. Интересные такие вещички, я бы даже сказал — типа будьте нате!

— Ну уж! — капитан хмыкнул. — Что-нибудь по части ОБХСС?

— Бери выше.

— Неужели Конторы? Секретные документы, что ли?

— Зайдем, сам увидишь. Не сюда, в соседнее. Там и без нас тесно. — Поймав на себе неодобрительный взгляд капитана, Федор добавил: — Ладно, порядки знаем. Все запротоколировано и сфотографировано.

На откидном столике аккуратным рядком стояли многочисленные предметы, в их числе на треть опорожненная граненая бутылка виски с золотисто-бордовой этикеткой, длинная сигаретная пачка тех же тонов с латинскими буковками «Santos-Dumont», курительная трубка с чуть изогнутым черным мундштуком, два пустых стакана, два коричневых сигаретных окурка с чуть заметными пятнами розовой помады, обручальное кольцо, рыжий парик, плоский флакон с этикеткой «Lighter Fluid», финка с пластмассовой наборной ручкой, полпалки твердокопченой колбасы. Каждая вещь была упакована в полиэтиленовый пакет и снабжена биркой.

— И что? — поморщившись, спросил капитан. — Видал я все это хозяйство при первичном осмотре. Что ли, прикажешь из-за буржуйского виски Большой дом теребить? Бдительность демонстрировать? Они тебе быстро песню про коричневую пуговку напомнят. Сейчас, дорогой, не сталинское время, сейчас каждый, кто с понятием, подобное пойло хлебает невозбранно...

— Так ведь я, собственно, не это хочу показать.

На полке, поверх застеленного одеяла стояла продолговатая дорожная сумка ярко-красного цвета. Федор наклонился над ней, двумя пальцами извлек еще один полиэтиленовый пакет с биркой и показал капитану. Самойлов присвистнул.

— Погоди свистеть, это, как говорили в старину, лишь первая перемена.

— Красавец! Такой и в руке подержать приятно. — Самойлов потянулся к пакету.

— Потом, капитан... Револьвер системы «наган», шестизарядный, калибр семь-шестьдесят два, отечественного производства, 1930 года выпуска...

— Силен, бродяга! Уже и год вычислил.

— А как же! Особенно, если вся цифирь на раме выбита. И звездочка с серпом. Ствол заслуженный. Нутром чую — баллистика не пустая будет, где-то им уже работали.

— Блажен, кто верует... И это, говоришь, только первая перемена?

— Ага. Второй экспонат мы нашли в кармашке.

Федор вынул из сумки еще один пакет. Самойлов увидел две аккуратно упакованных пачки денег. Вид у купюр был непривычный.

— Что ли доллары? — удивленно спросил он.

— Десять тысяч.

Самойлов снова присвистнул. Федор улыбнулся.

— И это еще не главное блюдо.

— Ох, не томи...

И на Божий свет был извлечен небольшой пластмассовый кейс серого цвета. Вид у кейса был не вполне товарный — верхние половинки хитрых номерных замочков были незатейливо выломаны из пластмассового корпуса.

— Чехословацкое изделие, — заметил Федор, перехватив взгляд капитана. — С замками постарались, а корпус хлипкий.

— Не учли братцы швейки, что против лома нет приема, — согласился Самойлов.

— Лом не применялся, хватило финки, — с серьезным видом сказал Федор. — Которой сервелат резали, кстати, тоже финский.

— Красиво жить не запретишь! — Федор выразительно посмотрел на капитана, тот запнулся и поспешил внести существенную поправку: — А красиво помирать — тем более...

— Да ты крышку-то подними, не бойся, все пальчики я уже на пленку перевел.

На этот раз Самойлов не свистнул, а только оторопело уставился на открывшееся его взору долларовое изобилие.

— Тут еще пятьдесят пять тысяч американских долларов, — с наслаждением проговорил Федор.

— Да здесь даже не в особо крупных размерах, а в особо особых... — пробормотал Самойлов. — Разное я повидал на своем сыскарском веку, но таких Рокфеллеров...

— Но и это еще не все. — Как фокусник из шляпы, Федор вытащил из сумки еще один пакет.

— Что за пластины? — спросил Самойлов.

— Клише. Для тех же долларов, кстати.

— Выходит, это все фальшак, что ли?

На лице Самойлова невольно проступило разочарование.

— Ну, я в таких делах не копенгаген, с валютчиками не работал. Кому надо разберутся.

— Эти разберутся! — По лицу Самойлова было видно, что он очень хотел выматериться, но чудом удержался. — Ладно, по части документов есть что?

Федор вложил в руку капитана паспорт в черном чехле и заваренный в целлофан студенческий билет. Первым Самойлов раскрыл паспорт и с минуту сосредоточенно изучал его.

— А ведь похожа ксива на правильную, — задумчиво произнес он. — Гражданин Штольц, национальность — немец... Только сдается мне, что из нашего терпилы такой же этнический немец, как из меня — председатель Мао.

— Уже результат. Если гражданин черно-белыми пользуется... пользовался, значит, почти наверняка по криминалу уже светился.

Самойлов раскрыл студенческий и хмыкнул.

— Макаренко, Анна Григорьевна... С такой фамилией только в малолетней колонии работать!

— А почему бы и нет? На юридический многие через *учреждения* попадают.

— Еще не факт, что билет подлинный. Сегодня же надо связаться с ВЮЗИ, проверить, значится ли у них такая личность... Тьфу!

На этот раз Самойлов от фольклора не удержался.

— Ты что это? — обеспокоенно спросил Федор.

— Обидно. В кои веки раз по-настоящему крутое дело намечается — и сразу отдай. Эх, чому ж я не сокил... На Литейный звонил?

— Не успел.

— Так дуй срочно, один нога тут — другой там, нам состав на перроне задерживать нельзя.

— Может, заодно и труповозку вызвать?

— Нет, Федя, сначала комитетчиков дождемся, пусть сами решают, что да как. Ты, коли хочешь, отзвонившись, перекуси чего-нибудь, а я немного поработаю композитором.

— Оперу писать? — усмехнулся Федор.

— Ее самую. Худсовет сегодня будет строгий.

Федор вышел, а Самойлов присел возле столика, расчистил место, чуть передвинув пакеты с вещественными доказательствами, достал из потрепанной кожаной папочки чистый лист бумаги и ручку за тридцать пять копеек и разборчивым почерком вывел: «19.04.1982 года в 10 часов 48 минут дежурная бригада Дзержинского райотдела УВД г. Ленинграда в составе...»

III
(Москва, 1982)

— Понял.

Вадим Ахметович Шеров с силой швырнул трубку на светло-серый кнопочный аппарат и резко бросил:

— Поздравляю, товарищи!

Торжества в его голосе не наблюдалось, зато сарказм звучал явственно.

Архимед — многолетний, испытанный помощник Шерова, официально занимающий скромную должность делопроизводителя при украинском постпредстве в Москве — устремил взор в потолок, пустив туда же облачко сигаретного дыма. Подполковник КГБ Евгений Николаевич Ковалев, напротив, стиснул пальцами подлокотники кожаного кресла итальянского производства и подался вперед, не сводя глаз с шефа.

— С чем, Вадим Ахметович? — спросил он, четко выговаривая каждый звук.

Сухое, надменное лицо Шерова перекосила нехорошая усмешка.

— Наша беглянка обнаружена, — столь же отчетливо артикулируя, ответил он.

— Где?

— На Московском вокзале города Ленинграда. В спальном вагоне «Красной стрелы».

— Валюта? При ней?

— О да! — Шеров вновь усмехнулся, показав мелкие желтые зубы. — В целости и сохранности. Принято по факту, сдано по протоколу.

— Шеф, — подал голос Архимед. — Я не понимаю. Ее что, горяченькой взяли?

— Холодненькой... Я, Евгений Николаевич, в буквальном смысле: в Ленинград прибыл труп. Даже два — она и некто Штольц, судя по всему, сообщник... Причины смерти устанавливаются, вероятнее всего — отравление. Поскольку на месте происшествия обнаружена иностранная валюта в особо крупных размерах, дело передано вашим, Евгений Николаевич, коллегам.

— Уж не тем ли, что вели уважаемого Якова Данииловича? — осведомился в пространство Архимед.

— Сомнительно, — отозвался Шеров. — После нашего небольшого спектакля, полагаю, оргвыводы последуют незамедлительно... — Он фыркнул. — А вот денежки, конечно, плакали, и это, товарищи, большое упущение...

— Вот ведь сучка! — не выдержал Ковалев. — И на что рассчитывала? Не могла же не понимать, что мы ее из-под земли достанем...

— Теперь уж точно — из-под земли, — задумчиво добавил Архимед. — Только зачем?

— Должно быть, ей не показались убедительными наши гарантии безопасности, — сказал Вадим Ахметович.

— Хозяюшке не поверила... — Архимед покосился на висящий над диваном овальный портрет рыжекудрой красавицы верхом на породистом вороном коне. — Вот ведь дура!*

— В итоге государство обогатилось на шестьдесят пять тысяч зелеными, и нам остается лишь примириться с этим фактом... Нашей причастностью к этой печальной истории никто интересоваться не будет, так что эту страницу мы перелистываем и двигаемся дальше. Евгений Николаевич, есть для вас одно дельце... Полагаю, подлинная личность нашей незадачливой подруги будет установлена довольно быстро — благо, наследила она в своей короткой жизни изрядно. Тогда на опознание будут вызваны родственники, из которых в Ленинграде имеется только один — муж. Так вот, этот муж представляет для нас определенный интерес.

— В каком аспекте?

— Честно говоря, не знаю. Это идея Татьяны... — Шеров показал на портрет прекрасной всадницы. — Логичнее всего будет контакт по линии психиатрии. Сами понимаете, потеря близкого человека, стресс. Можно немного усилить... ну, вы понимаете... Предстанете перед ним профессором психиатрии... Запомните, нам нужны не столько факты его биографии, сколько реакции, оценки, самооценки — короче, исчерпывающий психологический портрет...

---

* Действительно, дура! Никто не планировал убирать ее по завершению операции. Усыпив Яшу и подменив портфель, она должна была тихо сойти в Бологом, дождаться следующего поезда, доехать до Москвы, сдать портфель, а взамен получить загранпаспорт и путевку на Кубу. С пересадкой в Париже. В тамошнем аэропорту ей помогли бы затеряться в толпе, доставили бы по определенному адресу, снабдили легендой, видом на жительство — и приличным гонораром за проделанную работу. Все по-честному. (*Прим. Т. Захаржевской.*)

IV
(Ленинград, 1982)

— Проходите, пожалуйста, — любезно, словно старого доброго знакомого, пригласил врач. — Присаживайтесь, прошу вас.

Молодой человек, высокий и светловолосый, послушно уселся в указанное кресло возле черного полированного стола и, не отрывая взгляда от лица доктора, что-то тихо сказал.

— Извините великодушно, не расслышал...

— «Фаберже-брют», — чуть громче повторил молодой человек. — Галстук «Мсье Ги», натуральный шелк, серебряная булавка от «Медичи».

— А вы того, — врач непроизвольно дотронулся до массивной серебряной булавки на шелковом перламутровом галстуке, — знаете толк...

— Вы тоже.

Молодой человек не кривил душой. Врач, ухоженный красивый мужчина средних лет, с густой седеющей шевелюрой и аккуратной бородкой, выглядел прямо-таки лауреатом международного конкурса «Мистер Элегантность». От внимания молодого человека не укрылось и то, что собеседник его, прежде чем сесть, бережно подтянул безукоризненно отутюженные черные брюки. Да и кабинет, в котором происходил разговор, ни единой деталькой не ассоциировался с советским медицинским учреждением. Крытый зеленым сукном старинный письменный стол не опозорил бы и приемную какого-нибудь царского министра, импозантны были и книжные стеллажи, сплошь уставленные неведомыми фолиантами, и изразцовый камин с двумя симметричными вазами на полке, и пушистый, вишневого цвета ковер под ногами, и вытянутые арочные окна, выходящие в нежную весеннюю зелень...

— Ну-с, как самочувствие? На что жалуемся? — профессионально бодрым голосом осведомился врач.

— Самочувствие сообразно ситуации, а жаловаться мне не на что. Хотел бы выразить вам глубочайшую признательность и поскорее отправиться домой.

Чувствовалось, что он очень старается говорить неторопливо, спокойно, как и подобает человеку, находящемуся в здравом уме и доброй памяти.

— Увы, Нил Романович, удовлетворить вашу просьбу не могу, — вкрадчиво сказал врач.

— Но отчего же? — все так же медленно и четко выговорил молодой человек. — Видите ли, мне очень нужно. Срочно. Сами понимаете, организация похорон...

— Ах, Нил Романович, никакой срочности нет, уверяю вас. Мне доподлинно известно, что экспертиза займет еще некоторое время... Случай крайне нестандартный, определенные тесты потребуют трех-четырех дней, и не исключено, что возникнет надобность в повторном анализе. Так что неделя, как минимум, у нас есть, и я категорически рекомендую, чтобы это время вы провели здесь, под нашим присмотром.

— Не вижу необходимости. Я совершенно здоров. Так что, спасибо вам и...

— Совершенно, говорите, здоровы? А позвольте полюбопытствовать, что у вас с рукой? И откуда живописный синяк на лбу?

Молодой человек с тоской поглядел на свежий бинт вокруг запястья.

— Наверное, порезался, когда падал. И ударился. Понимаете, там... ну, в морге... такой воздух... Вот я и грохнулся в обморок. А здесь с вашей помощью пришел в себя...

— Да? У меня несколько иные сведения, свидетельствующие о некоторой, скажем так, неадекватности.

— Что конкретно вы подразумеваете под неадекватностью?

Чувствовалось, что молодой человек из последних сил сохраняет самообладание.

— Пожалуйста. В ходе опознания вы допускали весьма странные высказывания, а затем схватили со стола прозекторский нож, принялись размахивать им, никого к себе не подпуская, после чего сделали попытку вскрыть себе вены этим ножом. И грохнулись вы, если использовать вашу терминологию, не без помощи служителей, откуда и гематомка на челе... Не держите на них зла, Нил Романович, и благодарите Бога, что порез вам обработали прямо на месте — кто знает, где этим ножичком ковыряли.

— Этого не было, — сказал Нил, глядя в пол.

— Свидетелей с полдюжины наберется... Так как, будем обследоваться? Не угодно ли подписать бумагу о вашем согласии?

— А если я не подпишу?

— В таком случае, ее подпишет кто-либо из ближайших родственников. В вашем случае — мама. Будем звонить Ольге Владимировне?

— Не будем... Вы можете мне гарантировать, что без меня?..

Врач испытующе посмотрел на Нила и твердо сказал.

— Могу.

— Давайте вашу бумагу. И еще одна просьба.

— Какая?

— Распорядитесь, чтобы мне вернули мою одежду. Мне крайне неудобно общаться с вами в этих... исподниках. Только, пожалуйста, не говорите, что это предписанная правилами униформа для... клиентов вашего заведения. Вы тоже не в белом халате...

Врач всплеснул руками и рассмеялся.

— Уели, Нил Романович, ах, уели!

— Браво, вы неплохо скаламбурили, — улыбнулся Нил. — Надеюсь в самое ближайшее время убедить вас, что я еще не окончательно ах...

Врач недоуменно взглянул на Нила, но тут же расхохотался вторично.

— Великолепно держитесь, Нил Романович. Не уверен, что смог бы так же, окажись я на вашем месте.

— А что, не исключаете такую вероятность?

— Психика людская, Нил Романович, предмет темный и, между нами говоря, подвластный систематической науке лишь постольку поскольку. В любой момент такое с нами может выкинуть!.. Вот вы, Нил Романович, прежде за собой суицидальные наклонности замечали?

— Так все же как насчет моей одежды, Евгений Николаевич? — сказал Нил, узнавший имя врача у строгой медсестры, которая сопровождала его в кабинет. — Серьезная беседа предполагает хотя бы видимость равенства сторон.

Врач хмыкнул и надавил невидимую кнопку. После короткого гудка зуммера, он громко произнес:

— Тамара Анатольевна, будьте добры, принесите сюда рубашку и брюки больного Баренцева.

Слегка поморщившись при слове «больной», Нил поспешно добавил:

— И пиджак.

— И пиджак... Благодарю вас.

— Вы спрашивали о суицидальных наклонностях? Никаких поползновений, а тем паче попыток повеситься, отравиться, броситься под поезд и прочее, я за собой не замечал, но...

— Продолжайте, прошу вас.

— Но сама идея бессрочного отпуска никогда не вызывала во мне того страха и отвращения, которые лукавая природа заложила в каждое здоровое животное.

— Себя, стало быть, вы к животным не причисляете?

— К здоровым — нет... Знаете, кто был моим любимым литературным героем в девять лет?

— Да уж надо полагать, не Карлсон... Только не говорите мне, что принц Гамлет. У меня этих Гамлетов побольше, чем Наполеонов было...

— Нет, конечно, не Гамлет. Ханно Будденброк.

— Это еще кто?

— Перечитайте Томаса Манна... Понимаете, молодость и здоровье — это ведь не только производные от календарного возраста и физического состояния организма. Здоровое молодое животное радуется, когда ему хорошо, и отчаянно борется, когда ему плохо. Говоря объективно, в моей жизни было очень немного по-настоящему плохого, стало быть, опять же объективно, мне почти всегда было хорошо — но я давно уже забыл, что такое настоящая радость. А сегодня утром, после звонка из прокуратуры, и потом, на опознании в морге, я вдруг почувствовал, что не хочу и не могу бороться... И если бы в тот момент сопровождавший меня следователь, так похожий на молодого Ильича, вдруг предъявил мне обвинение в убийстве, я с радостью подписал бы признание. Конечно, если бы он гарантировал мне скорый суд и такого палача, который не мажет с первого выстрела... Поверьте, Евгений Николаевич, я нисколько не кокетничаю.

— Но на метком выстреле все же настаиваете.

— Я не мазохист и не люблю боли.

— Полноте, юноша! Представьте себе на минуточку, что ваш молоденький следователь, по неопытности или даже по недобросовестности, поддался на вашу провокацию, залепил вами дырку в следствии и подвел под расстрельную статью. Дальнейшее нисколько не будет напоминать счастливые сборы в далекое путешествие, поверьте, я знаю о чем говорю. Перед судом вы предстанете с разбитой рожей и порванной задницей, потому что ни надзиратели, ни урки фраеров-мокрушников не жалуют. А после приговора вас засунут в холодный каменный мешок и будут дважды в сутки пропихивать через решетку кусок заплесневелого хлеба, и сначала вы будете каждый день и час молить о смерти, потом привыкните, научитесь радоваться глоточку затхлой воды, солнечному лучику, случайно заглянувшему в вашу темницу, подружитесь с приблудным мышонком и начнете делиться с ним последними крошками. На газетных клочках, брошенных вам на подтирку, собственной кровью будете строчить ежедневные ходатайства о помиловании, да только дальше мусорного бака они не пойдут. А в тот день, когда вы окончательно поймете, что в этой жизни есть только одна-единственная истинная ценность, и эта ценность — сама жизнь, вас поведут якобы на помывку, но как только вы зайдете в душевую кабинку, в вентиляционном окошке, как раз на уровне затылка, покажется дуло мелкокалиберного пистолета Марголина, но выстрела вы не услышите, не успеете. А потом труп вывезут в крытом фургончике и бросят в яму с известью. Впечатляет?

— Да вы поэт, ваше благородие, — отшутился Нил от сковавшей сердце ледяной жути.

— Уж ежели вы перешли на табель о рангах, сударь мой, извольте титуловать меня превосходительством. Выслужил-с, как-никак профессор. — Евгений Николаевич откинулся в кресле, извлек из кармана замшевого пиджака синюю пачку, протянул Нилу. — Угощайтесь, голландские. — Нил взял сигарету, повел ноздрями, отмечая непривычную изюмно-черносливовую отдушку, закурил от протянутой через стол пьезокристаллической зажигалки. — Хороши, заразы, а? Есть ради чего пожить маленько?

Профессор неспешно сложил губы в кружочек и выпустил идеальное колечко дыма.

— Конечно, это было минутное настроение, — сказал Нил, затянувшись. — Но видели бы вы, какое неописуемо счастливое лицо глянуло на меня, когда пьяненький служитель откинул простыню. Я еще подумал, а так ли надо разыскивать и карать настоящего убийцу, если свершилось не злодейство, а может быть, благодеяние.

— Хорошо благодеяние!.. Слушайте, а не попросить ли Тамару Анатольевну сварить нам по чашке кофейку? У нее кофе божественный.

— Если можно, — сглотнув, сказал Нил. — Кофе я люблю...

— Ах нет! — взглянув на часы, воскликнул профессор. — Никак не могу, опаздываю, извините... Давайте-ка завтра, часиков, скажем, в четырнадцать ноль-ноль. А пока — анализы, лечебная физкультура, обед, отдых, здоровый сон. Я скажу Тамаре Анатольевне, что вам разрешены прогулки по территории. Надеюсь, не станете злоупотреблять доверием. А то тут намедни один умелец из хроников подкоп под стеной учинил, чтобы за водкой бегать...

— Не беспокойтесь, — заверил Нил. — Я за водкой не побегу.

— Ну-с, пока наша уважаемая Тамара Анатольевна кофейком озадачивается, давайте-ка пройдемся по анкетным данным, если вы не против. Кое-что, знаете ли, обращает на себя внимание.

Нил усмехнулся.

— Догадываюсь. Две графы. Имя и место рождения. Нилом звали деда по отцовской линии. Лично я ни с кем из его родни не знаком, но слышал, что все мужчины в роду Баренцевых — либо Нилы, либо Романы. А родился я точно в городе Гуаньчжоу, Китайская Народная Республика. Не из эмигрантов. Отец работал в Китае военным специалистом.

— Интересно. Что-нибудь про Китай помните?

— Очень смутно. Меня оттуда увезли, когда мне только пошел третий год.

— Это когда у нас с ними отношения окончательно испортились?

— Пораньше. Мы с матерью уехали, а отца отозвали оттуда только через несколько лет...

— Вот как?

— Ей надо было продолжить учебу.

V
(Гуаньчжоу, 1957)

Продолжение учебы было, конечно, не при чем — то, что мать по возвращении восстановилась на третьем курсе консерватории, которую бросила после своего скоропалительного романтического брака, было сопутствующим обстоятельством, но никак не причиной отъезда. Равно как не были причиной и контры между супругами, и стремление обеспечить малышу нормальные условия и уход — к услугам семьи имелась вполне приличная по тем местам поликлиника, полагались даже бесплатные денщик и кухарка.

Суть же заключалась в том, что мать Нила и, соответственно, жена капитана Баренцева, Ольга Владимировна Баренцева, особа волевая и целеустремленная, положила себе за правило каждый день упражняться в вокале по три часа. Первое время, пока они жили на городской квартире, в добротном старом доме, отведенном для местных ганьбу* средней руки, особых проблем ее пение не вызывало. Зато потом, когда в гарнизоне завершили строительство жилого городка и в распоряжение советского инструктора капитана Баренцева был выделен аж целый коттедж, стали проявляться некоторые неудобства. Полнозвучное, мощное меццо-сопрано Ольги Владимировны даже при закрытых окнах сбивало с ноги солдат на плацу, перекрывая лающие команды китайских сержантов и старшин, не говоря уже о тихих, вкрадчивых голосах китайских замполитов. В присущей им окольной манере китайцы принялись при каждом удобном случае расхваливать капитану выдающиеся певческие данные его уважаемой супруги, и тут свою роковую роль сыграло принципиальное различие культур. Капитан Баренцев, до той поры относившийся к

---

* Общее обозначение чиновников (*кит.*).

жениному рвению с плохо скрываемым раздражением, преисполнился гордости за ее успехи и даже намекнул китайцам, что сумел бы, пожалуй, уговорить жену периодически давать концерты в гарнизонном Доме политпросвещения и культуры. Он искренне хотел сделать приятное китайским коллегам и не без удовольствия смотрел, как их широкие лица расплываются в безбрежных улыбках.

— Осень холосо, — от имени всех сказал переводчик. — Мы будем осень сясливы слюсать товалися Оля Владимина на насей ссене.

Известия о предстоящем концерте подхлестнули и без того кипучую энергию Ольги. Вместо трех часов она начала репетировать по пять. Где-то откопала аккомпаниатора — неисповедимыми путями оказавшегося в этих краях старичка-румына, прямого как палка, с висячими моржовыми усами. Маэстро Думитреску был ко всему безучастен, терпелив, как мул, безотказен, как часы «Павел Буре», и к тому же немножко понимал по-русски. Для Ольги это был идеальный вариант. Репетиции нередко затягивались допоздна, и тогда многострадальный капитан с орущим малышом на руках уходил через дорогу, в штаб полка, где можно было выдрыхнуться на широком кожаном диване в приемной начальника.

Руководство китайской народной армии трепетно относилось к партийно-политической работе, и под Дом политпросвещения было выделено едва ли не лучшее здание в округе — центральный храм упраздненного пролетарской властью буддийского монастыря. Бритых монахов в красно-желтых ризах сменили бритые солдаты в хаки, вместо тханок на резных лакированных стенах прилепились красочные плакаты, призывающие единодушно следовать мудрым указаниям Великого Кормчего, давать отпор любому империалистическому агрессору, соблюдать правила личной гигиены, вырвать собачьи ноги последышам черного лиса Чан Кайши и нещадно истреблять злонамеренных воробьев — главных вредителей полей. Но прямо напротив главного входа, на возвышении-алтаре, как и встарь, с рассеянной застывшей улыбкой сидел в позе лотоса монолитный каменный Будда, убрать которого, увы, можно было только вместе с храмом. Высотой Будда был метров пять, поэтому, для правильности идейных пропорций, по обе стороны от Божественного учителя старорежимного благочестия были на громадных полотнищах вывешены выписанные в свой натуральный десятиметровый рост великие близнецы-братья века нынешнего — Сталин и Мао. Широкие окна с разноцветными стеклами были когда-то специально расположены так, чтобы свет от них собирался в один пучок на лилейном пупке, выпирающем из центра необъятного Буддиного пуза.

Чуть впереди и слева от величественного изваяния стоял белый концертный рояль. Рояль, как выяснила накануне концерта явившаяся сюда для генеральной репетиции Ольга, был немилосердно расстроен, молоточки западали, некоторых струн не было вовсе. Как пояснил экстренно вызванный переводчик с несколько пикантным для русского уха именем Фынь Хуа, рояль этот для игры не использовался, а поставлен был, во-первых, для красоты, а во-вторых, чтобы регулярно выступающие здесь лекторы-пропагандисты могли с удобством разместить на его обширной крышке различные наглядные пособия. В дом капитана Баренцева было срочно откомандировано отделение хозвзвода для доставки в Дом политпросвещения личного пианино уважаемой супруги капитана. Самой Ольге пришлось отправиться вместе с бойцами для руководства процессом.

Насколько Нил знал свою мамашу, в ночь перед концертом она спала как бревно, сознательно изнурив себя многочасовой генеральной репетицией и приняв вместо снотворного стакан теплого молока с медом и изрядной порцией коньяка. Может быть, такая привычка появилась у нее позже, когда концерты и спектакли стали делом обыденным, а тогда, совсем еще молоденькая и неопытная, она всю ночь ворочалась без сна, будто Наташа Ростова накануне ее похищения Анатолем Курагиным...

Зрители входили в зал повзводно, рассаживались по команде, сидели тихо, не шевелясь. Мест всем не хватило, последние приносили длинные скамейки, расставляли их вдоль стен, в проходах. Офицерскому корпусу, членам семей и особо приглашенным гражданским лицам предлагалось по внешней боковой лестнице подняться на хоры, под самые окна, где стояли обитые шелком банкетки на причудливых золоченых ножках. Своего рода царская ложа. В первом ряду сидел неподвижный и напряженный капитан Баренцев, удерживая на коленях испуганно притихшего Нилушку.

Ровно в половине шестого гулко ударил гонг, вторя ему, отрывисто рявкнули сержанты. Зал разразился громовыми аплодисментами. Нилушка вздрогнул и тихонько заскулил. Звуки возносились под купол, вибрировали, отражаясь от стен, многократно умножаясь. Такой овации позавидовал бы любой признанный кумир. Акустика в храме была великолепная.

Первым на возвышение перед монументальными фигурами вождей — назовем его сценой — вышел Думитреску в черном, местами лоснящемся костюме, сухо поклонился, сел на табурет, откинул крышку пианино. Аплодисменты резко смолкли, и в наступившей звонкой тишине в белом парчовом хитоне, в пышном пудреном парике, сверкая блестками и неумело наложенным гримом, подслеповато щурясь, плавной артистической походкой вплыла Ольга. Зал замер окончательно. Тысячи дисциплинированных глоток с неимоверным трудом сдержали возглас изумления. Такое они, в большинстве своем малограмотные крестьянские парни, видели впервые.

Хитрая рефракция, придуманная мастерами древности, не позволяла Ольге видеть выражения лиц публики: радужный свет выхватывал из полумрака храма всякого, кто оказывался в центре сцены и тем самым застил Божественный пупок. Получался как бы свет рампы, к чему тоже следовало привыкать.

— Ария Розины! — зычно провозгласила Ольга и сама вздрогнула от неожиданного фортиссимо собственного голоса.

В зале что-то гавкнули — и цветные стекла дрогнули от громовых аплодисментов. Противно резануло по ушам. Нилушка зашелся в крике, и на сей раз его услышали все. Капитан поспешно прикрыл рот истошно вопящему мальцу ладонью и, наступая на ноги соседей, вышел вон. Ольга досадливо свела брови, пытаясь испепелить взглядом малолетнего свинтуса, дерзнувшего разрушить величие момента. Однако пристало ли царственной особе омрачаться подобными мелочами? Ольга повелительно подняла руку. Мгновенно наступила гробовая тишина. Примадонна перевела дух, поправила съехавший набок парик, кивнула маэстро Думитреску...

В тот вечер она была в ударе. И в голосе. Начав, от волнения, несколько *vibrato и sotto voce*, она постепенно освоилась, уши приспособились к грохоту оваций, которыми сопровождался каждый номер, голос полился плавно, свободно, мощно. Скрипом и качанием резонировали старые деревянные перекрытия, дребезжали стекла, гулко вибрировали струны в утробе бездействующего белого рояля. На хорах стало плохо супруге председателя уездного исполкома. От напряжения лопнула веревочка — и одно из длинных полотнищ, испещренных желтыми иероглифами, красной змеей опустилось в зал, накрыв полряда зрителей. Полотнище тут же убрали, не прерывая концерта.

Она пела три с половиной часа и еще десять минут выходила на поклоны. Грим весь стек и попортил парчовый хитон, волосы под париком были мокры, как в бане, ноги гудели от усталости — но Ольга была счастлива. Успех! Успех!! Успех!!!

Капитану пришлось срочно выписывать из Пекина второе пианино — первое, по замыслу Ольги, должно было раз и навсегда остаться на сцене Дома политпросвещения рядом с дискредитированным роялем. Думитреску дневал и ночевал у них. Специально для пианиста в детской поставили раскладушку, а Нилушка перекочевал вниз, в полутемную комнатку при кухне. Все заботы о малыше взяла на себя китайская кухарка. На ночь поила отварами, купала в них, делала точечный массаж. Беспокойный мальчик сделался толст, тих и сонлив, и начавшаяся было после храмового бенефиса аллергия на мамин вокал вроде бы прошла, однако решено было впредь не рисковать и на концерты ребенка не водить. Капитан все чаще ночевал на штабном диванчике, начал впервые в жизни страдать головными болями — и это он, который на частые супругины мигрени реагировал, бывало, с солдатской прямотой: «Ну чему там болеть? Там ведь кость», на что она отвечала: «Это у тебя кость. А у меня резонаторы». В работе с подопечным личным составом капитан сделался сбивчивым и раздражительным.

Зато через три недели состоялся второй концерт Ольги Баренцевой, прошедший с не меньшим триумфом. Затем еще один. Она с увлечением работала над новой программой и подумывала уже об организации хора из жен военнослужащих, о гастролях, о конкурсе вокалистов…

Катастрофа разразилась неожиданно, как и свойственно катастрофе. После пятого сольного концерта Ольги капитана Баренцева вдруг вызвал на ковер старший военный советник, гвардии полковник Астапчук. Разводить азиатскую дипломатию полковник не стал:

— Значит, так, капитан. Сигналы поступают. Устойчивое снижение показателей боевой и политической подготовки. Полморсос* хромает. Рост травматиз-

---

* Политико-моральное состояние (*воен.*).

ма, случаев халатности и обращений в медсанчасть. Среди китаез наблюдается брожение умов, недовольство... Верные люди сообщают, что в политуправление округа поступила из вашей части бумага. От замполита, кстати, Сунь Хуй-чая, или как его там... Нехорошая бумага. О тайном внедрении в полк агентов мирового империализма с целью деморализации личного состава революционной армии. Под видом советских специалистов и членов их семей. Что скажешь, капитан?

— А что сказать, товарищ полковник? Сука он, Хунь-чань этот. Сколько водки моей выжрал, а теперь... Я ведь у них единственный советский специалист, так что получается...

— Получается, капитан, именно так и получается. А знаешь, почему получается?

Астапчук исподлобья, хмуро поглядел на Баренцева.

— Никак нет, товарищ полковник, — заставляя себя глядеть Астапчуку прямо в глаза, бодро ответил капитан. В душе же определенно шевельнулось: «Ольга!»

— Ты, Роман Нилович, бабе своей прикажи, чтобы выть прекращала, понимаешь!.. — Полковник смачно, витиевато выматерился. — Ухи вянут, оголовок трещит! Тут не только китаеза хлипкая, сибирский мужик — и тот взовет.

— Но ведь публика, товарищ полковник... Каждый раз полон зал, а хлопают как... — пытался объясниться Баренцев.

— Полон зал, говоришь? А знаешь, как зал этот наполняют? У них, у сук, график специальный по взводам составлен, и каждый поход на концерт к трем очередным нарядам приравнивается, понял? У которых взыскание, те вне очереди, вместо чистки плаца и сортиров. Бойцы, говорят, со слезами идут, лучше, говорят, сортир, гауптвахта, дисбат... Вот так-то, капитан, всех достала твоя артистка, понял? В общем, пусть заткнется в тряпочку, а не хочет — пусть катит отсюда ко всем чертям собачьим. Двадцать четыре часа на размышление, а потом, если хоть одну нотку услышу, — тебе, капитан, неполное служебное, и прошу на Северные Курилы! Пущай перед морскими котиками колоратуры свои выводит, те стерпят. И на пенсию оттуда пойдешь ты капитаном, если, конечно, дотянешь... Приказ понятен?

— Так точно, товарищ полковник.

— Выполняйте...

Уже через неделю Ольга с Нилушкой были в Ленинграде, в родительской квартире на Моховой. Капитан Баренцев остался дослуживать в Гуаньчжоу, обучая китайских летчиков летать на наших «МИГах»...

VI
(Ленинград, 1982)

— Конечно, помнить этот период я не мог, но в памяти прочно засело ощущение великого безотчетного ужаса, когда на гладкой полусфере теплого шоколадного камня жирно залоснилась огромная, грубо размалеванная личина. В пространстве, созданном для тихого гудения благоговейных мантр, грянули сатанинские переливы бельканто... Остальное сложилось из обрывочных рассказов бабушки и отца, а недостающее было восполнено воображением...

— Ознакомился я с историей юного Будденброка, Нил Романович... Недурственно. — Профессор отхлебнул кофе и бережно поставил чашечку на стол. — Картинка, скажу я вам, вполне клиническая, хотя и нетипичная. У нас в стране, знаете ли, более распространены иные проявления вырождения. Куда менее... обаятельные. Не та преемственность, не та культура. Насколько же своеобразным должен быть жизненный

опыт у советского девятилетнего мальчика, чтобы он
избрал себе такого героя...

— Своеобразия хватало, — согласился Нил. —
Правда, тогда еще я это не вполне понимал — не
с чем было сравнивать.

— Вот об этом, пожалуй, и поговорим.

— О своеобразии или об отсутствии материала для
сравнений?

— И о том, и о другом. Каким вы были ребенком,
как воспринимали родителей, близких, мир?

— Далекое ретро? — Нил усмехнулся.

— Не такое уж далекое. Вам ведь двадцать пять?

— Двадцать шесть.

— Ну, чтобы вам не обидно было, пусть будет —
среднее ретро.

VII
(Ленинград, 1960—1961)

К четырем годам Нилушка прекрасно понимал, что
такое «папа». Папа — это была большая и тяжелая малахитовая рамка, стоящая на крышке бабушкиного
«Шредера» рядом с белыми головками, одна из которых называлась Бетховен, а вторая — Чайковский. Из
рамки выглядывал какой-то черно-белый дядя с аккуратно зачесанными редкими волосами и длинными, под-
крученными усами. Дядя смотрел сердито, Нилушка боялся его и не понимал, зачем в такой красивой папе живет Бармалей. Про Бармалея ему читала бабушка, маме
было вечно некогда, она приходила поздно, мимоходом
чмокала в щечку засыпающего Нилушку и тайком от
бабушки — зубки были уже почищены! — совала ему
конфетку в яркой шуршащей обертке.

— На работе дали? — спрашивал он сквозь дрему.

— На работе, — рассеянно соглашалась мама.

— Значит, ты хорошо работала, — резюмировал он и проваливался в сон.

В доме было много вещей, которые хотелось потрогать руками, много кисточек, которые так хотелось потрепать, — на бархатных красных портьерах, на скатерти, на абажурах, низко нависающих над столом в гостиной, над маминой кроватью в спальне, над роялем в комнате, где жили бабушка с бабуленькой. А еще там был сундук — тяжелый кованый сундук, покрытый ковром. Как-то, когда бабуленька лежала в больнице, а бабушка пошла ее навестить, взяв с него честное слово, что он будет вести себя хорошо и никуда не отлучаться от стопочки книжек-складышей — из них можно было строить домики, а можно было и просто разглядывать в них картинки, — он не утерпел, пробрался в бабушкину комнату, пыхтя, стащил с сундука ковер, поднатужился, поднял тяжелую крышку... Среди старых, пожелтевших нот и разных пыльных коробочек он отыскал совсем ветхий коричневый альбом с фотографиями. Незнакомые, странно одетые дяди и тети, дети в длинных платьицах с кружевными подолами, в маленьких мундирчиках... Больше всего было одного дяди — толстого, важного, со стеклышком в глазу, с узенькими белыми баккенбардами. На многих фотографиях дядя этот был в блестящей высокой шляпе и смешном пиджаке, коротком спереди и очень длинном сзади, так что получалось что-то вроде хвостика. Дядя стоял на сцене, как мама в опере, в руках у него были то тросточка, то зонтик, то небольшая грифельная доска, вроде той, что бабушка подарила ему на день рождения. К тому же в сундуке отыскался хрупкий и пожелтевший лист бумаги с портретом того же дяди и четкими большими буквами, среди которых он узнал самую большую — «В».

Бабушка застигла его за увлеченным разглядыванием, отчего-то ужасно рассердилась, поставила хнычущего Нилушку в угол на бесконечные полчаса, а за обедом оставила без сладкого. Несмотря на суровость наказания уже через день Нилушке снова захотелось поглядеть альбом, и, когда бабушка опять ушла в магазин, он снова был в ее комнате, у заветного сундука. Увы — на крышке висел новенький, сияющий дужкой замок.

Какое-то время В. являлся Нилушке по ночам, пугая и одновременно маня холодным взглядом, медленными, отточенными жестами крупных белых рук. Потом перестал… Спрашивать про этого таинственного господина у мамы он не захотел, а у бабуленьки, вскоре возвратившейся из больницы, было и вовсе бесполезно — в ответ на любое обращение она только чмокала серыми губами и монотонно гудела себе под нос. О том же, чтобы спросить у бабушки, не могло быть и речи — моментально шагом марш в ненавистный угол, куда он регулярно попадал и за меньшие провинности.

Бабушка, неулыбчивая строгая дама с мощными рубенсовскими формами, была скора на расправу, а телячьих нежностей не терпела. Ее поцелуи доставались ему строго один раз в год — на Пасху, а все его попытки как-то приласкаться к ней натыкались на стойкое, презрительное неприятие.

— Ах, какие ревности! — приговаривала она, стряхивая его с колен, словно досадные крошки, или отталкивая от себя. — Сопли подотри, ишь ты, выпердыш.

Кормила, правда, на убой и зорко следила, чтобы Нилушка был чист и ухожен. Впрочем, Нилушкой или внучком она называла его исключительно в присутствии посторонних — как правило, таких же холеных пожилых дам с седыми стрижками, иногда являвшихся в сопровождении лысых, потертых мужей. Перед приходом гостей она обряжала внука в короткие штанишки вишневого вельвета, того же материала жилетку, кукольную блузочку со взбитыми рукавами, на шею повязывала пышный бант в горошек. Непременной частью любого вечера было его выступление.

По бабушкиной команде он взбирался на заранее
выдвинутый из-за стола стульчик и высоким, ломким
голосом выводил:

— Bon soir, Madame la lune...*

Или:

— Aluette, gentille aluette...**

Или:

— Que sera, sera...***

И только мокрая подушка «в тиши ночей, в тиши
ночей» знала, скольких мук стоили эти мгновения сла-
вы, скольких шлепков, скольких часов, проведенных
на коленях в темном углу, скольких обидных, неспра-
ведливых эпитетов в свой адрес. Бабушка никогда не
повышала на него голоса, не употребляла нехороших
слов, которыми щеголяли дворовые мальчишки, но
всегда находила какие-то свои, удивительно больные,
едкие. Когда снисходила до банального «сволочь» —
значит, либо устала, либо в чрезвычайно добром рас-
положении... Гости же ничего этого не знали, вооду-
шевленно хлопали в ладоши, целовали, сажали к себе
на коленки, нахваливали его и бабушку, пичкали пи-
рожными, давали глотнуть сладкого винца...

Несколько раз Нилушка порывался обновить репертуар, ведь бабушкиным гостям наверняка понравились
бы песенки, которые распевают во дворе большие мальчики, — и по-русски, и слова такие интересные... Бабушка, бабушка, ты только послушай. «Когда я был
мальчишкой, носил я брюки клеш... Или вот — Падла
буду, не забуду этот паровоз... — пел Нилушка. И еще:
Как из гардеропа высунулась жо...»

Бабушка поджимала губы, отвешивала любимому
внуку душевный подзатыльник и, не давая пропла-
каться, тащила к роялю:

---

* Добрый вечер, госпожа Луна (фр.).
** Жаворонок, милый жаворонок (фр.).
*** Что будет, то будет (фр.).

— Sur le pont d'Avignon...*

Бабушкин запас познаний во французском языке исчерпывался десятком песенок наподобие «Авиньонского моста», и когда Нилушке исполнилось четыре года, к ним три раза в неделю стала приходить бабушкина подруга Шарлота Гавриловна, хромая, горбатая старуха, похожая на бабу-ягу. Она приносила с собой в старом сафьяновом портфельчике допотопные, рассыпающиеся учебники с непонятными словами и картинками, которые было интересно рассматривать, потому что на них изображалось то, чего в реальной жизни не было и быть не могло... «Каждое утро эти кавалергарды занимаются выездкой в этом манеже... Я покупаю бланманже в кондитерской Фруассара. Qui cri, qui lit, qui frappe à la porte?..» **

Занятия с Шарлотой Гавриловной были нудными, тягучими, как сопля, но по причиняемым страданиям не шли ни в какое сравнение с бабушкиными уроками музыки!.. Пребольно доставалось линейкой по пальцам, если он неправильно ставил руку, по ушам, когда брал не ту ноту. А куда больней линейки били слова... Тогда и пошли мечтания. Забившись в уголок, Нилушка мечтал не о сладостях — они никогда не переводились в доме, и мама каждый день приносила что-нибудь из оперы, — не о новой игрушке — все, что могли предложить тогда ленинградские игрушечные магазины, кучей валялось в углу возле его кроватки. Он мечтал, что когда-нибудь забредет в их края добрый разбойник Робин Гуд, защитник слабых и угнетенных, и поразит бабушку звенящей стрелой из своего тугого лука. И никогда больше не нужно будет садиться к ненавистному роялю, зато целый день гонять с мальчишками во дворе...

Ах, этот двор, такой близкий — и такой далекий! Когда бабуленька была еще в силе, бабушка отправ-

---

* На мосту Авиньон (*фр.*).
** Кто плачет, кто читает, кто стучится в дверь? (*фр.*)

ляла их прогуляться вдвоем, спускалась вместе с ними по лестнице, поддерживая бабуленьку за локоть, строго наказывая внуку со двора ни ногой. Потом бабуленька мирно дремала на лавочке, а Нилушка был предоставлен сам себе — играл в песочек, бегал в прятки и догонялки. Как-то, увлекшись, ребятишки гурьбой усвистали на второй двор и на третий, Нилушка увязался за ними — и, как на грех, наткнулся на возвращающуюся из магазина бабушку... Двадцать минут на коленях в углу, лишение прогулок на неделю, а потом и того хуже — бабушка спускалась во двор вместе с ним и с бабуленькой и длинным полотенцем привязывала его к ножке скамейки!

Искать защиты у мамы было бесполезно — ее и дома-то не бывает, а если она и бывает, то либо с бабушкой музицирует, либо спит допоздна. Случалось, Нилушка заползал к ней в теплую постельку, прижимался, всхлипывал:

— Мама, а бабушка опять...

Мама сонно улыбалась, рассеяно гладила по головенке.

— Ну ничего, ничего... В выходные съездим на Елагин остров. Там карусели, чертово колесо, комната смеха... Хочешь?

— Хочу...

Но выходные проходили, а съездить все не получалось... Наконец собрались. Мама долго пудрилась, надела красивое зеленое платье в больших алых розах, Нилушку обрядили в ненавистный вельветовый костюмчик и цветные гольфы... Получилось плохо — первым делом мама повела его в комнату смеха.

— Смотри, Нилушка, какие уроды! Ха-ха-ха.

Вместо мамы он увидел в кривом зеркале огромного дракона с крошечной головкой и необъятным зеленым пузом с кровавым пятном на месте пупка. Рядом с драконом, там, где должен был бы находиться сам Нилушка, кривлялся страшный рахит с тоненькими изломанными ручками. В голове что-то угрожающе защелкало, Нилушка упал лицом в грязный дощатый пол и зашелся в рыданиях... Больше на Елагин не ездили.

Вскоре после неудачного похода на острова в доме началась какая-то непонятная суета. Мама с бабушкой, переодевшись в ковбойки и тренировочные штаны, носились по квартире с ведрами воды, протирали тряпками настежь открытые окна, водили по паркету полотерными щетками, попеременно бегали на кухню, где в кастрюлях что-то булькало, пенилось и вкусно пахло, то и дело шпыняли Нилушку:

— Ну, что ты вертишься под ногами? Пошел бы, что ли, погулял...

— Как?! — не веря своим ушам, спрашивал Нилушка. — Сам?

— Но ты же знаешь, что бабуленька теперь не выходит...

Во двор он выбежал окрыленный, но очень скоро весь восторг улетучился. Было скучно, глухие старухи на лавочке да девчонки прыгают возле песочницы через скакалочку, визжат от восторга. Нилушка решил было подойти, напроситься в прыгалки, но получилось бы несолидно, он же теперь большой, сам гуляет. Да и боязно, если честно сказать — девчонок трое, а он один... Противные они все-таки, девчонки. Все задаваки и воображулы. И устроены не как нормальные дети — Борька Семичев под большим секретом рассказал, будто писают они неправильно, не из писек, а вообще из ничего! Парадоксы жизни, как сказала бы бабушка...

Нилушка совсем уж собрался возвращаться домой, еще немного повертеться у мамы с бабушкой под ногами, но тут во двор вышел как раз тот самый Борька.

— Привет, Жиртрест! — снисходительно процедил он, подойдя к песочнице. — Без бабки сёдни? Ну ваще!.. Пацанов не видел?

— Не-а, — ответил Нилушка, мужественно проглотив обиду.

— А у меня что есть! — неожиданно похвастался Борька и показал блестящий беленький зуб.

— Ух ты! Где взял? — завистливо осведомился Нилушка.

— Сам выпал. Отсюда вот, — гордо сообщил Борька и, широко раскрыв рот, продемонстрировал дырку на верхней десне.

Нилушка с уважением поглядел Борьке в рот.

— Насмотрелся? И у тебя, когда большой станешь, тоже зубы выпадать начнут. А потом новые вырастут. Коренные называются. А это молочные.

— Знаешь что? — неожиданно для самого себя выпалил Нилушка. — Давай меняться, а?

— А что дашь? — оживился Борька.

— Ну, у меня, у меня...

Нилушка залез в глубокий карман пальтишка, но нащупал там только две шоколадных конфеты «Тузик», которые бабушка сунула ему перед выходом. «Тузика» было жалко, такой сладкий «Тузик»... С другой стороны, зуб...

— Ну, что телепаешься?

Борька смотрел уже с откровенным презрением.

— Вот, — решился наконец Нилушка. — Тузик...

— Покажь, что еще за тузик?

Мена состоялась. Борька целиком засунул конфету в рот, и тут же из третьей парадной вразвалочку вышел Валерка-второклассник. Гордым взглядом окинул девчонок и подвалил к мальчишкам.

— Че жуешь? — спросил он, свысока глядя на Борьку.

— Жиртрест конфетку дал! Ниче, вкусная...

— Еще есть? — обратился Валерка к Нилушке.

Нил с глубоким вздохом достал вторую, последнюю, и протянул Валерке.

— Только я не Жиртрест, — тихо сказал он. — Меня Нилом звать.

Валерка широко зевнул, показывая, что воспринял эти новости без интереса.

— Вот что, мелюзга, — великодушно предложил он, дожевав конфету. — Айда к сараям поджигу делать...

Поджига получилась мировецкая, чуть край сарая не подпалили. Потом бегали от дворника, потом подобрали на третьем дворе кусок алюминиевой проволоки, вышли на улицу Жуковского, подложили проволоку на рельс. Проехал трамвай, расплющил проволоку колесом, вышла сабля. Валерка на правах старшего забрал ее себе, взмахнул — сабля тут же сложилась в гармошку. Валерка пожал плечами, зашвырнул дефективную саблю за забор и предложил полазать по подвалам...

Во дворе его поджидала бабушка, и выражение ее лица не сулило ничего хорошего.

— И где ты так изгваздался? — холодно поинтересовалась она.

— Бабушка, я... — Он лихорадочно искал оправдания. — Я «Тузика» на зуб выменял...

— Бегом домой, — продолжала бабушка. — Его отец ждет, а он...

Отец... Похоже на «холодец». Так вот что с утра варилось в большой кастрюле...

— Мам, а мне Борька свой зуб!.. — крикнул он, врываясь в гостиную. Должен же хоть кто-то понять и разделить его радость! Но новость свою он так и не докричал, затих, упершись взглядом в чужое, накрашенное мамино лицо.

Она была не одна. За общим столом сидела бабуленька, обливаясь протертым супчиком, а навстречу ему надвигался чужой дядя в желтой рубашке. Высокий, почти с маму ростом, худой, но с круглым выпирающим животом, как у того страшного дракона в зеркале. Будто мячик проглотил. Или непослушного мальчика.

— Ну здравствуй, сыночек, — тихо и страшно проговорил дядя, неумолимо приближаясь.

Нилушка метнул затравленный взгляд на лицо незнакомца. Редкие, аккуратно расчесанные волосы. Тараканьи усы. Да это же!..

— Да это же папа, Нилушка, что ты? — сладко пропела мама.

— Бармалей! — прошелестел мальчик побелевшими губами, ища защиты, обежал застывшую, словно изваяние, мать и вцепился в ее длинную юбку.

Обман, подмена! В папе, такой гладкой и красивой, проснулся Бармалей, вылез из папы и теперь выдает себя за нее! Мама, мама, как же ты не заметила?!

Мама выгнула руку, взяла мальчика за плечо и потянула, выталкивая его от себя, вперед, ближе к Бармалею.

— Что ж ты боишься, глупенький? — изгибались ее кроваво-красные губы. — Папочку не узнал?

Оскалив зубы, Бармалей медленно нагнулся, выставив вперед длинные, корявые руки.

Нилушка вырвался, устремился к дверям. На пороге, прислонясь к косяку, стояла бабушка. Она ловко подхватила малыша, прижала к себе.

— Бабушка, бабушка, бабушка... — залепетал Нилушка ей в ухо.

То ли ему послышалось, то ли бабушка действительно проговорила, словно тихо выплюнула, совсем уж непонятное слово: «Отцоид!»

Нилушка скоро осознал и примирился с тем фактом, что «папа» — это вовсе не малахитовая рамка на бабушкином рояле, а «отец» никакой не холодец, что эти два слова на самом деле означают одно и то же, а именно того чужого дядю, который вдруг появился в их доме, ел и пил за их столом, спал вместе с мамой в спальне, а по утрам долго булькал и гоготал в ванной, где появилось множество новых, а потому интересных вещей — бритвенный станок, который Нилушке строго-настрого запретили трогать, тюбик с густым белым кремом (очень невкусный, куда противней зубной пасты!), вечно мокрая волосатая кисточка, круглая бутылочка с пипкой посередине и большой

резиновой грушей сбоку. Если на эту грушу нада-
вить — то как фыкнет! Как-то Нилушка, играя, фык-
нул струйкой одеколона прямо в глаз. Его еле-еле ус-
покоили, глаз промыли, а бутылочку спрятали в ван-
ный шкафчик, куда ему было не дотянуться.

Теперь Нилушка спал в гостиной на раскладушке,
и это тоже было интересно, потому что за окном качался фонарь, и по ночам в комнате оживали тени от
разных предметов, убегали и преследовали друг друга, и Нилушка, затаив дыхание, подолгу наблюдал за
этой игрой в догонялки.

Он знал, что зовут дядю-папу майор Баренцев,
что мама называет его Роммель, а бабушка — Роман
Нилович, хотя за глаза, в разговоре с мамой, вели-
чает не иначе как «бурбоном» и «готтентотом», и что
работает он далеко, в Китае, летчиком. Тогда еще
это слово, волшебно-манящее для миллионов мальчишек, для Нилушки ничего не значило, летчик так
летчик.

Помимо гигиенических принадлежностей майор Баренцев привез с собой еще много всяких штук. Блестящие желтые и белые медали в плоских красных
коробочках. Настоящий летный гермошлем, который
был Нилушке безнадежно велик, а потому вскоре перекочевал до лучших времен на антресоли. Ярко рас-
крашенные глиняные маски, изображающие всяких
богов и чудовищ — в них Нилушке поиграть не дали,
а тут же прибили на стенку над диваном. Длинный и
тупой кинжал в украшенных кисточками красно-золо-
тых ножнах, а при нем — две пластмассовые палочки
с бронзовыми наконечниками. Майор Баренцев пояснил, что это не пластмасса, а настоящая слоновая
кость, и что такими палочками китайцы, оказывается,
едят. Еще палочки, похожие на коричневые бенгальские огни, только если их поджечь, они не брызжут
искрами, а начинают сильно и приторно вонять. Длинные картинки на лакированных палках, за которые

картинки полагалось подвешивать. На картинках были горы, водопады, птицы, деревья в цвету, желтолицые люди в широких пестрых халатах и угловатые черные закорючки.

Нилушке безумно нравилось копаться во всех этих вещах, но, к сожалению, это можно было только в присутствии майора Баренцева, а в его присутствии Нилушке становилось не по себе. Конечно, того ужаса, который он испытал при первой встрече, уже не было, но образ Бармалея еще не до конца померк в сознании, и в одной комнате с отцом у Нилушки начинали предательски дрожать коленки, голос переставал его слушаться, а любые желания вытеснялись одним-единственным — оказаться как можно дальше отсюда. Но чтобы не рассердить майора, Нилушка послушно тыкал пальчиком в первую попавшуюся вещицу и умирающим голосом спрашивал:

— Можно... папа?

— Конечно, можно... сынок, — с несколько натужной сердечностью отвечал отец. — Это сандаловые четки... в общем, такие бусы специальные...

Чувствовалось, что присутствие сына его тоже тяготило. Майор расстался с Нилушкой, когда тот был живым щекастым пупсом, умевшем лишь пачкаться да орать в самое неподходящее время, и теперь тоже никак не мог свыкнуться с тем, что этот незнакомый мальчишка, толстый, бледный, с темными кругами под глазами — и есть тот самый пупс, его родной сын, и с этим обстоятельством надо что-то делать. Впрочем, Нилушка этого понять не мог, да и сам майор — тоже вряд ли...

Мальчик послушно брал в руки четки, перебирал несколько бусинок, тихо клал на место.

— Еще что-нибудь показать? — с готовностью спрашивал майор.

Нилушка понуро кивал головой и разглядывал предложенное, толком не видя и не слыша старательных разъяснений отца. Когда мама, а чаще бабушка за каким-нибудь делом выкликали его, он пулей вылетал из комнаты, и даже пытки у рояля были ему в радость.

Ночью, выйдя в туалет, он услышал обрывок разговора, который вели на кухне взрослые. Солировал майор:

— ...повышенная солнечная активность, и врачи настоятельно рекомендуют родителям детей с ослабленным здоровьем этим летом воздержаться от их вывоза на Черноморское побережье. Прекрасные места для детского отдыха есть и в средней полосе России, на Карельском перешейке и в Прибалтике... Это я, дорогие женщины, к тому, что не худо бы еще раз все взвесить. Сами же говорите — ребенок перенес бронхит...

До сознания Нилушки дошло только слово «черноморское», и тут же защемило в груди. Еще зимой мама обещала свозить на Черное море, и так аппетитно про это море рассказывала.

— Вам не стоило утруждать себя чтением, Роман Нилович, — отвечал четкий, ледяной голос бабушки. — Ваша мысль предельно ясна и без газетных слов. Я прекрасно понимаю, что вдвоем с Ольгой отдыхать вам будет куда вольготнее и спокойнее. Не стану возражать. При таком подходе всем будет только лучше, если мальчик отправится в деревню с Аглаей Антоновной и со мной. И в первую очередь ему самому.

— Но, Александра Павловна, я вовсе не это имел в виду...

— Ах, мама, но тебе же будет трудно управляться и с Нилом, и с бабушкой. К тому же я обещала Нилушке...

Ольгу прервал громкий рев из туалета:

— Не хочу на море, не хочу на море, хочу в Толмачево! С бабушкой! И с бабуленькой!

Майор не сдержал вздох облегчения.

Когда Нилушку привезли из деревни, отец был уже в Китае. На следующее лето мама сама летала к нему и привезла себе, сыну и бабушке много красивой одежды.

VIII
(Ленинград, 1982)

— Насколько я понимаю, вы в этот период получаетесь как бы безотцовщиной при живом отце. За такое короткое время ни вы не успели принять и полюбить его, ни он вас, вы встретились и расстались совсем чужими людьми, а ваши домашние это положение ничем, можно сказать, не облегчили.

— Там все друг другу чужие.

— Три поколения, три женщины, холодные, как Парки... — пробормотал Евгений Николаевич. — Клото, Лахесис, Атропос...

— Что вы сказали?

— Так, ничего... Бабушка ваша мне понятна и объяснима. А вот мать...

— Я не хочу никого судить да и не имею права. Ольга Владимировна — выдающаяся, почти великая певица, талант, полностью раскрытый и реализованный, — без намека на иронию сказал Нил. — Она живет только оперой, а все, что не есть опера, для нее существует лишь фоном, где-то там, на самой периферии сознания.

— В том числе и единственный сын?

— В том числе и единственный сын, — подтвердил Нил. — Только винить ее в этом — все равно, что пенять на луну за то, что не греет. Теперь-то я понял, а прежде сильно обижался... Пожалуй, единственное, в чем ее можно упрекнуть — что она вовремя не осмыслила свой жизненный вектор и допустила мое появление на свет...

IX
(Ленинград, 1963)

Минуло два года. Мамина слава крепла, ей присвоили звание заслуженной артистки, а потом вызвали в Москву и наградили медалью. Сразу по возвращении они с бабушкой затеяли большую перестановку, поскольку теперь маме нужна была отдельная комната для отдыха и занятий. Для начала Нилушку выселили из его с мамой спальни, куда тут же запустили мастеров, обивших стены специальными звукоизолирующими панелями и поставившими новую дверь, обтянутую чем-то толстым и мягким. Его кровать выкинули на помойку, заменив ее новым раскладным диваном, а диван, вместе с его столиком и ящиком с игрушками, затолкали в угол гостиной.

Но и этот угол не стал для него тихим прибежищем — вскоре в гостиную перекочевал бабушкин рояль, и сюда с утра до позднего вечера стали ходить ученики. Учеников у бабушки заметно прибавилось, и хотя она вдвое увеличила плату за обучение, попасть к ней могли далеко не все желающие — еще бы, брать уроки у матери самой Баренцевой! Бабушка уже не могла позволить себе проводить занятия в своей комнате, где теперь безвылазно находилась бабуленька, вконец одряхлевшая и утратившая последние признаки презентабельности и транспортабельности. Ни приласкать правнука, когда он, изгнанный из других комнат, забредал в ее старческую обитель, ни сказать ему что-нибудь хорошее она не могла, если вообще когда-нибудь умела. С другой стороны, была уже не в состоянии шипеть и шпынять — и на том спасибо. Даже детский сад, куда его вскорости определили, чтобы зря не болтался под ногами, казался, по сравнению, мил и приятен, и домой возвращаться было ой как тяжко.

Но зимой садик закрыли на ремонт, а детей перевели в другой, в четырех трамвайных остановках. Нилушку решили туда не водить — далеко, к тому же мальчику осталось всего полгода до школы. Теперь, в оставшееся от платных учеников время, бабушка занималась с ним не только музыкой, но и арифметикой, чистописанием, на ручонках, непривычных еще к перу, не сходили чернильные кляксы и синяки от злой бабушкиной линейки. Шарлота Гавриловна со своими ветхими учебниками стала приходить и днем.

— Nil! — все чаще шипела она. — Cesse-la! Tiens en place!*

Он ненавидел французский язык, ненавидел Шарлоту, ненавидел бабушку. «Она же такая старая! — думал он, забившись в уголок. — Ей пятьдесят восемь лет! Ну почему она все никак не умрет?!»

Мама то пропадала в своей опере, то целыми днями лежала на тахте в звуконепроницаемой комнате, то вовсе исчезала на несколько недель. Это называлось «гастроли». Оттуда она всякий раз привозила сыну что-нибудь интересное — яркие, красивые игрушки, большие книжки с множеством цветных картинок и непонятным текстом, пушистые свитера и нарядные костюмчики, невиданные сласти — белый, как молоко, шоколад, плоские, почти прозрачные конфетки, которые так и таяли во рту, сочную жевательную резинку. Нилушка радовался подаркам и мечтал, чтобы мама уезжала почаще. И еще — чтобы самому поскорее вырасти и тоже поехать на гастроли, где делают столько всего замечательного.

Один раз мама взяла его с собой в оперу. Они долго ехали на трамвае, и это было интересно. Вышли у громадного красивого дома, но пошли не туда, где широкие ступеньки и много высоких стеклянных дверей, и большие-большие афиши с обеих сторон (на

---

* Прекрати! Не вертись! (*фр.*)

одной Нилушка, влекомый за руку озабоченной, опаздывающей мамой, успел с гордостью прочесть «з. а. РСФСР О. С. Баренцева»), а свернули за угол и нырнули в узкую, коричневую дверь с надписью «Служебный вход». За дверью на стуле сидела старая тетенька в берете и ловко перебирала спицами. Тетенька пробежала по ним взглядом, кивнула равнодушно и продолжила вязание, никак не прореагировав на тихое «здравствуйте», которое выдавил из себя воспитанный мальчик Нилушка.

— Вовсе не обязательно здороваться со всеми подряд, — на быстром ходу поучала мама, проволакивая его по высокому, но узкому коридору. — Народу здесь...

Действительно, народу было порядочно, и самого разного. Вот навстречу им вылетела целая стайка девчонок в белых балетных платьицах, едва ли старше Нилушки, писклиао переговариваясь, пролетела мимо. Вот из-за поворота выскочили два дядьки в серых замызганных халатах, едва не зацепив Нилушку длиннющей стремянкой. Вот они сами пронеслись мимо еще одного дяденьки, маленького, толстого и лысого — он стоял, выставив вперед руку, и сосредоточенно выводил высоким, козлиным голосом:

— Ля-а-а-а-а! А-а-а-а-а!.. Оля, в местком загляни-и-и!

— Ладно, Прокопий, потом... — пропела в ответ мама, не замедляя шаг.

Они без стука влетели в какую-то дверь и оказались в маленькой, прокуренной комнатке. Тут же отразились в двух зеркалах, возвышающихся над туалетными столиками — точно такой же стоял у бабушки в комнате, только на нем лежали ноты и стояла большая ваза с сухими цветами, а на этих громоздились всякие флакончики, коробочки, пуховки. Одно из придвинутых к столикам кресел было пусто, в другом сидела толстая старая дама в бордовом бархатном платье, расшитом по подолу фруктами, и в высокой прическе, кудрявой и совсем белой. Дама курила папиросу и в зеркало смотрела на них карими коровьими глазами.

— Гаечка!

Мама подтолкнула Нилушку в сторону, сама же стремительно приблизилась к старой даме, наклонила к ней лицо. Та выставила толстое обнаженное плечо, и мама приложилась к плечу губами. Толстая дама в ответ чмокнула губами, словно целовала воздух.

— А то перепачкаю, — объяснила она густым басом и повела глазами в сторону Нилушки. — Твой?

— Мой, — подтвердила мама.

— Хорошенький. А почему не здоровается?

Мама обернулась, посмотрела с укоризной.

— Да, Нилушка, что же ты, поздоровайся с тетей Гаей.

Он густо покраснел — что спрашивает, сама же учила не здороваться с кем попало?! — и чуть слышно пробубнил:

— Здравствуйте…

— Гаечка, милая, умоляю, побудь с ним минуточку. Я только к главному и обратно…

— Мне сейчас на сцену, — пробасила толстая Гаечка.

— Да я буквально на секундочку… А ты смотри, веди себя.

Мама клюнула Нилушку губами в щечку и выпорхнула за дверь.

Тетя Гаечка, чуть улыбаясь, смотрела на набычившегося Нилушку, думая, должно быть, какой такой вопрос следует задать этому маленькому дикарю.

— И как же?.. — начала она, но тут в дверь постучали, и скрипучий голос внятно произнес:

— Гаянэ Хачатуровна, ваш выход.

Толстуха вздохнула, притушила папиросу и поднялась, одергивая налипшее платье.

— Ну вот, — сказала она, приосанилась и вышла, оставив Нилушку в полном одиночестве.

Он посидел немного, потом, набравшись смелости, подошел к маминому столику, понюхал из флакончика, открыл коробочку с яркой металлической крышкой, тут же измазал руку в каком-то жирном креме. Пока искал, чем вытереться, случайно дунул в пудреницу. Отскочил, от греха подальше, тут же задел спиной манекен с тяжелым и жестким позолоченным платьем, чуть не уронил. На цыпочках вернулся к столику и сел в кресло, теперь уже опасаясь трогать что-либо.

Мама все не шла. Здесь было мучительно душно и скучно. Нилушка терпел, сколько мог, потом не выдержал, встал и вышел в коридор. Там было пусто. Вдали играла музыка. Идя на звук, он свернул за угол, потом за другой, незаметно для себя прошел в широкую, настежь открытую дверь...

Он оказался в длинном, узком помещении, сплошь уставленном одинаковыми шкафчиками. Одни были открыты и пусты, другие закрыты. Под некоторыми шкафчиками стояла обувь — туфельки, шлепанцы, белые балетные тапочки. Совсем как в детсадовской раздевалке...

В отдалении что-то скрипнуло, неожиданно пробежал сквознячок. Нилушка вздрогнул и замер.

В противоположном конце помещения показалась тоненькая, гибкая фигурка, обернутая в голубую простыню. Грациозно перебирая босыми ножками, фигурка приблизилась и остановилась вполоборота к мальчику возле одного из шкафчиков. Нилушка с замиранием сердца смотрел на точеный девичий профиль, на гривку мокрых волос, откинутых с чистого высокого лба. Никогда еще он не видел создания, столь прекрасного.

Смуглая тонкая рука приоткрыла створку, достала что-то. Пугливо, словно серна, озираясь большими влажными глазами, девушка невесомо подошла к другому шкафчику, склонилась, высыпала в стоящие под ним тапочки какой-то белый порошок, выпрямилась и спрятала в складках простыни спичечный коробок.

— Будешь знать! — торжествующе прошептали нежные губы, раскрылись пошире, между ними показался розовый язычок.

Она развернулась и гордо удалилась в том же направлении, откуда пришла, так и не заметив вмазавшегося в стенку Нилушки. А его пробрала сладкая дрожь, лицо горело... Он долго смотрел ей вслед, пока не сумел усилием воли отогнать наваждение.

— Балерина! — пробормотал он со всей возможной презрительностью. В их доме это было слово ругательное.

Но неземной образ не желал уходить в небытие, насмехаясь над его натужным презрением...

Выйдя из раздевалки, он еще немного поблуждал по коридорам, пока не нарвался на злую взъерошенную тетку, удивительно похожую на Нонну Сергеевну, самую несимпатичную воспитательницу в их садике.

— Это еще что такое?! — окрысилась тетка, едва завидев его. — Что еще за хождения? Тебе где надо быть?

— Не знаю, — честно и озадаченно признался Нилушка.

Тетка всплеснула руками.

— Он не знает! Не знает он! Через пять минут на сцену, все эльфы давным-давно готовы, переоделись, а он один все не знает... В левую кулису! Бегом!

— К-куда? — переспросил совсем растерявшийся Нилушка.

Тетка в изнеможении махнула куда-то рукой и убежала. Нилушка же побрел в указанную сторону. Скоро коридор перешел в лестницу, ведущую наверх, а та закончилась чем-то вроде балкона. Слева от Нилушки сбегала вниз крутая и узкая винтовая лестница, впереди виднелся длинный деревянный мостик, перекинутый через темную бездну. Дальний край мостика терялся во мраке. Нилушка подумал и выбрал винтовую лестницу. Осторожно, держась за стену, спустился по ней, и тут же зацепил ногой какую-то толстую веревку. Совсем рядом с ним с грохотом обрушилось что-то большое и плоское, подняв при этом такую густую пыль, что стало вообще ничего не видно. Нилушка оглушительно чихнул.

Похоже, оба этих громких звука остались никем не услышанными. Ободренный этим, Нилушка отдышался и осторожно, почти ощупью двинулся дальше. Музыка делалась все громче и громче. Он обогнул большой темный холст — и совершенно неожиданно оказался в густой толче. Всюду сновали люди разных возрастов, полов и размеров, в театральных и обыкновенных костюмах, живо жестикулировали, переругивались шепотом, шпыняли и толкали его. Он попятился, пытаясь сойти с торной дорожки, и уткнулся в колено, принадлежащее очень большому дяде. Дядя стоял совершенно спокойно, похоже, единственный из всех никуда не спешил. У него было круглое, доброе лицо.

— Ты, малец, чей такой? — приветливо спросил дядя.

— Зэ-а РСФСР Баренцевой О-Эс, — ответил Нилушка.

Этот дядя ни малейшего страха у него не вызывал.

— Ишь ты! — с уважением протянул дядя. — А кем быть хочешь, когда вырастешь?

— Пожарником! — убежденно ответил Нилушка.

Большому дяде этот ответ понравился чрезвычайно.

— Наш человек! — умиленно сказал он и протянул большую крепкую ладонь, которую Нилушка смог обхватить только двумя ладошками одновременно. — А я дядя Вася. Поглядеть хочешь?

— Что поглядеть? — не понял Нилушка.

— Ну, сцену. Представление.

— Ага.

— Пошли. Только там тихо надо.

И они на цыпочках вышли в кулисы, где специально для дяди Васи было поставлено кресло с прямой спинкой. Отсюда была видна почти вся сцена — только не как из зала, а сбоку. На сцене пели и плясали, а в противоположной кулисе, не обращая никакого внимания на окружающую суету, стоял человек в наушниках и меланхолично жевал длинный бутерброд. Нилушка забрался на колени к дяде Васе и стал смотреть на человека с бутербродом.

Мама разыскала его лишь после окончания дневного спектакля, крепко отругала, досталось и дяде Васе. Всю дорогу до дома она сердито молчала. И больше сына с собой в театр не брала. Он и не напрашивался. Там все играют музыку и поют — этого добра ему и дома хватает!

Если раньше ему строжайше запрещали выходить во двор без присмотра взрослых, то теперь, наоборот, норовили выставить при каждом удобном случае.

— Что сидишь сиднем?! — прикрикивала бабушка. — Иди-ка погуляй.

Но особого желания не возникало.

Чистенькая добротная одежка, толстые щеки, кругленький животик, а главное, занятия музыкой и французским, мягко говоря, не прибавляли ему популярности среди дворовых мальчишек. Играть его принимали нехотя, в войнушку убивали первым, обзывались:

— Парле-франсе пирамидон!

— Зато у меня папа летчик! — наливаясь краской гнева, кричал он.

— И где он, твой летчик? — ехидно спрашивал Валерка, главный предводитель, уже щеголявший в пионерском галстуке. — Видали мы таких летчиков! Летал-летал, на мамку приземлился, Пирамидона сделал и дальше полетел!

Даже гермошлем, который он, нарушив бабушкин запрет, потихоньку вытащил с антресолей и на собственной голове вынес во двор, вызвал у мальчишек лишь очередную порцию дразнилок:

— Жиро-мясо-комбинат, шпиг-сарделька-лимонад! В самолет заберешься, он под тобой сразу развалится!

Особенно старался Валерка — ревниво блюл свое исключительное право называться родственником героя: его старший брат учудил по пьянке что-то очень героическое и загремел в тюрьму. И то сказать — брата Валеркиного знают и видели все, а вот Нилова папу — никто. Будто он сам его придумал.

Бросаться с кулаками на обидчиков Нилушка не смел — все они были старше и крупнее его. А с малышней возиться и самому не очень-то хотелось. Поэтому во двор он старался выходить как можно реже, постоянно находя себе какое-нибудь убедительное для бабушки занятие дома.

Самыми же счастливыми часами его жизни стали те, когда мамы не было дома, а бабушка была слишком занята, чтобы надзирать за ним. Тогда он тихонько пробирался в мамину комнату, к незапертому комоду, где хранились оставленные отцом вещи, раскрывал ящики. Все китайские диковины давно уже были многократно пересмотрены, перещупаны, перенюханы, частично перепорчены и жгучего интереса больше не вызывали. Зато отцовские значки, фотографии, курсантская пилотка, первые лейтенантские погоны... Как жаль, что блестящие ордена и медали в красивых коробочках отец увез с собой! Зато оставил толстую, тяжеленную книгу в красном переплете, под названием «Аэродинамика самолета». Сама книга состояла из непонятных слов, чертежей и цифр, но на задних страницах были в цвете нарисованы всевозможные самолеты — наши, немецкие, американские. Высунув язык, Нилушка старательно перерисовывал «Яки», «мессершмитты» и «дугласы» в специальную тетрадочку в косую линейку. Нередко нарисованные самолеты становились частью сложной композиции — воздушного боя, бомбардировки. Технику рисунка бабушка и мама хвалили, содержание — нет. Женщины!

Конечно, Нилушка лазал не только по ящикам комода, но и по книжным полкам. Сначала открыл для себя Шекспира — в доме был только том с историческими драмами, — произведшего на него неизгладимое впечатление. Страсти, коварство, властолюбие, кровь!

Померкни, день! Оденься в траур, небо!
Кометы, вестницы судьбы народов,
Бичуйте неприязненные звезды,
Что Генриха кончине обрекли!
Он слишком славен был, чтоб долго править... —

декламировал он нараспев остолбеневшим мальчишкам во дворе, и тут же, воспользовавшись их замешательством, предлагал разделиться на Ланкастеров и Йорков и начать войну Алой и Белой розы. Они смотрели на него, как на полного придурка, но дразниться уже побаивались — психованный, поди знай, что может выкинуть... А он не останавливался на достигнутом, открывал для себя большой географический атлас, «Библиотеку приключений».

Теперь он окончательно понял, кем хочет быть. Только полярным летчиком. Как Саня Григорьев. До чего же здорово, что и фамилия у него самая подходящая для полярного летчика. Баренцев — как студеное море!

Избрав героя, надо во всем повторить его путь. Начать, как начинал он. В данном случае — бежать из дома.

Воспользовавшись отсутствием бабушки, он быстренько затолкал в рюкзачок старый драный свитер и варежки на случай зимы, полбуханки хлеба и большое румяное яблоко, книгу «Два капитана», карманный фонарик с севшей батарейкой, отцовский компас и три коробка спичек — а то какой же он путешественник без фонарика, компаса и спичек?

Все благоприятствовало его начинанию. Сырая, промозглая погода, простоявшая весь март и начало апреля, в одночасье рассосалась. Выглянуло солнышко, теплый ветер разогнал последние облака и приоткрыл небо — голубое, бездонное. Нилушка отвык от такого неба и, выйдя во двор, залюбовался им, подняв голову.

— Мой папа летает по тебе, — сказал он. — А я когда-нибудь полечу еще выше, прямо в космос. Как Гагарин и Титов.

В полярные летчики больше не хотелось, хотелось сразу в космонавты. Нилушка даже забыл, зачем, собственно, вышел, пробродил немного по двору, то и дело обращая к небу блаженную улыбку, съел яблоко да и поднялся домой. А вечером пришла телеграмма, что отец уже в пути и будет через три дня.

X
(Ленинград, 1982)

— Ждали?

— Как манны небесной. Понимаете, во мне тогда проклюнулось нормальное мальчишеское естество — библиотека приключений, самолетики, побег из дома. И это было так созвучно образу отца...

— Что же вы замолчали, Нил Романович? Неприятно говорить на эту тему?

— Скорее, неловко. Неужели вам интересно второй день кряду выслушивать мои... мемуары? Не жалко тратить время на такие пустяки?

— Это не пустяки, и это *мое* время. И моя работа. Мне за нее жалованье платят... Так что отец? Оправдал ваши ожидания?

XI
(Ленинград, 1963)

Нилушка напросился ехать вместе с мамой в аэропорт, ночью долго ворочался с боку на бок, заснул только под утро, но немедленно, бодро вскочил, едва лишь мама подошла к нему и ласково тронула за плечо — мол, пора.

Мамин сослуживец, баритон Даваев, заехал за ними на своей зеленой «Победе», и они тронулись через утренний, солнечный город. Нилушка ерзал на заднем сиденье, вертел головой, разглядывая незнакомые дома и улицы.

Рейс немного задерживался, и мама с Даваевым сели в кресла в полупустом зале ожидания, а Нилушка тут же прилепился носом к большому витринному стеклу, выходящему прямо на летное поле, поедал глазами выстроившиеся в рядок большие серые самолеты, смотрел на людей, сновавших по полю. С особым вниманием он вглядывался в тех, на ком была надета синяя форма. Это, конечно же, летчики, и надо не пропустить среди них папу...

— Пойдем, Нилушка, — неожиданно произнесла позади него мама. — Наш самолет объявили.

Они двинулись к дальним воротам, из которых вскоре стали выходить веселые загорелые люди с шальными глазами. Другие, стоявшие у ворот, подбегали к прилетевшим, обнимали, целовали, дарили цветы. Нилушка, еще толком не разглядев, животом почувствовал, что вон тот дяденька, лысый, усатый, в мятом сером пиджачке, совсем непохожий на свои фотографии, еще только приближающийся к воротам — это и есть...

— Мама! — заверещал он на весь зал. — Мама! Папа!

Все обернулись и с улыбками посмотрели на него.

— Тише, не ори так... Да где, где ты увидел папу?

— Да вон там же!

И первым повис на шее вмиг остолбеневшего, глупо улыбающегося майора Баренцева.

— Вымахал-то... — частично обретя дар речи, пробормотал майор. — Совсем мужик стал.

— Папа, папа, папа, — лепетал Нилушка, тычась носом в выбритую до синевы щеку, а в голове кружила одна, но очень радостная мысль: «Я — мужик!».

Такая самооценка крепла и развивалась в нем те два бесконечно счастливых, но таких коротких месяца, когда отец был рядом. Он бегал за отцом, словно хвостик за собакой, — на базар, в парикмахерскую, до ларька с газетами или папиросами, всегда норовил, проходя по двору, взять его за руку, чтобы ни у кого не оставалось сомнений, что это — *его* папа, и очень тяжело переживал, что отец все время ходил в гражданском и внешним видом своим никак не подтверждал свою принадлежность к героической профессии военного летчика.

В первый же вечер, с муками дождавшись наконец, когда встанет отец, прилегший отдохнуть с дороги, Нилушка показал ему свои тетрадочки с картинами воздушных боев, сам встал рядом, комментировал, без обиды выслушивал профессиональные замечания, касающиеся технических погрешностей, тут же кидался исправлять рисунок. Потом обоим это надоело, и они принялись шутейно бороться. Несколько раз отец перекувыркивал в воздухе визжащего от восторга Нилушку и швырял на широкую мамину кровать, потом поддался и шлепнулся сам, якобы от ловкой Ниловой подсечки.

— А с мускулами, брат у тебя того... имеются, как говорится, недоработки. — Отец двумя пальцами обхватил пухлую мальчишескую ручонку повыше локтя. — Кисель, а не мускулы... Вот смотри. — Баренцев-старший согнул руку и позволил сынишке потрогать взбугрившийся под коричневой кожей бицепс. — Ну ничего, это мы исправим.

Наутро они пошли на Литейный в спортивный магазин и купили Нилушке экспандер и пару самых маленьких, полукилограммовых гантелей. Себе отец выбрал большие, сборные, на пятнадцать килограммов.

— Надо, понимаешь, форму держать, — объяснил он сыну.

После этого они каждое утро делали основательную, до пота, зарядку, сопровождаемую спартанскими водными процедурами, в течение которых Нилушка

3*

беспрерывно верещал, а бабушка, проходя мимо ванной, недовольно хмурилась.

Потом побывали в магазине «Юный техник» на Садовой, где накупили такую кучу заготовок для авиамоделей, что домой пришлось возвращаться на такси.

Под руководством отца Нилушка, высунув от старания язык, вырезал, клеил, прилаживал к тонким деревянным планочкам проволочные нервюры, аккуратно, чтобы без морщин, обтягивал каркас крыльев тонкой папиросной бумагой... Первый планер пошли испытывать в Михайловский сад всей семьей, только бабушка отказалась. Как было радостно, когда легкая, белоснежная модель, сделанная собственными руками, взмыла в небо и не спеша поплыла над лужайкой, над скамейками, где все сидящие дружно, как по команде, подняли головы и посмотрели вверх, над кронами деревьев. И как горько, когда внезапный порыв ветра подхватил его гордую птицу и безжалостно швырнул на середину Мойки, и достать ее оттуда не было никакой возможности.

Мама гладила плачущего Нилушку по головке, но он никак не мог остановиться. Отец долго глядел на это, а потом тихо сказал:

— Мужчины не плачут.

Слезы мгновенно высохли, только по инерции пару раз всхлипнулось.

Зато потом были новые планеры, и самолетики на резиновом моторчике, и маленькие, но точные копии настоящих боевых машин, сделанные из картона по чертежам журнала «Моделяж». Они приступили к работе над серьезной радиоуправляемой моделью «По-2», но дело заглохло из-за отсутствия в магазинах необходимых деталей.

При отце бабушка не так свирепствовала с музыкой, и занятия как-то сами собой свелись к минимуму. Уроки же французского отец попросту отменил волевым решением:

— Франция? Да одна наша Таманская дивизия всю эту Францию за три дня возьмет! А вот с янкесами придется повозиться. Нет уж, пусть-ка парень изучает язык потенциального противника!

И сам не поленился сходить в школу с углубленным изучением английского, что возле метро «Чернышевская». В результате этого похода Нилушку, предварительно и очень благосклонно проэкзаменовав, в школу записали, хотя по микрорайону он не подходил...

Как-то днем они вдвоем сели на трамвай и доехали до стадиона Кирова. Вообще-то собирались на футбол, которого отец не видел все семь «китайских» лет, а Нилушка — и вовсе никогда, если, конечно, не считать дворовой разновидности. В газете прочитали, что «Зенит» принимает сегодня «Кайрат» из Алма-Аты. Выехали заранее, чтобы не давиться в переполненном трамвае и погулять перед матчем по парку. Нилушка, понятное дело, имел в виду и всякие аттракционы.

Сезон только-только начался, и некоторые из аттракционов еще не работали, в том числе и знаменитые американские горки, на которые мальчик возлагал особые надежды. На парашютной вышке заело лебедку, между небом и землей из-под опавшего парашюта болтались чьи-то ноги в пижамных штанах и слышалась громкая брань. Возле механизма толкались служители, а наверх никого не пускали.

— А ты с такой вышки прыгал? — спросил Нилушка отца.

— С такой? — Отец задрал голову, прикинул. — Нет, с такой не прыгал. У нас в училище пониже была. С нее и прыгали.

— А-а... — протянул Нилушка с явным разочарованием.

— Только без парашюта, — добавил отец.

— Так разобьешься.

— А мы в воду, на растянутый брезент, на сено. Летчик, он должен быть ко всему готовым...

Зато, к неописуемому счастью взгрустнувшего было Нилушки, на полную катушку работала «мертвая петля», а народу около нее было совсем мало. «Дрейфят», — не без злорадства подумал он и потащил отца занимать очередь. Они забрались в гондолу, крепко-накрепко пристегнулись ремнями и понеслись, сначала медленно, раскачиваясь вверх-вниз, взад-вперед, как лодка, оседлавшая штормовую волну, потом все быстрей, быстрей и выше. Сердце то уходило в пятки, то поднималось к самому горлу. Когда гондола сделала полный круг, и Нилушка оказался на мгновение висящим вниз головой на умопомрачительной высоте, он едва не зашелся пронзительным девчоночьим визгом, но сдержался и только ухнул утробно. Визжать было стыдно — хорош тот летчик, который визжит, исполняя фигуры высшего пилотажа! Он даже нашел в себе силы самостоятельно выбраться из гондолы, когда та остановилась, и, пошатываясь, спуститься с помоста, но когда он почувствовал под ногами твердую землю, его вдруг так качнуло, что он упал на непросохшую дорожку.

— Мотает? — спросил отец, помогая подняться.

— Да есть маленько, — по-взрослому ответил он. — Ничего, сейчас оклемаюсь.

Отец усмехнулся, и они пошли к тиру. По дороге Нилушка и вправду оклемался. Зайдя в открытый павильончик тира, первым делом схватился за винтовку, прикованную к барьеру металлической цепочкой. Винтовка оказалась неожиданно тяжелой и длинной.

— Погоди, — сказал отец и по-хозяйски бросил помятому служителю: — Мишень. Стрелки есть? — Служитель кивнул. — Три штуки. Оперение белое.

— Только три? — разочарованно протянул Нилушка.

— Погоди, — повторил отец. — Всякое новое оружие сначала надо пристрелять.

Он подкинул винтовку на ладони, со щелчком разломил надвое, вставил стрелку — длинную пульку с белым пучком перьев на конце, — обеими руками облокотился о барьер, тщательно прицелился... Белый хвостик появился точно в центре черного кружка мишени, но отец остался чем-то недоволен — поставил винтовку перед собой, потрогал черный винтик, расположенный над стволом, прицелился снова... Три белых пятнышка на мишени слились в одно.

— Годится, — сказал отец.

Он поставил Нилушке под ноги низенькую табуретку, показал, как ставить руки, как держать винтовку. Оказалось, что если Нилушка упрет приклад в плечо, то ему будет не дотянуться до спускового крючка, так что пришлось положить край приклада на плечо.

— Это ничего, — утешил отец и встал сзади, направляя движения сына. — Главное, правильно прицелиться и правильно спустить курок. Оружие — это естественное продолжение мужской руки, запомни, а ствол — это как указательный палец. Куда покажешь этим пальцем, туда и полетит пуля. Теперь смотри: вот эта пипочка на самом конце называется мушка. Ловим ее в прорезь... вот так... и все вместе направляем... На медленном выдохе, палец ведем плавно, не дергая... Стой, куда это целишь?

— Буржую в брюхо.

Нилушка показал на толстопузого жестяного капиталиста, обнимающего атомную бомбу. И капиталист, и бомба были облезлыми и пятнистыми от множества прямых попаданий.

— Не так, — сказал отец. — В пневматическом тире, если хочешь попасть, надо целиться не в саму фигуру, а вот в тот кружочек на железке, сбоку от цели.

Кружочек возле буржуя оказался очень маленький, и Нилушка выбрал другой, самый большой, даже не посмотрев, к чему он присоединен. Сосредоточился, поймал мушку в прорезь, навел, медленно выдохнул...

Дзынь! Это раскололся надвое зеленый металлический арбуз, показав красное нутро.

— Папа, я попал, попал, слышишь?!

На большее его не хватило. Промазав дважды, он со вздохом протянул винтовку отцу.

— Все.

— И правильно. На первый раз хватит. Мне тряхнуть стариной, что ли? Еще десять пулек.

Он взял винтовку совсем не так, как учил Нилушку, а на одну вытянутую руку, как держат пистолет, выпрямился, расставил пошире ноги. Выстрел — и на пол упала большая звезда из фольги, второй — упала другая. Только на третьем выстреле Нилушка сообразил, что отец стреляет не по самим звездам — это было бы слишком легко, они большие, — а по почти невидимым ниточкам, за которые эти звезды прицеплены. Остальные посетители прекратили стрельбу и наблюдали, затаив дыхание. Восемью выстрелами отец сбил все восемь звезд, а две оставшиеся пульки высыпал в ладошку восторженно глядящему на него конопатому мальчишке постарше Нилушки года на три.

Эффектно вывернув ладонь, отец кинул на блюдечко перед опешившим служителем скомканную пятерку.

— Сдачи не надо!

— Это мой папа, он летчик! — гордо оповестил Нилушка, подчеркивая и собственную причастность к такому сиятельному триумфу.

— Ну дает авиация! — пробасил коренастый седой дядечка с двумя рядами орденских планок на синем пиджаке. — Такие стрельбы грех не отметить. Как насчет по пиву, авиация? Я угощаю.

— А что, Нил Романыч, мы вроде заслужили, верно?

— Факт! — важно констатировал Нилушка.

Мужчины дружно рассмеялись.

— Только ведь долго... — Отец показал в сторону ларька, к которому тянулась длиннющая очередь из одиноких мужчин.

Народу в парке заметно поприбавилось. Большинство двигалось в направлении стадиона.

— Я вот что думаю, авиация... — начал орденоносный дядечка, заметно приосанился, протянул отцу крепкую корявую руку. — Главстаршина Будивельников Роман Петрович, минный тральщик эр-полтыщивторой, Балтийский флот, ныне старший бухгалтер-экономист.

— Майор авиации Баренцев, тоже Роман, — представился отец, пожимая руку главстаршины.

— Тем более, раз Роман, тезка... Тут неподалеку новый шалман открыли, «Восток». Говорят, красиво там и кормят неплохо. Заодно пивко двойной наркомовской отполируем.

— Я ж с мальцом...

— А мальцу мы ситро возьмем. И мороженое.

Идея Нилушке понравилась, и он принялся теребить отца за рукав.

— Пап, пойдем, а?

— А футбол пропустим?

— Да ну его, этот футбол!

— И верно, ну его, — неожиданно согласился Роман Петрович. — За «Зенит» болеть — только нервы портить. Все равно ведь продуют, помяни мое слово, продуют. А стиляга этот, Бурчалкин хваленый, ни разу в ворота не попадет, чистые верняки мазать будет. Расстройство одно.

— Ну если расстройство...

В зале «Востока» было пусто, прохладно. Взрослые, усевшись, развернули меню, Будивельников угостился отцовским «Казбеком», а тот — «беломором» главстаршины.

— Четыре пива, два бутерброда, водочки сто пятьдесят, ситро и мороженое для мальчика, — распорядился Будивельников.

Официант, записав заказ, отошел было, но среагировал на поднятую руку отца.

— Сюда же добавить три черных икры с лимоном, три шашлыка, бутылку коньяку армянского, пирожное и фрукты для мальчика, — четко продиктовал отец и откинулся на стуле.

Будивельников крякнул, официант же почтительно наклонил голову, выпрямился и отрапортовал:

— Сей минут!

Перепробовав всего, Нилушка почувствовал, что объелся, и затосковал. Взрослые совсем перестали замечать его, углубившись в свои, взрослые разговоры. Он помаялся, в десятый раз оглядел зал, побродил по нему, заглянул в туалет, вернулся, попросился погулять. Не прерывая разговора, отец вытащил из кармана рубль, протянул ему.

— Зачем?

— На карусели покатаешься... А командир ему на это что?..

Но карусель уже закрыли. Нилушка одиноко послонялся вокруг ресторана, понял, что опять хочет есть, вернулся. Его снова не заметили. Большие сидели с пунцово-красными лицами, разговаривали громко, охрипшими голосами. «Заболели», — с тоской подумал Нилушка. Зимой мама как-то пришла из оперы такая же красная и хриплая, бабушка тут же уложила ее в постель, поставила градусник и горчичники, а доктор прописал маме микстуру и бюллетень. Потом звонили из театра, и бабушка долго ругалась с ними по телефону...

— Тут, браток, как на войне, — говорил между тем Будивельников. — Нештатная ситуация требует нештатного решения. Я, конечно, не сторонник силовой стратегии в семейных вопросах, но...

Он многозначительно замолчал, мутными глазами глядя на отца.

— Да какая силовая стратегия! — Отец в сердцах хлопнул кулаком по столу. Дзынькнули бокалы. С соседнего столика на них выразительно посмотрели. —

Говорю тебе, она ж певица, знаменитая певица, со-
листка, артистка заслуженная! Ольга Баренцева, что
ли не слыхал?

— Погоди, погоди, Баренцева, говоришь? Которая
из Мариинки? Как же, как же... То-то мне фамилия
твоя знакомая показалась. А оно вот как, оказывается.
Ну тогда, брат, совсем другой коленкор выходит...
Парень-то ты вроде простой, и как же это тебя уго-
раздило, бедолагу?

— Затмение стр-растей... — Отец как-то странно
всхрапнул, залпом выпил высокий стакан с чем-то желтым и тут же налил второй. — Меня перед Китаем сюда на «Выстрел» командировали, на курсы переподготовки то есть, ну и задружились мы тут с одним... А у
него подруга. Культурная подруга, с запросами. И вытащила она нас как-то на концерт. Оказалось — классическая музыка. Скукота, одним словом... Я уж уходить собирался по-тихому, а тут со сцены объявляют —
Ольга Грушина, студентка консерватории. И выплыва-
ет такая, такая!.. Понимаешь, потрясло меня тогда, что
большая она, как танк, а при этом ладная, гладкая,
будто кто специально все шовчики отрихтовал, ход бар-
хатный, не трясет, не дребезжит. А уж как запела!..
Я вообще, когда громко поют, не люблю, голоса сразу
противные становятся, слушать тошно. А тут, понимаешь, красиво... Красиво, понимаешь ты?! Я, как допела она, ушла, из зала сам не свой выскочил, в фойе у
грузина какого-то букет роз перекупил — и за кулисы... Примите, говорю, от страстного вашего обожате-
ля... Она розы приняла, молчит, улыбается, я тоже
стою как баран, слова вымолвить не могу. Хорошо тут
Володька мой с подругой подрулили, замечательно, говорят, а не отметить ли такое приятное событие в хорошем месте?.. Потом такси, «Астория», шампанское,
танцы до упаду, снова такси, танцы, шампанское...
В общем, просыпаюсь утром, башка трещит, в глазах
рябит, а вокруг меня комната большая, незнакомая,

окна на реку, а посередине — кровать, а на кровати
той — *она*. Спит, разметалась вся и губами причмоки-
вает, как маленькая... И вся кровать... В общем, девочка она оказалась, нецелованная... Я как был, в трусах
одних семейных, перед кроватью той на колени — бух!
Она глазки открыла, щурится, не понимает ничего.
Возьми, говорю, руку, сердце мое, душу мою возьми.
Тут-то сразу поняла... Такие вот дела... Эх, Рома, давай-ка выпьем!

— Выпьем, Рома! — громогласно согласился Будивельников, а проходящий официант остановился и
удивленно сказал:

— Рома, товарищи, не держим. Может, еще конь-
ячку желаете?

— Папа, — вставил, воспользовавшись паузой, Нилушка. — Папа, пошли домой.

— О, и малец тут! — обрадовался Будивельников. — Эй, лимонада и мороженого для мальчика!

— Я есть хочу! — со слезой в голосе сказал Нилушка.

— И покушать чего-нибудь. Котлетку там или что.
Котлетку будешь?

Нилушка кивнул, поджав губу.

Будивельников расплескал по стаканам остатки
коньяка, долил доверху шампанским, они чокнулись,
выпили, и отец продолжил:

— В раздумьях я, Рома, в тяжелых раздумьях на
перепутье жизненных дорог... С одной стороны, пред-
лагается должность. Отдельная авиадивизия, начальник полетов. Хорошая должность, полковничья, все
путем. И место благодатное, не север дикий, не Бек-
пак-дала какая-нибудь. Но далековато, Западная Украина. С другой же стороны, наклевывается одна кон-
торская работенка в здешнем округе...

— Бескрылая! — Главстаршина в отставке энергично тряхнул головой. — Ты ж летун, Рома, тебе ли
за столом конторским корпеть?

— Да и покорпел бы, ничего... Я, Рома, не то, чтобы отлетался, но на небо смотрю уже прохладным взором, в моем-то возрасте можно бы немного и земельку потоптать...

— Так за чем же дело стало? Не теряйся, приземляйся в канцелярию. И к семье наконец прибьешься, и покой обретешь.

— Да, покой... — Отец наклонился к самому уху Будивельникова и что-то горячо зашептал. Глаза отставного моряка подернулись какой-то дымкой, взгляд застыл.

— Что? — хрипло переспросил он.

— Душа мерзнет... — выдохнул отец, и это было так страшно, что у Нилушки перехватило дыхание.

Трамваи уже развезли толпу болельщиков и за оставшимися не спешили. У людей на остановке Будивельников узнал результат, полностью совпавший с его прогнозами, — «Зенит» продул два — ноль, Бурчалкин дважды смазал с пяти метров. Тихий, немного протрезвевший отец, опустился на корточки перед Нилушкой и проникновенно сказал:

— Ты, это... маме не надо рассказывать, что мы в ресторане были. Если спросит, скажешь — футбол смотрели, наши ноль — два проиграли, Бурчалкин промахнулся...

Сонный, уставший Нилушка только кивал.

А через десять дней отец уехал на Украину, к новому месту службы. Один.

Нилушка не плакал, сидел тихонько в уголке, надутый, кислый, безучастный. Ничего не хотел делать — мусор выносил после третьего напоминания, музицировал только по принуждению и из рук вон плохо, книжек не читал, во двор не выходил.

— Надо что-то делать! — сказала бабушка и в середине июня отвезла его в Усть-Нарву. Там было море и много ребятишек, и очень скоро боль улеглась, забылась...

XII
(Ленинград, 1982)

— Устали, Нил Романович? Или прискучила наша беседа?

— Что вы, Евгений Николаевич! Уставать мне не с чего, а кроме бесед... Я благодарен вам за возможность выговориться. Только...

— Да, да, продолжайте.

— И во время наших бесед, и в промежутках, выполняя ваши рекомендации, я постоянно реконструирую свое прошлое. Но чем яснее оно выстраивается в сознании, тем понятнее становится, что никакой точки опоры для грядущей «нормальной жизни» в нем нет и быть не может.

— Почему вы так решили?

— Потому что едва обозначалось движение к норме, моментально шел сбой...

— Применительно к людям, норма — понятие широкое. Человека под единый жесткий стандарт не подгонишь.

— Ах, когда бы вашими словами руководствовались те, кто планирует нашу жизнь...

XIII
(Ленинград, 1963—1964)

Вернулся он окрепший, загорелый, активно включился в гонку по магазинам — перед первым сентября столько всего надо было купить! Школьную форму, ботиночки и физкультурные тапочки, тетрадки, кисточки. А сколько появилось новых, загадочных пока вещей — синие и красные счетные палочки, чернильница-непроливайка и набор перьев, острых и длинных, перочистка из пестрых толстых лоскутков, деревянный пенал, прописи, новые разноцветные учебники... В ночь на первое сентября он долго не мог заснуть, но встал раньше всех, настойчиво будил маму с бабушкой, боялся опоздать.

После торжественной линейки в школьном дворе первоклашек развели по классам, «А» и «Б» соответственно. Нилушка еще в июне знал, что его приняли в класс «А», мама тогда сказала, что это хорошо, что в «А» всегда набирают самых талантливых и умных. Нилушка внимательно вглядывался в лица одноклассников, но ничего особенно умного и талантливого не заметил. Дети как дети. Все девчонки с косичками, в белых фартучках, мальчишки — в одинаковых серых костюмчиках. Все намытые, причесанные, чувствуется, что волнуются.

Пришла учительница, небольшая, полная, тоже вся в сером, лицо круглое, простоватое (в очередях таких никогда не называют «дама» или «девушка», а только «гражданка»). Поправила пышный бюст, поглядела строго, постучала длинной палочкой по столу и сказала:

— Здравствуйте, дети, садитесь, я ваш классный руководитель. Зовут меня Лариса Степановна, и вы будете помнить меня всю жизнь, как помнит свою первую учительницу Наталью Петровну наш любимый Никита Сергеевич Хрущев. Здесь, в этом красивом желтом доме вы выучите буквы и цифры, прочитаете и напишете свои первые слова, решите свои первые задачи, наизусть расскажете свое первое стихотворение, узнаете, что такое глобус и контурная карта...

— Я знаю, что такое глобус! — крикнул с задней парты какой-то мальчишка.

Все обернулись. Мальчишка был веснушчатый и лопоухий.

Лариса Степановна поморщилась.

— Запомните, дети, если вы хотите что-нибудь спросить или сказать, нужно не вскакивать и не орать, как это чучело гороховое... — она показала на смутившегося

мальчишку, — а тихонечко поднять руку и ждать, когда
вас вызовут, а когда вызовут нужно встать, сложить руки по швам и четко, членораздельно задать свой вопрос
или ответить на мой. Поняли? И ты понял, горе мое? —
обратилась она к конопатому мальчишке.

— Да, — чуть слышно пролепетал тот.

— Громче! — строго потребовала учительница.

— Да! — выкрикнул мальчишка.

— Имя, фамилия?

— Поповский Игорь!

— Не кричи, Поповский Игорь, глухих здесь нет.
Что ты хотел сказать, Поповский Игорь?

— Что я знаю про глобус. У брата на столе…

— Достаточно. Нет, не садись, постой пока… Что,
ребята, хотел показать нам своим непристойным вы-
криком Поповский Игорь? Он хотел показать нам, что
он умнее всех — я, дескать, знаю, что такое глобус,
а вы, дураки, не знаете. Так вот, зарубите себе на
носу, что дураков у нас нет. Умных тоже. Между
собой вы все равны, равны абсолютно, и только оценки, которые буду ставить я, покажут, кто из вас действительно умный, а кто наоборот… Понятно? Садись,
Поповский от слова «попа»…

Некоторые первоклассники гаденько захихикали.
Оттопыренные уши Поповского засветились красным.
Нилушке отчего-то стало стыдно.

— Через десять лет — самые счастливые десять
лет вашей жизни — вы покинете стены нашей прекрасной школы культурными, образованными, поли-
тически грамотными, а главное — порядочными людьми. А ну-ка, поднимите руки те, кто знает, что такое
порядочный человек. Смелее, смелее!

Лариса Степановна грозно оглядела притихший
класс. Дети сидели, опустив взгляд в заляпанные чер-
нилами парты. На Нилушкиной парте было, кроме
того, криво нацарапано слово из трех букв, и слово
это не было словом «мир».

— Молчите? Не знаете? Так вот я вам объясню. Порядочный человек — это который порядки соблюдает. Поняли? Ну ничего, скоро поймете.

Второго сентября Нилушка получил свою первую отметку — двойку по арифметике. Ее он схлопотал за то, что нечаянно столкнул со стола коробку со счетными палочками и громко их рассыпал. Через неделю он приволок вторую двойку, на сей раз по русскому — читал букварь бегло, а не по складам, как положено первокласснику и как велела Лариса Степановна.

— Но я не умею по складам, — пробовал оправдаться он.

— Что значит «не умею»? Учись, Баренцев, учись, терпение и труд все перетрут. Чтоб к понедельнику читал как положено! Здесь тебе не тут, понимаешь! Не можешь — научим, не хочешь — заставим!

Он и учился — вместо привычных слов и предложений выводил ровненькие, с нажимом палочки и крючочки, причем вместо запрещенной в первом классе авторучки пользовался неудобной вставочкой, с которой чернила вечно стекали в тетрадь, вместо Шекспира и «Трех мушкетеров» читал про Машу, которая ела кашу, вместо логических задачек из «Науки и жизни», к которым приохотил его отец, складывал в столбик три и два...

— А тебе, Баренцев, что, неинтересно? Ах, написал? Ну-ка, ну-ка... Нацарапал, как курица лапой. Где ты видел такое «жэ»? У себя в жэ, не иначе... Выйди из класса и без родителей не возвращайся!

На лацкане ее строгого, но справедливого серого пиджака гордо поблескивал значок «Заслуженный учитель РСФСР»...

Были, конечно, еще и переменки, веселые и шумные, коридорный футбол со старым тапком вместо мячика, после школы — кружки. На бокс, куда Нил тайком от домашних пришел записываться в январе, его не приняли — слишком мал, — зато охотно взяли на спортивную гимнастику. Еще, разумеется, он ходил в секцию авиамоделизма. Эти увлечения были развитием линии, заложенной отцом, и в тот год для Нила они были куда важнее и интереснее, чем школа, чем сведенные к минимуму (три раза в неделю по полтора часа) музыкальные занятия с бабушкой. Каждое утро он по собственному почину делал зарядку, обливался, тоненько повизгивая под холодной струей, досуха растирался шершавым полотенцем. Мама давно смирилась с этими самоистязаниями, а бабушка, похоже, молчаливо одобряла — пусть закаляется, меньше болеть будет. И действительно, за весь первый класс Нил не болел ни разу.

Далеко не всегда нагрузки были в радость — и уставал, и так хотелось понежиться еще немного в теплой постели, и в слякоть неохота было выходить из дому с неудобной сумкой и тащиться на гимнастику. Но Нил заставлял себя, тренировал силу воли. Поддерживало и грело его радостно-тревожное ожидание Большого Приключения, которое ждет его летом. Уже с осени в письмах от отца, выдержки из которых мама иногда зачитывала ему, зазвучали нотки, облекшиеся потом в конкретное предложение. Обстоятельства службы, писал майор, складываются таким образом, что в ближайший год ему едва ли удастся вырваться в Ленинград хотя бы ненадолго. С другой стороны, местность, где расположено его формирование (блюдя секретность, отец не считал возможным в письме, отправленном обычной, а не фельдъегерской почтой, давать более точные обозначения), отличается горно-лесным ландшафтом, обилием природных водоемов и воздухом повышенной свежести, что в совокупности образует отличные условия для отдыха и поправления здоровья. Жилищный вопрос также решен вполне положительно, так что если Оленька, Нил и Александра Павловна смогут и пожелают провести лето в Карпатах, то места хватит всем.

Мама принять предложение мужа не могла — у нее намечалось ответственное летнее турне, и отпуск пришлось передвинуть на конец сентября — начало октября. Бабушка категорически заявила, что ноги ее не будет ни в каком таком «формировании» и уж тем более под одной крышей с зятем. Что же касается Нила, то здесь сказать «хотел» значит ничего не сказать. Целое лето! В горах! С папой! Рядом с самолетами и летчиками! Золотая молния желания поразила его в самое сердце, и когда бабушка заявила, что все это, может быть, и хорошо, только абсолютно нереально — не одного же его, мальчишку семилетнего, отправлять в такую даль? — и предложила ограничиться дачей в Толмачево, он закатил форменную истерику, едва ли не первую в жизни. От неожиданности бабушка настолько растерялась, что даже не наказала его. Только пробубнила, в качестве успокоительного, чтобы зря-то не надеялся.

Однако он надеялся. Вдруг получится убедить маму, что он уже большой и сильный и может самостоятельно доехать куда угодно, хоть на край света? Чтобы самому укрепиться в этом убеждении, вместо горячего завтрака за шестнадцать копеек он брал в школьной столовке холодный, за одиннадцать, а сэкономленные деньги тратил не на мороженое, как другие, а на метро. Нырял туда после уроков и катил до самой дальней станции, воображая при этом, будто едет через всю страну в настоящем, всамделишном поезде. Бродил по незнакомым районам, приучая себя не бояться неизвестности, катался на трамваях, стараясь запомнить маршрут и обратную дорогу. Не заблудился ни разу, всегда попадал домой, а дома врал, что задержался в школе на продленке.

Он был готов к путешествию в одиночку и знал, что когда доберется наконец до отца, тот обрадуется, что у него такой взрослый, самостоятельный сын. А самому Нилу не стыдно будет показать отцу и окрепшие бицепсы, и собственноручно вырезанный пропеллер для будущей кордовой модели, и табель за третью четверть без единой троечки. Он ждал чуда — и чудо свершилось!

Когда мама за ужином объявила ему, что летом он не просто поедет к папе, но и полетит туда на самолете, он не сразу поверил, что это взаправду, потом спросил:

— У тебя, что ли, турне отменили?

Мама покачала головой.

— Значит, бабушка согласилась?

— Вот еще! — Бабушка презрительно фыркнула. — Что я там не видала? Солдафонских рож?

— Тогда как?

Нил опустил руки и растерянно забегал глазами — то на маму посмотрит, то на бабушку. Бабушка нахмурилась, а мама посмотрела с улыбкой.

— А если сам? — лукаво спросила она. — Ты ж большой уже. Билет мы тебе купим, сядешь в самолет, вылезешь, оттуда до части, отец пишет, на автобусе часа три всего. Утром здесь — к обеду там.

Он завизжал от восторга и кинулся целовать мать. Бабушка демонстративно отвернулась.

— Неужели не сдрейфишь? — усмехаясь, спросила мама.

— Да чтоб меня морские черти разорвали! — выкрикнул он прочитанную в какой-то пиратской книге клятву. — Сама ж сказала — я большой уже.

— Большой, да дурной, — не преминула вставить бабушка.

Действительность, как водится, оказалась немного поплоше ожиданий. Мама, оказывается, только проверяла его — хотела узнать, как он воспримет, что сопровождать его в такую даль будет не она и не бабушка, а неведомая тетя Света, жена одного из офицеров из папиной дивизии. Боялась, видите ли, что он расплачется от страха, как последняя девчонка. Решила сначала попугать его, а потом успокоить этой самой тетей Светой. Да нужна ему очень эта тетя Света — как рыбе зонтик! Сядет рядом и будет шипеть — не балуйся с ремнями, не бегай по проходу, не приставай к стюардессе, иди вымой руки, — заставит сначала съесть жесткую «аэрофлотовскую» курицу и только потом разрешит высосать земляничный джем из красивого тюбика. Короче, испортит все удовольствие от первого в жизни полета. Да, он никогда еще не летал на самолете, но прекрасно знал, как там все устроено — и по рассказам мамы, налетавшей, наверное, миллион километров, и по нескольким коротким, но весомым репликам отца, относившегося к гражданской авиации как к неизбежному злу.

Он уже ненавидел тетю Свету и мечтал о том, чтобы она в самый последний момент сломала ногу, заболела, умерла, тогда бы ему удалось все-таки полететь одному. Впрочем, он тут же спохватывался — ведь если вдруг так случится, то тогда и он останется дома. Ни мама, ни бабушка одного его не отпустят.

В аэропорт его провожала мама. Сидела спереди, рядом с шофером, и, развернувшись к Нилу, все повторяла и повторяла надоевшие ему наставления — чистить зубы, мыть руки, а на ночь — еще и ноги, на речку ходить только со взрослыми, сразу в воду не лезть, а немного остыть в тенечке, к отцу, если он занят, не приставать, высылать хотя бы по письму в неделю, не забывать читать книжки и обязательно по часу в день играть на рояле — отец писал, что у них в клубе есть замечательный салонный рояль, который почти всегда свободен. Нил слушал ее и недоумевал — ведь никогда прежде мама не лезла к нему с советами. Волнуется, наверное, переживает. Сам-то он не переживал нисколько, только смотрел из окошка во все глаза, узнавал знакомые улицы и здания — ведь готовясь к путешествию, он тайком добирался и сюда, на Московский, а как-то доехал на трамвае до самого конца проспекта и города — площади со смешным названием Средняя Рогатка. Кстати, ее и проехали и помчались по широкому пригородному шоссе. Здесь он проезжал год назад, когда встречали отца.

В большом и людном зале аэропорта Нил тут же помчался искать тот особенный газированный автомат, с кнопочками, на которых нарисованы картинки разных фруктов, и, нажимая на эти кнопочки, можно выбрать сироп. В прошлом году он тут четыре стакана выпил. Но автомата нигде не было, а потом мама своим неповторимым голосом окликнула его через весь зал, и тогда все посмотрели в ее сторону, и некоторые определенно узнали... Она усадила его в кресло и велела никуда не отлучаться и караулить вещи, а она посмотрит, куда это запропастилась тетя Света.

Караулить вещи было скучно, и Нил от нечего делать принялся переставлять согласные на лозунге, висящем как раз напротив него над воротами: «Телайте масолетами Аэфорлота... Тетайле мамоселами Аэлофтора...»

— Привет!

Он моргнул от неожиданности, оторвал взгляд от лозунга. Перед ним стояла большая девчонка в бежевом сарафане, круглолицая, с курносым веснушчатым носом и смешными белобрысыми хвостиками над ушами.

— Ну...

Нил не любил больших девчонок. Одна такая на переменке походя съездила его портфелем, да так, что он кубарем скатился по лестнице. Другая, дежурная, надрала за уши, когда он пытался проскочить мимо нее без сменной обуви. А еще две поймали Иванова из второго «Б» и защипали до кровавых синяков — так потом Иванову же и попало, оказывается, он за ними в физкультурной раздевалке подсматривал. Подумаешь!

— А ты и есть Нил?

— Допустим...

— А я тетя Света.

От неожиданности Нил опешил.

— Тоже мне тетя! Ты б еще сказала «бабушка»... Тетя Света, она знаешь кто? Она жена папиного офицера, лейтенанта Федоровского, поняла?

— И никакой он не папин! — неожиданно вспыхнула девчонка. — Твой папа Федоровскому не командир!

— Очень даже командир! — в свою очередь возмутился Нил. — Федоровский лейтенант, а папа — майор. Скажешь, лейтенант главнее майора?

— Майор главнее, — признала девчонка. — Только все равно не командир.

Нил сокрушенно вздохнул. Объяснять девчонке очевидные вещи — только зря время тратить.

— Светочка, вот вы где! — Мамин голос не расслышать невозможно. И не узнать тоже. — Я ищу вас, ищу...

— Ой, Ольга Владимировна! — взвизгнула Света (и вправду, выходит, Света) и бросилась обнимать подошедшую маму. Нил с удивлением увидел, что она всего на полголовы ниже мамы, которой и папа-то по плечо. — Понимаете, я все собиралась, собиралась, и все в последний момент, а главное-то и забыла — билеты, паспорт, хорошо в метро спохватилась... — Она перевела дух и вновь затараторила: — Пришлось с полдороги вернуться, а сумочка, слава Богу, на столе, я скорей обратно, с чемоданом и вообще... Пришлось такси брать, я так боялась, так боялась, что опоздаю... Посадку еще не объявляли?

— Нет пока. Тебе повезло, вылет немного задержали... Нил, ты, я вижу, уже познакомился со Светланой Васильевной?

— Угу, — буркнул Нил и отвернулся. Он досадовал на самого себя — принял взрослую тетю за девчонку, и теперь та пожалуется маме, что он грубо с ней разговаривал.

— Познакомился, — подтвердила Светлана. — Отличный парень, мы славно поболтали.

Она весело подмигнула Нилу, и на душе у того полегчало.

— Он немного дичится при незнакомых, но вообще-то мальчик воспитанный и не капризный, — продолжала мама, — никаких хлопот с ним в дороге не будет...

«Начинается регистрация билетов на рейс...» — громыхнуло откуда-то на весь зал.

Мама подхватила Нила и чемодан и поспешила к стойке...

XIV
(Самолет — Западная Украина, 1964)

Прошли первые захватывающие минуты, когда самолет выруливал на взлетную полосу, потом, взревев моторами, промчался по ней, в считанные секунды набрал головокружительную скорость и наконец оторвался от земли и *полетел*, оставляя все дальше внизу дома, деревья, дороги и машины — в мгновение ока все сделалось крохотным, игрушечным, — и гудело в ушах от стремительного набора высоты. Еще некоторое время Нил жил впечатлением этих незабываемых минут, а потом заскучал, неохотно признаваясь себе, что полет начинает его разочаровывать. В обыкновенном автобусе и то интереснее: картинки за окном все время меняются, не успевая надоесть, не то, что это бесконечное небо, подстеленное облаками, а главное — чувствуешь движение. То тряхнет, то подбросит, то качнет вперед при торможении. А здесь сидишь, как дома на стуле, и только по гулу моторов понимаешь, что вообще куда-то движешься. Хорошо бы, конечно, рассмотреть самолет во всех подробностях, но с места много не насмотришь.

Нил заерзал в кресле, отстегнул ремни, опасливо покосился на свою белобрысую попутчицу. Та сидела, уткнувшись в журнал. Нил накренился, повернул голову и прочитал название. «Мода-64». Оно, конечно, чего же еще?! Как это он не подумал, выбирая место у иллюминатора, что каждый раз придется перебираться через ее длинные ноги? Обратиться же к ней он не решался, потому что никак не мог определить для себя, как же теперь называть ее: «Света» вроде неудобно, а «тетя Света», тем более «Светлана Васильевна» — язык не поворачивается. Он откашлялся и, к полному собственному изумлению, произнес:

— Permetez-moi, Madame, s'il vous plaît...*

— Ого, это ты, что ли, по-французски шпрехаешь? — с недоуменным восхищением спросила Света.

— Не шпрехаю, а парлякаю, — солидно поправил он. — Шпрехают по-немецки.

— А ты и по-немецки можешь? — восхищенно поинтересовалась она.

— По-немецки нет, а по инглишу скоро заспикаю. У нас он во втором классе начнется.

— А у нас в школе дойч был. Только училки каждый год менялись — кто в декрет уйдет, кто на пенсию. Так что я даже «их бин дубин» не помню. А в техникуме только английский.

— А ты в каком техникуме? — заинтересованно спросил Нил, даже не заметив, что обратился на «ты». — В авиационном?

— Не-а, в библиотечном... Петушка будешь?

— Какого петушка?

— На палочке, леденцового. У меня красный, желтый и зеленый. Выбирай любого.

Нил вздохнул.

— Мне бабушка не разрешает. Говорит, от леденцов зубы портятся.

---

* Позвольте, пожалуйста, мадам (*фр.*).

— А она разве увидит? Бабушка-то внизу осталась, а мы вон где, высоко-высоко.

— Десять тысяч метров над уровнем моря, — соглашаясь, уточнил он и махнул рукой: — Давай зеленого!

Потом она обыграла его в «города», а он ее — в «морской бой», три раза подряд. Начал было расчерчивать поле для четвертого, но тут стали разносить обед.

Вместо ожидаемой жесткой курицы с несъедобным рисом были крошечные копченые сосиски — таких Нил никогда еще не видел — и жареная картошка с помидорами. Сосиски ему очень понравились, и Света отдала ему свою порцию, а он отдал ей булочку с икрой, а за это получил ее земляничный джем. Джем был, правда, не в космонавтских тюбиках, а в маленьких круглых баночках, но все равно вкусно. Потом она задремала, а он смотрел на нее и думал, что когда вырастет, то женится только на ней. Правда, у нее уже есть муж, лейтенант Федоровский, но это ничего, он же летчик, как раз к тому времени разобьется, и Света будет свободна...

Возле самого трапа их встречал зеленый армейский «газик». Что встречают именно их, Нил понял сразу — едва выйдя из двери самолета, Света тут же закричала: «Артемка!» — и отчаянно замахала руками. А в ответ ей начал махать огромным букетом роз стоящий возле машины высокий и худой военный. Света рванулась, увлекая за собой Нила, он ткнулся лбом в чью-то тугую ляжку, потом мимо лица снизу вверх пронесся резиновый каблук, и все завертелось...

Он сидел на нижней ступеньке трапа, растерянно потирая ушибленное колено. Перед ним на светлом бетоне поля корчилась и тихо повизгивала Света. Кто-то громко, надсадно кричал:

— Врача!

— Товарищ лейтенант, разрешите обратиться, — нарушил Нил затянувшееся молчание в узком больничном коридоре. — А вы чему командир?

— Я? — Лейтенант Федоровский глубоко вздохнул. — Я, брат, всему командир... в каком-то смысле. Диспетчер, король эфира. Без моей команды ни одна машина ни взлететь, ни сесть не может.

— А сами на самолетах не летаете?

— Нет...

— Это хорошо! — убежденно сказал Нил.

Лейтенант посмотрел с удивлением. Глаза у него были большие, зеленые, а брови — густые, белые и изогнутые.

— Чего ж хорошего?

— Если не летаете — значит, не разобьетесь.

Теперь Нилу совсем не хотелось, чтобы лейтенант разбился, даже через много лет. И Светка тоже зря ногу сломала...

— Федоровский! — кликнула строгая медсестра, и лейтенант помчался на ее зов.

Вернулся он нескоро.

— На рентген повезли. Сказали, до завтра забирать нельзя. Будем ждать. В часть надо бы позвонить...

— Мама говорила — туда рейсовый автобус ходит... — несмело начал Нил.

— А справишься? Один-то?..

Автобус ехал по красивой неширокой дороге, мощенной булыжником. Дорога резко петляла, огибая горы и ущелья, то взмывала к самым вершинам, то уходила вниз. По склонам лепились чистенькие беленькие деревеньки, утопающие в зелени. Проехали и несколько городков с красивыми домами в два-три этажа, сложенными из ровного розово-коричневого камня. Кое-где Нил, усаженный на откидное кресло рядом с водителем, успевал разглядеть надписи, не очень понятные, и поэтому вызывающие любопытство. На одном домике было написано «Перукарня», на другом — «Готель Траянда», на третьем — «Взуття», на четвертом — «Геть кацапів з України!» Нилу очень хотелось спросить, что все эти надписи значат, но шофер крутил баранку с таким сосредоточенным видом, что отвлекать его было страшновато.

Часика через два лихой и немного тряской езды скатились с очередной горки и поехали по внезапно начавшемуся асфальту вдоль длиннющего бетонного забора. По зеленым воротам с красной звездой Нил догадался, что это и есть воинская часть, но автобус к воротам не свернул, а покатил дальше и остановился только на перекрестке около зеленой будки с полосатым шлагбаумом.

— Тебе сюда, хлопец, — сказал шофер, и двери с механическим стоном распахнулись.

Нил вышел, поправил рюкзачок. Из будки показался солдат в расстегнутой гимнастерке. «Младший сержант», — по полоскам на погонах определил Нил.

— Тебе чего? — зевнув, спросил младший сержант.

— Не чего, а кого, — строго поправил Нил, глядя на открытую загорелую шею постового. — Начальника полетов майора Баренцева.

— А-а. — Младший сержант машинально застегнул пуговицу. — Это, как войдешь, третье строение слева. Второй этаж, левая квартира...

В сгущающихся сумерках Нил прошел по асфальтовой дорожке и сквозь редкие деревья увидел одинаковые трехэтажные серые домики и на одном из них разобрал вывеску «Военторг». Ощущение иноземности кончилось.

У третьего дома слева он остановился. Двери раскрылись и навстречу ему вышла красивая полная женщина, черноволосая и белолицая.

— Никак Нил? — певучим, ниже, чем у мамы, голосом произнесла она. — А остальные где же?

— Света с трапа упала, ногу сломала, — бодро сообщил Нил. — Федоровский при ней остался, в больнице, а я своим ходом. А где... майор Баренцев?

Он хотел сказать «папа», но вовремя сообразил, что это прозвучит вовсе несолидно.

— У Романа Ниловича большой день сегодня, — ответила женщина. — Генерал из Москвы прилетел, приказ привез. Об очередном звании...

— Подполковника дали? — по-взрослому отреагировал Нил.

Женщина усмехнулась.

— Вы в дом-то проходите. И чемоданчик давайте донесу, нетяжелый...

Нил не успел выхватить чемодан из ее крепких рук и только потрусил следом.

— Роман Нилович предупредил, что сегодня сыночек приезжает, — говорила женщина, плавно ступая по бетонной лестнице. — Сейчас помоетесь с дороги, поужинаем и ляжете отдыхать...

— Не, я папу дождусь, — пробубнил он, поднимаясь следом.

— Он поздно будет. Увидит, что вы не спите, и рассердится. Вы лучше утром с ним поздороваетесь, только не сразу. Он сначала сердитый будет.

Последние слова женщина произнесла так грустно, что Нилу стало жалко ее, он безропотно вошел за ней в небольшую прихожую, из которой вело несколько дверей.

— Вам сюда, — сказала она. — Я вас в кабинете Романа Ниловича устроила. Вы чемодан распакуйте, достаньте чистое, а я пока ванную налажу.

Ванная отличалась от той, что у них дома, только отсутствием титана — горячая вода попадала в кран прямо из трубы, все равно, что холодная. Нил слышал, что в новых домах теперь так делают, но сам видел впервые, это ему понравилось, и он принялся с увлечением баловаться с кранами, фыркая то от слишком горячей, то от слишком холодной воды. Новизна впечатлений набрала, видимо, критическую массу и вытеснила обиду. Он не удержался от вопля восторга, когда вышел из ванной и увидел на кухне, в самом центре накрытого стола, громадный арбуз, поблескивающий спелой, темно-красной внутренностью. Красивая женщина с улыбкой отрезала здоровенный ломоть и положила перед ним, ни слова не сказав о том, что сначала надо бы отведать более серьезных блюд — и сразу же стала ближе и роднее.

— А вас как зовут? — спросил он с набитым ртом.
— Мария Станиславовна.
— А папе вы кто?
— Я?.. Да пожалуй что и экономка, — ответила она после некоторого раздумья.
— А экономка — это кто?
— Вроде домработницы, только главнее.
— А что вот это белое, в желе?
— Это заливной амур. Рыбка такая. Доешьте свой арбуз и отведайте. И салат из красненьких.
— Красненькие? Это помидоры?
— Они. А потом горячее будет и чай с пирогами.
— А арбуза еще дадут?
— Обязательно. Если поместится.

Но уже и горячее — запеченные в сметане колбаски со смешным названием «купаты», — несмотря на всю вкусность, в живот залезало с большим трудом, так что пришлось отказаться и от чая, и от арбуза. Сразу потянуло в сон...

Проснулся он на расстеленном диванчике в отцовском кабинете — в одних трусиках, укутанный легким летним одеялом. За окнами было совсем-совсем темно, только из прихожей сквозь застекленную дверь лился электрический свет.

«Как же я оказался здесь? Хорошо бы, если сам пришел. А если заснул прямо за столом, и Мария Станиславовна принесла меня сюда на руках, как маленького, раздела и баиньки уложила? Неудобно... Хорошая она все-таки, Мария Станиславовна, папина экономичка. И на маму похожа, такая же большая и сильная...»

Низкий женский голос тихо и протяжно пел за стеной:

> Гой да та на гори та жнецы жнуть.
> Гой да та на гори та жнецы жнуть...

«И поет красиво...» — успел подумать Нил, и тут совсем некрасиво и немузыкально, зато громко грянули мужские голоса:

> А по-пид горою
> Ге-эй, долиною
> Казаки идуть,
> Казаки идуть...

«Это ж папа... Папа!» Но тут снова запела Мария Станиславовна, и Нил замер, прислушиваясь:

> Гой да по-переду Сагайдачный
> А по-заду Дорошенько
> Ведуть вийско, вийско запорижско
> Хорошенько...

«Какой странный язык, но все понятно. Только вот „запарижско"... Наверное, из-за Парижа. Забрались туда, за Наполеоном гоняясь, а теперь вот возвращаются».

Когда эти же слова подхватили, безбожно фальшивя, мужские голоса, Нил стряхнул с себя оцепенение, нащупал в темноте рубашку и штаны, оделся и вышел из комнаты.

Голоса доносились с кухни. Нил зашел туда и тихонько встал у самых дверей. Его не заметили: Мария Станиславовна сидела к нему спиной, а двое мужчин — один толстый, лысый, с красным круглым лицом, а другой, наоборот, худой, чернокудрый, с лицом желтым и длинным, как лошадиная морда — самозабвенно орали, закатив глаза. До Нила не сразу дошло, что тот первый, толстый и красный — это его отец. Он подождал, пока допоют куплет, и тихим, дрожащим голосом сказал:

— Здравствуй, папа.

— О-о-о, сынуля! — загрохотал толстый и тяжко встал, едва не опрокинув стул. Огляделся тяжелым взглядом, сообразил, что к сыну никак не протиснуться, и снова сел. — А ну-ка, через под стол проюркни, шагом марш! Мариечка, еще прибор и стаканчик для дорогого гостя. Это же сынок ко мне приехал, знаешь?

— Догадалась уже, Роман Нилович, — без тени насмешки сказала Мария Станиславовна и встала подать прибор для Нила.

Тем временем сам Нил прополз под столом и взобрался уже на папино колено.

— Вот, Петр Николаевич, рекомендую, мой пузан, — сказал отец длиннолицему военному (проползая под столом Нил разглядел у того на брюках генеральский лампас) и обратился к сыну: — Ну что, чудо, много двоек-то в году нахватал?

Нил, чьи губы уже тянулись к багровой, складчатой щеке отца, замер. Пузан? Ведь писал же он отцу, что за год шесть килограммов согнал, и теперь единственный в классе подтягивается на турнике, забирается без ног по канату, на силомере выжимает больше любого третьеклассника, бегал за младшие классы в районной эстафете, прыгает через коня с кувырком, садится на продольный и поперечный шпагат. И про отметки тоже писал — что год закончил без троек, с твердой пятеркой по чтению (во второй четверти разрешили читать бегло, и тут уж Нил своего не упустил). Пять с плюсом по физкультуре, а по пению экзальтированная (мамино слово!) музычка прямо в табель вкатила шестерку. Даже по чистописанию Лариса Степановна четверку за год нарисовала, сказав при этом: «Вот видишь, Баренцев, можешь, когда захочешь». А большей похвалы от нее ни один мальчишка не слыхал!

— Ни одной... — чуть слышно пробормотал он.

— Слышишь, Петр Николаевич, ни одной! И по поведению небось пятерка?

Нил кивнул.

— И не дерешься, стекол не бьешь, уроков не прогуливаешь, взрослым не грубишь, рогатку в кармане не носишь?

Нил помотал головой.

— Вот оно, бабское воспитание! — с неожиданной злостью сказал отец. — Прям не мужика растят, а барышню кисельную! Музыка трень-брень, пинанины всякие, парле-франсе, ах, будьте любезны, только после вас... А потом удивляемся, откуда в армии такой солдат пошел — либо чурки «моя твоя не понимай», либо такие вот маменькины сыночки... А ну, ешь давай!

Отец плюхнул перед ним глубокую тарелку, с горкой наполненную всевозможной снедью — салат, грибы, сыр, мясо, колбаса, заливной амур, соленый огурец, а сверху длинный шматок сала.

— Не хочу...

Нил еле сдерживал слезы. Бабское воспитание! А вертолет на резиновом ходу, который выставлялся во Дворце пионеров и получил диплом? Неужели отец вообще ничего не помнит?!

— А ты через не хочу! Разговорчики, понимаешь! Зажрались на тортиках да на конфеточках, понимаешь! Мне в твои годы принесет мать с фермы требухи или простокваши горшок — уже праздник! Хлебушку простому радовались бывало. Верно, Петр Николаевич?

Длиннолицый генерал молча кивнул. Нил подцепил вилкой лоскут колбасы и положил в рот.

— Во-во, давай, понимаешь, наворачивай... Попей вот...

Он налил в стакан из длинной темной бутылки что-то густое, красное.

— Ой, не надо бы, Роман Нилович, — подала голос Мария Станиславовна.

Отец злобно посмотрел на нее, а генерал откашлялся и мягко, вкрадчиво произнес:

— А вот тут, милая и уважаемая Мария Станиславовна, позвольте вам возразить. Лучше в порядочной взрослой компании, за семейным, так сказать, столом, чем со всякой шпаной под забором... Вот, помнится, у бати моего... — Он выразительно посмотрел наверх. Отец немедленно сделал значительное лицо и посмотрел туда же. — На даче в зимнем саду бильярд стоял, так бывало весь наш генералитет соберется и давай катать. Первый приз — бутылка коньяку марочного, второй — бутылка «Столичной», третий — «маленькая», причем все полагалось выпивать, не сходя с места. Не выпил — не мужик! Я тоже участвовал, бывало, так наберусь, что прямо под стол и свалюсь, и меня прямо на руках в спальню относили. А ведь еще в школу не ходил, да-с... И что же — вырос, и оснований в чем-либо собой стыдиться не нахожу никаких. Никаких решительно!

Отец энергично закивал, а Нил тем временем глотнул из стакана, и ему понравилось. Сладенько, пахнет виноградным соком и немного щиплет на языке. Он залпом допил стакан и потянулся за вторым.

— Это по-нашему! — расхохотался отец. — Только закусывать не забывай.

Нилу стало тепло и весело. Обида вновь отступила, откуда-то прорезался аппетит, и он принялся поглощать пищу, причавкивая от удовольствия.

— Мы еще тут из тебя мужика сделаем! — провозгласил отец. — Домой приедешь — мама с тещей обалдеют! В смысле, с бабушкой... Бывай здоров!

Он налил всем чего-то прозрачного, чокнулся только с генералом, выпил до дна и крякнул. Нил попробовал, тут же закашлялся, выплюнул.

— Горькая горячая гадость!

— Ой, да это ж я тебе водки по ошибке плеснул. Ну извини старика, вот тебе, на, запей.

Он придвинул Нилов стакан себе, а Нилу налил вина в свой, пустой.

— Ну-с, за присутствующих здесь дам!

— Роман Нилыч, горячишься, дорогой, — скривив рот, проговорил генерал. — Мы еще предыдущий тост не допили, а ты уже новый гонишь. Да еще какой! За дам надлежит полную, стоя и до дна.

Он долил вина в стакан Марии Станиславовны и в свой, а отцу наплескал до краев водки. Потом легко встал, держа стакан на отлете. Следом за ним поспешно и неуклюже вскочил отец. Поднялся и Нил. Его слегка кружило, ноги держали не очень хорошо, и это было смешно.

— Вот теперь — пожалуйста. Итак, пьем здоровье присутствующих здесь прекрасных дам!

Генерал лихо осушил стакан, ловким, кошачьим движением приблизился к Марии Станиславовне, взяв за пальцы чуть приподнял ее белую, полную руку, поднес к губам и поцеловал.

— Волшебница! — с чувством прошептал он.

Мария Станиславовна зарумянилась — то ли от смущения, то ли от удовольствия. Отец шумно хрустнул огурцом.

— А теперь предлагаю небольшой антракт, — провозгласил генерал, усаживаясь. — Желающие могут перекурить и оправиться.

Отец громко, натужно захохотал — чему, Нил так и не понял, — извлек серебряный портсигар, протянул генералу.

— Нет-нет, благодарю, дорогой, «Казбек» не курю, у меня свои...

Петр Николаевич принялся несколько картинно, как показалось Нилу, охлопывать себя по карманам, глядя при этом на Марию Станиславовну.

— Надо же, вот незадача... — бормотал он. — Не иначе как в номере оставил... Ну да, точно, на кровати... Представляете, Мария Станиславовна, оставил у себя в номере блок хороших сигарет... Я, разумеется, сходил бы, но там, знаете ли, товарищи офицеры, вопросы всякие, задержаться опасаюсь... А мне бы еще с Роман Нилычем парой слов перекинуться... по службе...

— Так вам принести, что ли? Давайте я схожу. Тут и недалеко совсем. Заодно проветрюсь. А вы пока поговорите... по службе.

— Да что вы, дорогая Мария Станиславовна, да зачем же, это так обременительно... Вот ключик. Прямо на кровати лежит, вы увидите. И заодно там в холодильничке шампанского бутылочка... «Новый Свет»... Вы уж прихватите.

— Уж прихвачу...

Мария Станиславовна поднялась.

— Мож-жно я с вами... — заплетающимся языком произнес Нил, попробовал встать со стула, упал, глупо захихикал и, встав на четвереньки, вновь взобрался на стул.

— Молодому больше не наливаем, — с отеческой улыбкой проговорил генерал. — Так мы ждем, милая Мария Станиславовна. Ждем-с.

Когда стукнула входная дверь, генерал по-хозяйски раскрыл отцовский портсигар, достал папиросу, закурил, шумно потянулся. Отец смотрел на него молча и тупо.

— Такие дела, товарищ подполковник... — Генерал с наслаждением затянулся. — Ты наливай пока, наливай, отметим в сугубом, так сказать, кругу... Ух-х... Ты грибочком-то закуси, грибочком... Да-а, на заслуженное, так сказать, плечо спикировала звездочка, на заслуженное. Бог даст, не последняя... И я не просто так, абы что сказать — есть, понимаешь, в управлении такое мнение... Комдив-то ваш, батька, он, конечно, слов нет, офицер опытный, фронтовик, дело свое туго знает. Но ведь всему на свете срок положен, а у него и сердчишко пошаливает, и до пенсии полтора годочка всего. А участок тут, не мне тебе объяснять, ответственный, западная граница, и случись что — мы первые... Воздушный щит родины... Нам на такой участок нужен командир особенный. Молодой — но и опытный. Инициативный — но и ответственный. Много полетавший, повидавший, покомандовавший — но и чтобы хозяйство знал как свои пять пальцев...

Для наглядности генерал выставил вперед растопыренную ладонь с поджатым большим пальцем. Получилось четыре. Нил хихикнул, но никто на него внимания не обратил.

— И такой человек у нас есть. — Генерал сделал многозначительную паузу. — Но возникает с этим человеком одна загвоздочка...

Отец слушал, затаив дыхание. На лысине, красной как арбуз, проступили капельки пота. Нил тоже навострил уши.

— Морально, скажем, бытового плана загвоздочка, — продолжал, не торопясь, генерал. — То, что данный товарищ, имея законную супругу, проживает с этой самой супругой не только раздельно, но и в разных городах — это, конечно, только данного товарища и его супруги личное дело. А вот то, что данный товарищ, будучи официально расписан с одной женщиной, фактически открыто проживает с другой женщиной, с которой не расписан, — это уже, как ни крути, с формальной точки зрения аморалка. А у нас в кадровых комиссиях, ох и формалисты же! Я, конечно, не кадровик и не политработник, и по служебной линии данный вопрос меня не касается нисколько, но коль скоро этот подполковник — мой друг еще с курсантской скамьи, то я считаю своим дружеским долгом предупредить и предостеречь...

— Так ведь и... что ж теперь?..

— Нет, по-мужски я тебя, Роман, конечно, понимаю, даже очень понимаю, но как старший офицер... Ты, Роман, поставь себя на мое место. Укажи я в отчете на это обстоятельство — тебе по шапке, и тогда уж не о дивизии думать, а о местечке на «гражданке». Если не укажу, а оно потом всплывет на переаттестации — тогда уж по шапке мне, куда, мол, глядел, товарищ старший инспектор ВВС? Ну, я-то, положим, отверчусь как-нибудь, а тебя-то все равно пинком под задницу... Сейчас им только повод дай — слыхал небось, что Хрущ очередное сокращение готовит? За двенадцать месяцев на полтораста тысяч кадровых офицеров разнарядочка...

Отец дрожащей рукой прикурил папиросу от папиросы. Жилы, вздувшиеся на шее, казалось, вот-вот лопнут.

— Имеется у меня, правда, одна мыслишка, как напасть такую объехать на вороных. — Генерал прищурился, отчего лицо его стало похожим на старый, желтый, кривой огурец. — Но тут, брат, нужно полное твое согласие и чтобы без обид. Иди-ка сюда...

Он что-то зашептал отцу на ухо. На красном, нетрезвом лице подполковника Баренцева сначала отразилась интенсивная работа мысли, потом лицо это жутко, почти до черноты, побагровело. Баренцев уперся локтями в стол и стал судорожно, как выброшенная на берег рыба, заглатывать воздух.

— Это что же... что же получается... — несвязно бормотал он. — Петька, да мы же с тобой... а теперь оно вот как... Тебе ж это все хихоньки, а у меня серьезно...

— Как знаешь. — Генерал встал, расправил плечи, немного повращал, разминая суставы. — Я пока на балкончике покурю, а ты подумай. — Он поглядел на часы. — На принятие решения имеешь семь минут.

Нил сидел не шелохнувшись. Он почти ничего из слов генерала не понял, но почувствовал повисшее в воздухе тяжкое напряжение, и меньше всего ему хотелось, чтобы на него сейчас обратили внимание.

Но отцу было не до него. Он сидел, обхватив голову руками, потом вдруг встрепенулся и пробормотал:

— А гори все синим пламенем!

Хлебнул водки прямо из горлышка, резко встал и с шумом выдвинул ящик буфета. Оттуда он достал черную матерчатую сумку и принялся шуровать по полкам, закидывая в сумку то бутылку, то банку с болгарскими перцами, то пачку печенья, потом извлек кастрюлю с крышкой и смел в нее оставшиеся на столе салаты, накидав сверху ломтиков колбасы и сала. Потом остановился, блуждая по кухне безумным взглядом. Взгляд упал на съежившегося на стуле Нила.

— А, сынок, — глухо, безжизненно проговорил отец. — Пойдем, родной, погуляем...

Нил послушно встал и пошел к двери.

— В гости пойдем, слышишь! — гудел за спиной отец. — В гости нас звали. Ждут очень...

Шли недолго — впереди отец, размахивая авоськой, что-то бормоча под нос, следом Нил. Улица освещалась мощными фонарями, так что, несмотря на южную ночную темень, идти было светло. Потом, правда, свернули в закоулок между домами, вышли на небольшой пустырь, за которым высвечивались контуры длинного одноэтажного строения. Отец широкими шагами пересек пустырь и постучал в освещенное окно. Окно раскрылось, из него высунулась растрепанная женская голова.

— Норка, принимай гостей! — гаркнул отец.

Женщина замахала руками, потом прищурила глаза, вгляделась и взвизгнула:

— Ой, да никак вы, товарищ майор!

— Подполковник!

— Батюшки! С повышением вас! А я уж спать собралась...

— Одна?

— Чего одна?

— Ну, спать-то.

Женщина хихикнула.

— Скажете тоже... Погодьте, сейчас открою.

Отец взял Нила за плечо и повернул в ту сторону, где через минуту отворилась скрипучая дверь. На крыльцо вышла женщина в длинной ночной рубашке, поверх которой был накинут домашний стеганый халат, и показала рукой — проходите, мол. Они поднялись по шатким ступенькам и оказались в узком темном коридоре. Прямо напротив входа висел голубой деревенский умывальник с жестяной раковиной. Под ней стояло помятое ведро, рядом — большие резиновые сапоги. Сбоку с длинного гвоздя свисал толстый черный ватник. Тусклая лампочка выхватывала из мрака большие прорехи в штукатурке, в которых проглядывали кирпичи и черные провода. Дощатый пол скрипел и прогибался под ногами.

В комнате, куда они вошли вслед за хозяйкой, главенствующее место занимал диван — красный, широкий, с громадными валиками и подушками. Над диваном висел тканый коврик с изображением пруда и лебедей, на коврике пристроилась гитара с голубым бантиком на грифе. Перед диваном стоял накрытый коричневой скатертью стол и два непарных стула. Часть комнаты была отгорожена светлым шкафом. В углу красовалась круглая железная печка, покрашенная краской-серебрянкой.

Хозяйка кинулась было убирать постель, разостланную на диване, но отец остановил ее:

— И так сойдет.

Он стал доставать из сумки бутылки, пакеты, кастрюлю и ставить на стол, а хозяйка — посуду из шкафа. И только покончив с этим делом, она обернулась и увидела Нила, который тихо-тихо стоял на пороге и смотрел на происходящее, потирая сонные глаза.

— Ой, ма-альчик! — воскликнула она с таким удивлением, будто впервые в жизни увидела живого мальчика. — Это ваш, товарищ май... подполковник?

— Мой, мой, — неприязненно ответил отец. — Таскаю вот за собой, как корова ботало... Ну что встал как столб? Если жрать не хочешь, марш спать!.. Слышь, Норка, изобрази ему там, за шкафчиком...

Нил еле-еле дотащился до брошенного на пол полосатого матраца и провалился в темноту...

Он плыл на корабле — на старинной галере. Стоял на высокой корме, высматривал зорким глазом, не мелькнет ли преследующее их неприятельское судно, не покажется ли на пустынных, низких берегах облако белой пыли — предвестник появления конницы, — ощущая, как ходуном ходит палуба под ногами, как скрипят уключины, как ритмично постанывают, налегая на весла, прикованные к банкам гребцы: «О хейя-хейя вот. О хейя-хейя все...»

Река течет мощно, гладко и спокойно. Она отдыхает. Вдали слышен резкий, назойливый крик павиана. Ему вторит другой крик, полный страдания и боли. Хрипло и отчаянно кричит женщина. «К берегу! — командует он. — Дикий павиан похитил женщину и терзает ее. Мы должны спасти бедняжку!» — «Но капитан, — слышит он голос, — а что если это хитрые уловки врага?» — «Противник за спиной у нас, а женщина кричит вон там, впереди. Даже самый быстрый отряд не сумел бы попасть туда, незамеченный нами». — «Но, капитан, у каждого из нас есть враги и пострашнее фараона». Женский крик повторяется, теперь он ближе и страшней...

Нил резко открыл глаза. Кричала Норка, но крик мгновенно смолк, перейдя в протяжный стон, и он услышал ритмичное сопение отца. Дощатый пол скрипел и качался. Наверное, бедная Норка в чем-нибудь провинилась, и отец, злой и пьяный, делает с ней что-то страшное. Нил хотел вылезти из своего закутка и заступиться за Норку, но побоялся, что отец сделает то же самое и с ним, и остался лежать, проклиная собственную трусость и бессилие.

Потом все стихло, только чиркнула спичка и хрипло дышал отец. Потом раздался мощный храп. Вскоре к этому храпу присоединился второй, потоньше и с присвистом. Потом первый храп прекратился, и голос отца произнес:

— Повернись-ка на бочок, лапушка, спать мешаешь.

В ответ послышался сонный смех. Значит, там, по ту сторону шкафа, все хорошо. Наверное, этот ужас ему только приснился...

Он проснулся разбитый, с больной головой и отлежанными ребрами, в комнате было душно, накурено, несвежо. За шкафом возились, постукивали посудой об стол, шлепали ногами. Кряхтя, как старик, Нил выбрался из закутка и остановился, зажмурившись от пробивающегося в немытое окно солнечного света.

— Ну, проснулся, архаровец?

За столом сидел отец в одних трусах, правда, очень длинных. Перед ним стояли тарелка с хлебом и нарезанным луком, стакан и бутылка. Вид у отца был хмурый, помятый, неприветливый, под глазами набухли противные черные мешки. Норка лежала на диване и смотрела в потрескавшийся потолок.

Перехватив устремленный на нее взгляд Нила, отец нехорошо усмехнулся и сказал:

— Смотри-смотри, сынок. Привыкай. Теперь это твоя мамка будет.

Норка отреагировала идиотским овечьим смехом. Нил застыл, разинув рот, совсем ничего не понимая. Какая еще мамка, зачем, почему?.. Отец же заржал совсем уже неприлично, широко и некрасиво разевая рот.

— Иди-иди, — просипел он, устав гоготать. — Поцелуй мамочку!

Нил весь сжался, напружинился и бросился из комнаты прочь. Дверь сама рванулась ему навстречу. Он ударился лбом и отлетел назад, неловко шлепнувшись на бедро. А на пороге комнаты появилась Мария Станиславовна с большим чемоданом в руках. Она поставила чемодан на проходе, села на него и проговорила устало:

— Уезжаю я. К сестре в Чернигов. Попрощаться вот зашла. Ключи принесла...

Она подкинула на ладони связку ключей и неожиданно с силой запустила ею в отца. Он в последний момент подставил ладонь, и ключи, звякнув, упали в тарелку с луком. Отец побагровел и начал, опираясь руками в стол, медленно подниматься. Мария встала с чемодана и смело шагнула ему навстречу. Выражение ее лица было самым решительным.

— Ты... это... не балуй, — невразумительно пробормотал он и сел.

Мария Станиславовна остановилась.

— Не то мне, Роман Нилович, обидно, что вы давеча к парчушке этой... — она показала подбородком на заметно струхнувшую Норку, — приблудили. Мужики — они все кобели известные, чего уж тут... А вот что вы меня под генерала этого столичного подстелили, будто я половичок какой, — этого я вам, не обессудьте, простить не могу, другую себе для дел таких подыщите... — Губы ее раздвинулись в невеселой улыбке. — Добро б хоть смог чего, начальничек-то ваш, хорош только сказки сказывать, котина холощеный...

Норка неожиданно зашлась дурным смехом, засучила ногами под одеялом. Отец, разъяренный, обрел наконец, на ком отыграться, развернулся к ней вместе со стулом и наотмашь ударил по лицу. Норка вскрикнула и с головой накрылась одеялом.

— И кто ж вы такой выходите после этого, Роман Нилович? — тихо, с нескрываемым презрением, спросила Мария Станиславовна.

И тут подал голос доселе незамеченный Нил.

— Козел в портупее! — звонко и бесстрашно выкрикнул он невесть где подслушанную характеристику.

Мария Станиславовна от смеха согнулась пополам. Норка под одеялом завизжала. Отец взревел и схватил со стола вилку.

— Убью, гаденыш!!!

Нил юркнул в щелку между чемоданом и дверным косяком и босой побежал по коридору. За его спиной что-то упало — грузно, с матерным ревом, — но он не обернулся. Выскочил, хлопнув дверью, на незнакомый в утреннем свете пустырь и рванул куда глаза глядят...

Всю следующую неделю он жил в офицерском общежитии, спал на раскладушке в комнате Федоровских, днем сидел у раскрытого окна возле Светиной кровати, читал ей книжки или просто разговаривал, а когда с работы приходил Артем и на руках выносил жену в сад, выходил с ними. Иногда играл с местными ребятишками. Те, наученные, видимо, родителями, обращались с ним бережно, как с фарфоровой куклой. Отца он за это время видел два раза — мельком. При встрече оба отворачивались.

«Вот бы кому разбиться!» — с ненавистью думал Нил...

Это случилось через четыре года, тогда из Забайкалья пришла официальная телеграмма, извещавшая, что подполковник авиации Баренцев Роман Нилович трагически погиб при исполнении служебных обязанностей. Мать была на гастролях в Венгрии, так что на похороны и разбираться с имуществом покойного вылетела бабушка. Вернувшись, она рассказывала странные вещи — будто бы, по словам очевидцев, самолет, на котором он отправился в свой последний полет, ни с того ни с сего пошел на снижение и снижался до самого соприкосновения с землей, после чего немедленно взорвался. Никаких видимых неисправностей комиссия, работавшая на месте катастрофы, по останкам машины не установила. В полку поговаривали, что в тот день подполковник был мрачен и сосредоточен.

Из небогатого оставшегося имущества бабушка взяла только фотографию мамы, которую обнаружила на его столе. Оформлять пенсию на Нила она не стала...

XV
(Ленинград, 1982)

— И вы до сих пор возлагаете на себя часть вины за смерть отца?

— Вины?! Знаете, когда ваша путеводная звезда при ближайшем рассмотрении оказывается перегретым примусом, который брызжет вам в физиономию раскаленным вонючим керосином, возникающее чувство трудно назвать чувством вины... Теперь я даже рад, что развенчание кумира произошло в такой грубой, водевильной форме. А то вырастил бы из себя гориллу по образу и подобию...

— Сама горячность, с которой вы это говорите, Нил Романович, свидетельствует, что в глубине души ваша оценка не столь однозначна.

— Может быть... Мое нынешнее «я» тоже, знаете ли, дает мало оснований для ликования...

— Вернулась ваша матушка, Нил Романович. Я встречался с ней. Просила передать вам свое сочувствие и все такое...

— И все такое... — насмешливым эхом отозвался Нил.

— Очень порывалась навестить вас, но я рекомендовал пока воздержаться...

— Она не настаивала, — утвердительным тоном произнес Нил.

— Не настаивала, — подтвердил Евгений Николаевич. — Но передала вам этот сувенир, который, надеюсь, немного развлечет вас.

Он протянул Нилу прозрачную коробочку, в которой находилось нечто, уложенное в черный шелковый мешочек.

— Трубка, — сказал Нил, развязав розовые тесемки. — Настоящая тосканская трубка...

— И к ней баночка «Брукфильда».

— Вы позволите?..

Нил откупорил жестяную баночку, похожую на те, в которых продают монпансье, и принялся набивать трубку.

— Запах умопомрачительный, — заметил профессор. — Похоже, вы и в этом знаете толк.

— Знал... Странно... У нас ведь все началось с трубки... Он очень любил трубку...

— Отец? — озадаченно спросил Евгений Николаевич.

— Отец? Какой отец? При чем тут отец?..

— А, я, кажется, понимаю, о ком вы... Следователь говорил мне, что среди вещей... ну тех, в вагоне... нашли курительную трубку.

— Это его...

XVI
(Ленинград, 1973)

Стенд с объявлениями, выставленный в вестибюле, осаждала плотная толпа, и он решил не толкаться, переждать немного. Вышел в факультетский дворик, заложил в рот сигарету, окинул окрестности ленивым взглядом — и замер, остолбенев...

Она несла себя гордо, легко, почти не касаясь земли. Она была вся движение, полет. Ее замшевый пиджачок был распахнут, ветер играл ее клетчатым шейным платком, медными кудрями, плиссированным подолом клетчатой, в тон платку, юбочки. «Остановись, посмотри!» — неслышно, с сердечным замиранием, взмолился он.

Она остановилась. Посмотрела. Подошла. У него непроизвольно раскрылся рот.

— Что ли нравлюсь? — с веселой улыбкой спросила она.

От ее голоса закружилась голова.

— Очень, — выдохнул он.

— Ты тоже ничего.

Он посмотрел на нее недоверчиво и чуть обиженно. Закончив девятый класс колобком, в десятый он пришел Аполлоном — крепко и в нужном направлении ударил запоздалый гормональный сдвиг, — но одноклассники воспринимали его инерционно, да и сам он никак не мог обвыкнуться в своем новом, стройно-долговязом естестве, глядя на себя и на мир глазами толстого мальчика, привычного отнюдь не к комплиментам.

— С пяти шагов на иностранца похож, — продолжила девушка.

— А с трех? — Он наконец подхватил ее шутливый тон.

— Нет, слава Богу. Не люблю иностранцев, в смысле — буржуев. Картонные они какие-то, как ненастоящие. Огоньку не найдется?

— Да-да, пожалуйста...

Он торопливо вынул из кармана плоскую зажигалку, оставленную в их некурящем доме кем-то из гостей и недавно им утилизированную.

— И фитиль у тебя классный, — подхватила рыжая девушка. — «Мальборо» хочешь?

— Ага...

Он затянулся предложенной сигаретой, слегка закашлялся.

— Тебе трубка пойдет, — сказала девушка. — Будешь такой Сергей Есенин. Или молодой Хемингуэй... Студент или абитура?

— Я?.. Поступаю.

— Я тоже. Ты на какое отделение?

— Не решил еще. — Почему-то ему не хотелось говорить этой сногсшибательной девчонке, что поступает он вообще не на филологический, а на социальную психологию, а сюда завернул только затем, чтобы узнать, когда и где консультация по сочинению. — А ты?

— Я на английское.

— Там же конкурс сумасшедший! Или ты с медалью?

— Я похожа на медалистку?

По ее лукавой усмешке он понял, как она относится к этой части человечества. Не относится.

— А не боишься?

— Я ничего не боюсь, — сказала девушка, и ее тон показывал, что она не врет. — Ладно, викинг, до встречи на экзаменах. Удачи тебе.

Она ловко пульнула окурок в урну, стоящую метрах в семи, и, естественно, попала.

— И тебе удачи... — проговорил он ей вслед, тут же почувствовав, что ей это пожелание, в общем-то, совсем не нужно, что вся удача и так всегда при ней.

Он, как завороженный, смотрел ей в спину, пока она не скрылась в подворотне, потом вздохнул и пошел в противоположную сторону, на факультет.

У доски объявлений народу было поменьше, он протиснулся вперед, списал место и время консультации, а потом задержался у большого листа с данными о прошлогоднем конкурсе и баллам. Английское отделение — 13,8 человек на место, проходной балл —

20. Четыре пятерки. Нереально. Взгляд его скользнул вниз, не задерживаясь на нежеланных румынских, финно-угорских, болгарских... Спецотделение (преподавание русского языка как иностранного) — 2,7 человек на место, проходной балл — 16,5. Собеседование сегодня в аудитории 97...

Собственно, что такое социальная психология по сравнению с возможностью учиться рядом с такими девчонками?..*

XVII
(Ленинград, 1973)

После успешного собеседования окрыленный Нил помчался в табачную лавку и приобрел себе за рубль двадцать нечто, внешне напоминающее трубку, и у него еще хватило на пачку загадочного вещества «Нептун. Тютюн за лулу», — продавщица сказала ему, что это болгарский трубочный табак.

На следующий день он приперся на консультацию при трубке, в перерыве достал ее, зажег с четвертой попытки, неглубоко затянулся, скрывая слезы, набегающие на глаза от едкого соснового дыма, напрочь заглушающего дым табачный, поглядывая по сторонам покрасневшими глазами — не покажется ли *она*. Но она не показалась, зато подошел невероятно плечистый молодой человек, чернокудрый и усатый, ростом выше среднего, хотя пониже самого Нила, в двубортном пиджаке модного фасона «милитэр». Молодой человек некоторое время приглядывался к нему,

---

* Почтенный автор убедительно описал его переживания при нашем знакомстве. А мои? У меня ведь тоже ноги подкосились, голова закружилась так, что испугалась — сейчас упаду. И сразу же мысль: отчего бы не упасть, если только в его объятия... Не забывайте, что мне тоже было семнадцать лет... (*Прим. Т. Захаржевской.*)

а потом посоветовал, выпуская при этом ароматные колечки из собственной трубки:

— Вы, батенька, это полено на дрова пустили бы, что ли... А если так уж тянет трубочкой побаловаться, то не лучше бы настоящей обзавестись?

— И рад бы, сударь мой, да где ее взять, настоящую-то? — подстраиваясь под манерно-ироническую речь симпатичного незнакомца, проговорил Нил.

— А в Москве, батенька, в одноименной гостинице. Там «явовские»-то трубочки по пять целковых всего. Говнецо, конечно, трубочки, не чета моим английским, но все же трубочки, а не ваша бутафория... Кстати, попробовать не угодно ли?

Молодой человек достал из портфеля продолговатый кожаный мешочек, а из него — темную прямую трубку, точное подобие той, которую курил сам. Трубка была уже набита, и, как понял Нил по одуряюще сладкому запаху, набита чем-то круто фирменным.

— Какой табак! — восхищенно сказал он.

— «Клан», сударь мой, — ласково щурясь, проговорил усатый. — «Клан» домашней выделки. Хотите, научу? Берется стограммовая пачка табака «Золотое руно» по два двадцать и высыпается в большую банку. Туда же добавляются две пачки «Трубки мира» по девяносто коп. Смесь тщательно перемешивается взбалтыванием, после чего в банку наливается столовая ложка ликера «Южный» и столовая ложка хорошего коньяку. За неимением французского подойдет «Двин» или «Праздничный». Сверху кладем свежесрезанную яблочную кожурку, лучше зеленую, и герметично закрываем крышкой. Дней через десять смесь вызревает окончательно. Готовый продукт можно отличить от классического голландского «Клана» только по консистенции и последующему обилию дегтя. Некоторые ингредиенты, конечно, специфичны, но один раз разориться стоит, уверяю вас...

Незнакомец терпеливо объяснил Нилу, как правильно прикуривать и раскуривать трубку, и со снисходительной улыбкой смотрел на его первые, неумелые затяжки. Затем пояснил, что курение трубки требует некоторого навыка, и заявил, что, пожалуй, согласился бы уступить Нилу одну из своих трубочек за символическую цену в пятьдесят рублей.

— Пятьдесят! — изумленно выдохнул Нил.

— В табачной лавке на Бейкер-стрит самый дешевый «Данхил» стоит двести-триста фунтов стерлингов, — мягко заметил молодой человек. — Признаюсь, мне эта пара досталась уже подержанной, зато великолепно обкуренной, что только увеличивает ценность хорошей трубки. Я же передаю ее вам в еще более ценном состоянии — исключительно из уважения к собрату по благородному увлечению... Может, вы сомневаетесь, что это «Данхил»?

— Ну что вы... — начал оправдываться Нил, но собеседник не желал слушать его оправданий.

— Вот смотрите, здесь клеймо, товарный знак, подтверждающий подлинность.

Он ткнул пальцем в желтое металлическое кольцо на разъеме. Нил посмотрел туда и действительно увидел чуть затертое клеймо «DANHIL».

— Убедились? Ну что, берете?

Нил замялся. С одной стороны, такая колоссальная сумма, которой у него попросту нет и не было никогда. С другой стороны... Он живо представил себе, как через какую-нибудь пару недель, уже студентом (собственная небезмозглость, плюс труды репетиторов, плюс невероятно благожелательное отношение, проявленное к нему во время вчерашнего собеседования самим Александром Федоровичем, говорят, самым главным на спецотделении, плюс звоночек из дирекции театра в ректорат — все это не оставляло у него сомнений в благоприятном исходе), выйдет на площадку перед большим коридором и гордо продемонстрирует всяким там «беломорщикам» и «столичницам» свою великолепную трубку в деле. «Явовская?» — обязательно спросит кто-нибудь, мнящий себя знатоком. «Не совсем, — снисходительно-небрежно ответит Нил. — „Данхил“. Вот, извольте убедиться, клеймо...»

А во-вторых, сделав покупку, он сохранит доброе расположение этого симпатичнейшего парня. Возможно, даже подружится...

— Я сейчас не при деньгах... — глядя на собеседника жалкими глазами, начал он.

— Это не беда, — с мужественной улыбкой ответил тот. — Я готов подождать до послезавтра. В десять ноль-ноль у нас консультация по истории. Там и встретимся. Я принесу трубку, а вы — деньги. Договорились?

— Договорились, — пролепетал Нил.

— Замечательно. — Взрослый молодой человек протянул руку. — Васютинский. Виктор Васютинский. Будущий юрист.

— Нил Баренцев, будущий филолог, — доложил Нил и заметил, что в глазах собеседника промелькнул какой-то дополнительный интерес.

Рукопожатие Васютинского было крепким, мужским. После такого рукопожатия нарушить договоренность мог бы, наверное, только самый последний подлец...

Домой он возвращался пешком и все думал, как бы раздобыть денег по-быстрому. И, кажется, придумал. Попробовать, во всяком случае, можно...

Бабушки дома не было, и это вполне отвечало его планам. Не снимая ботинок, он быстро прошел в самую дальнюю комнату. У окна, в кресле, развернутом в глубь комнаты, неподвижно сидела укутанная пледом бабуленька и остановившимися тусклыми глазами смотрела на него.

— Привет, мумия, — бросил он, направляясь к книжному стеллажу.

У него и в мыслях не было обидеть старуху, она давно уже ни черта не слышит, и как ни назови, ей все едино.

Постояв немного у полок, он пробормотал: «Нет, так не пойдет!», подошел к бабуленьке и развернул кресло к стене. Лучше пусть не видит.

В их семействе читателем был он один. Эта страсть, ослабшая было в год между отъездом отца на Украину и его собственным роковым путешествием, по возвращении вспыхнула с новой силой и более не ослабевала. Ни моделизм, ни спорт ей более не мешали — Нил забросил их и скоро вновь стал толстым, бледным, апатичным и болезненным, каковым и оставался все школьные годы, кроме последнего, когда вдруг со страшной силой прорезались новые интересы — рок-музыка, танцы, курево, и немного — девочки, карты, вино... Но читать он любил по-прежнему. Он единолично пользовался неплохой домашней библиотекой, собранной за многие десятилетия и постоянно пополняемой за счет подписных изданий и разных книжных дефицитов, с доставанием которых у матери — не последнего человека в отечественной культуре — проблем не возникало.

Мать не читала ничего, кроме партитур и хвалебных статей о самой себе. Бабушку изредка можно было видеть с одним и тем же толстым томом зануднейших музыкально-театральных мемуаров. Про бабуленьку нечего было и говорить.

Однако именно в комнате у старушек хранилась самая загадочная часть семейной библиотеки — несколько десятков древних, никогда не раскрываемых книжек, по большей части на немецком языке. Немецкие книги были почти все напечатаны готическим шрифтом, так что названия и содержание их было Нилу неведомо, за исключением одной, самой толстой и богато иллюстрированной в цвете. История военного костюма германских княжеств семнадцатого—девятнадцатого веков. Когда он был маленький, то даже не знал, что в их доме есть такая интересная книга, обнаружил ее только классе в седьмом, снимал иногда, рассматривал, показывал приятелям. Потом надоело, и этот фолиант вернулся сюда, в компанию земляков. Некоторые книги были на русском, с ятями, ерами, фетами, и-десятеричными, толстые и патологически скучные. Их-то Нил и перебирал задумчиво, вдыхая многолетнюю пыль. Наконец отобрал одну — большую, в красном кожаном переплете с золотыми буквами: «ЭДУАРДЪ ГАРТМАНЪ. ФИЛОСОФІЯ БЕЗСОЗНАТЕЛЬНАГО» — перелистал. Страницы разрезаны только до шестнадцатой. Спустил на пол, начал попросторней расставлять соседние, чтобы не так зияло отсутствие, потом подумал и на всякий случай присовокупил к отобранной еще одну — небольшую, невзрачную, серенькую, с большими, бледно пропечатанными немецкими буковками на толстых желтых страницах.

Нил поставил на место последний фолиант, подравнял ряд, отошел, поглядел — вроде, все в точности, как было. Сунул обе книги под мышку, понес к дверям... И обжегся об отраженный в зеркале взгляд бабуленьки, в котором блеснули ему несказанная боль, недоумение, обида. Вот черт, развернул старуху к стене, а ведь не сообразил, что во всю ту стену — зеркало, и она все видела...

Уже на лестнице он столкнулся с бабушкой, тяжело поднимавшейся по ступенькам.

— Привет, ба!

Она только кивнула и обозначила улыбку. Говорить было трудно.

— Ну, я побежал...

— Куда? — чуть слышно прошелестела бабушка.

— Лекция...

Он показал на портфель, как бы в подтверждение. Бабушка еще раз кивнула.

В букинистическом на Литейном бородатый и очкастый продавец подтолкнул красную книгу обратно к Нилу, даже не заглянув в нее.

— Идеалистов не берем, — отрезал он. — Следующий!

— Погодите, у меня еще есть, посмотрите, пожалуйста... — в полном отчаянии взмолился Нил.

Продавец брезгливо раскрыл серенькую книжонку, протянутую Нилом, взглянул на титульный лист, перевернул страницу, вторую...

— Сейчас, я сейчас, извините... — проговорил он изменившимся голосом.

Вырулил из-за прилавка, пронесся мимо кассы, расталкивая народ, и исчез вместе с Ниловой книжкой за дверью с надписью «Посторонним вход воспрещен». Вышел он оттуда вдвоем с другим дядькой, лысым и плотным, одетым в черный рабочий халат.

— Эй вы! — рявкнул лысый, показывая на Нила волосатым пальцем. — Подойдите-ка сюда!

«Бежать!» — вспыхнуло в мозгу, но ноги сами понесли его к пугающей двери, перетащили через порог. Он очутился в тесном, обшарпанном помещении, до потолка заставленном книгами.

— Паспорт! — пролаял человек в халате, и Нил покорно протянул ему свою не успевшую затрепаться книжицу в коричневом чехле.

Сердце совсем ушло в пятки. Вот сейчас лысый дядька посмотрит адрес, позвонит в справочное, установит по адресу номер телефона и сообщит бабушке, что ее внучок разворовывает семейную библиотеку...

— Больше каталоговой цены не поставлю, — сердито пробурчал человек в халате. — Здесь вам не частная лавочка!

Нил обреченно кивнул.

— В кассу! — рявкнул лысый, протягивая ему паспорт и еще какую-то торопливо и неразборчиво заполненную бумажку. Нил поспешно отвернулся, запихивая паспорт в сумку. — Если есть еще эльзевиры — приносите!

Нил удивленно посмотрел на лысого. Тот вдруг вжал голову в плечи, бочком протиснулся к нему и совсем другим голосом, тихим и вкрадчивым, произнес:

— Гартмана покажите... У меня жена, знаете ли... интересуется... — Он с минуту разглядывал красную книгу, потом сдавленно прошептал: — Сто рублей.

— Сколько? — спросил Нил, не веря своим ушам.

— Ах, тише, тише, — зашипел лысый, делая страшные глаза. — Ну, сто двадцать, но это крайняя цена...

И торопливо отслюнил двенадцать красненьких червонцев.

— Спрячьте, спрячьте... — торопливо прошептал он и неожиданно громко крикнул: — А с эльзевиром в кассу! В кассу!

Нил, пожимая плечами, вернулся в зал, подошел к кассе и положил бумажку на блюдечко перед кассиршей.

— Вот... — Он вздохнул.

Кассирша ему эту бумажку вернула.

— Сумма прописью, число и подпись! — отрезала она.

— Что?

— Здесь, здесь и здесь! — Она быстро поставила галочки в трех местах.

Нил отошел к подоконнику, достал из портфеля ручку, посмотрел в отмеченное галочкой место — и не поверил своим глазам. Ему причиталось триста шестьдесят рублей...

«Спокойно, спокойно! — внушал он себе, идя по Литейному. — Я взрослый, разумный человек, и никакое богатство не вскружит мне голову... Еще через квартал — сберкасса. Восемьдесят рублей я оставлю себе, а четыреста положу на книжку. Бабушка говорила, есть такой срочный вклад, по нему через год выдают три процента годовых. Это будет... это будет двенадцать рублей! Ни за что ни про что — целых двенадцать рублей!..»

Но он струхнул идти в сберкассу — а вдруг еще спросят, откуда у него такие деньги, заставят принести справку от родителей? Вместо этого он отправился в кафе-мороженое, лихо заказал двести граммов ассорти с двойным сиропом и сто пятьдесят граммов сладкого шампанского — не столько потому, что так уж хотелось вина, сколько из желания этим отважным жестом как-то компенсировать в собственных глазах трусость, проявленную у дверей сберкассы. Толстая буфетчица в кокошнике окинула Нила оценивающим взглядом, неодобрительно хмыкнула, но заказанное налила. От сладкого и шипучего вина немного закружилась голова, стало легко, и сегодняшний проступок показался Нилу совершенно пустячным. «Безсознательнаго» все равно никто не осилил и не осилит никогда, а вторая книжонка и вовсе такая серенькая, невзрачная, никому не нужная... Если подумать, то вообще чудо, что ее до сих пор не выкинули на помойку, не сдали в макулатуру. Зато теперь сослужила добрую службу. Теперь у него есть огромные деньги, которые надо как можно скорее спрятать как можно глубже в письменный стол. А завтра... завтра он станет владельцем роскошной трубочки фирмы «Данхил»...

Бабушка стояла на кухне и молча смотрела в окно. Нил подошел сзади и слегка приобнял ее.

— Ба, как у нас насчет покушать, а?

— Тише...

Она повернула к нему лицо. Он удивленно заморгал, впервые увидев слезы на этом морщинистом лице.

— Ты что, бабушка?

— Бабуленька умерла...

В придачу к трубке он получил от Васютинского кожаный мешочек для нее и — за отдельную плату —

набор ёршиков для чистки. Эту трубку он носил на каждую консультацию, на каждый экзамен. Обратил на себя внимание многих, но рыжая красавица, ради которой, собственно, все и затевалось, так ему и не встретилась. Может быть, передумала поступать или — что казалось совсем невероятным — завалила экзамены...

XVIII
(Ленинград, 1982)

— Вот ведь как бывает, — задумчиво проговорил профессор. — Ведь эта мимолетная девушка, практически, сотворила из вас филолога и трубочника, предопределила, можно сказать, все последующие переплетения судеб, приведшие, в числе прочего, и к нынешнему нашему разговору, а мы даже имени ее не знаем...

— Отчего же? — Нил улыбнулся. — Она, конечно, тоже поступила, и потом мы несколько лет встречались чуть не каждый день.

— Вот как? — ответно улыбнулся Евгений Николаевич.

— О да! Ее звали Таня Захаржевская...

В руках профессора что-то громко хрустнуло, он с отвращением отбросил от себя переломанную пополам шариковую ручку.

— Сплошной брак производят! — сердито сказал он.

Нил смотрел на него молча и внимательно.

— Вот что, Нил Романович, — прежним благодушным тоном сказал профессор. — Давайте-ка мы закажем нашей любезной Тамаре Анатольевне по чашечке кофейку и поговорим, для разнообразия, о вашей нынешней работе. А то что мы все о прошлом, да о прошлом... Вы ведь, если не ошибаюсь, в Политехническом служите?

XIX
(Москва, 1982)

— Впечатления?

— Непростой парнишка. Старается внушить себе и другим, что он гораздо слабее и уязвимее, чем есть на самом деле. Ложная самооценка на основе рационализации детских комплексов... Извините, вошел в образ... Он прекрасно помнит Татьяну Всеволодовну, отзывается о ней с глубоким уважением и считает, что она сыграла в его жизни очень большую роль.

— Вот как? — Вадим Ахметович Шеров подлил чая себе и подполковнику Ковалеву, поднялся, с чашкой в руках подошел к окну, поглядел на вереницу огней в вечернем саду. — И что из этого следует?

— Уточним. Он мне верит и, похоже, ничего не утаивает. У нас есть еще три дня...

— У нас их нет. Я получил информацию, что его разрабатывают ваши коллеги. *Чужие.*

— В связи с нашим делом?

— Пока не могу сказать. Помешать им мы не можем, остается временно уступить инициативу, отойти в тень и пронаблюдать за их действиями. А там посмотрим... Во всяком случае, в Ленинград вам пока возвращаться не стоит...

XX
(Ленинград, 1982)

Нил лежал поверх покрывала и разглядывал трещины на потолке. До ужина еще полчаса, а потом, глядишь, можно и на боковую. Если получится. Можно, конечно, попросить укольчик на ночь, но лучше не стоит. От бессонницы не умирают...

Он повернул голову на скрип открываемой двери и увидел Тамару Анатольевну и незнакомого врача в белом халате.

— Ну, как вы? — спросил, улыбаясь, врач.

— Ничего, спасибо. Скучновато, а так — ничего.

— Это хорошо, что ничего. Анализы у вас в норме. Выглядите молодцом. Не вижу оснований, не вижу... Давайте-ка завтра на выписку.

— Но профессор сказал — еще три дня.

— Профессор? — переспросил врач. — Ах да, профессор... Профессор неожиданно уехал в командировку, просил передать, что по возращении будет консультировать вас амбулаторно. Так что сразу после завтрака прошу в канцелярию... Недельку еще дома на больничном посидите, отдохнете. Месячный курс тазепама, режим, питание — я все напишу... Не беспокойтесь, ничего страшного в бюллетень ваш не нарисуем. Посттравматический шок, а хотите — вегетативный невроз. Что хотите.

— Спасибо.

— Ну, отдыхайте...

Лежать сил не было. Он встал, набил трубку, распахнул окно в теплую светлую ночь...

Глава вторая
НОЧЬ БЕЗ МИЛОСЕРДИЯ

I
(Ленинград — Житково, 1973)

Таню он вновь увидел только первого сентября, после организационного собрания, где, как и ожидалось, новоиспеченным студентам было объявлено, что этот этап своей жизни они начнут с месячной трудовой повинности в совхозах Ленинградской области. Было упомянуто три названия, ни одно из которых Нилу ничего не говорило.

— Привет, — сказал он, вырастая на ее пути в коридоре. — Тоже поступила? Поздравляю. А я теперь трубку...

Он принялся лихорадочно рыться в портфеле, намереваясь продемонстрировать приобретенный с ее подачи джентльменский атрибут.

— Рада за тебя.

Она не остановилась, но чуть замедлила шаг, и ему ничего не оставалось, как двинуться следом.

— А ты в какой колхоз записываться будешь? — спросил он, заглядывая ей через плечо.

Она повернулась и посмотрела на него с искренним недоумением.

— Я — в колхоз? Зачем?

— Но ведь надо...

— Мне не надо! — отрезала она и свернула направо, оставив его посреди узкого коридора.

Он вздохнул, поглядел ей вслед и поплелся в сторону партбюро, возле которого толпился народ — там записывали в сельхозотряды.

Наверное, Нил долго простоял бы в тесном предбаннике, пропуская вперед всех желающих и нежелающих, но тут как раз его окликнули по фамилии. Он оглянулся.

— Ба, Васютинский, какими судьбами?

Ему было приятно видеть знакомое лицо, особенно после обескураживающего разговора с Таней.

— У меня свидание кое с кем... Как вы, Баренцев, рассказывайте. Надо полагать, студент? Поздравляю!

— Взаимно, не так ли?

— Да, благодарю... Сейчас что поделываете?

— Да вот, в колхоз записываюсь. Посылают.

— Представьте, меня тоже. Ваш факультет куда направляют?

— Репино, Шушары и еще какое-то Житково...

— Житково? Да что вы говорите! И мы тоже будем в Житково... Записывайтесь, записывайтесь непременно туда. Места замечательные, Вуокса, рыбалка потрясающая, леса... Я служил неподалеку, знаю. У меня там масса знакомых. — Он выдержал паузу, весело подмигнул Нилу. — В том числе и бабского полу. Послушайте моего совета, Баренцев. Не пожалеете...

Но жалеть Нил начал уже через день, прибыв к половине восьмого утра на Финляндский вокзал и вглядевшись в лица тех, с кем ему предстояло прожить ближайший месяц. Сомнений не было — он оказался в *спецгруппе*!

Как всякий советский человек, Нил вырос в окружении слов, начинающихся с многозначительной и многозначной приставки «спец», придающей словам, к которым она приставлена, самые разные, подчас полярно противоположные, смысловые оттенки. Так, школа в которой учился Нил, числилась спецшколой, потому что там углубленно изучали английский язык.

Еще были спецшколы математические, художественные. Но учебные заведения для умственно отсталых, дебилов и олигофренов, тоже назывались «спецшколами», как и школы для глухонемых, слепых, обездвиженных. А еще, малолетних хулиганов и воришек тоже направляли в «спецшколы» — нечто среднее между закрытым интернатом и колонией.

Закончив спецшколу, Нил поступил на спецотделение (преподавание русского языка как иностранного). А еще имелся спецфакультет (повышения квалификации), спецкафедра, где все проходили спецподготовку (то бишь военная кафедра и военная подготовка). И, в довершение всего, спецгруппа, куда зачисляли по спецнабору — то есть, по заявкам из отделов народного образования разных областей. Предполагалось, что через пять лет Ленинградский университет возвратит областям молодых специалистов высочайшей квалификации. На деле получалось несколько иначе. Неизвестно, по каким критериям подбирались студенты в эти спецгруппы, только в массе своей это был народ серый, малограмотный, плохо подготовленный и почти не обучаемый. Из десяти человек курс заканчивал один — причем именно тот, который вполне попал бы на факультет и своими силами, без всякого спецнабора.

Все это Нил узнал намного позже, пока же он просто смотрел в окружающие физиономии и не находил в них ничего для себя утешительного. Не радовало и то, что подавляющее большинство группы относилось к женскому полу — взгляду остановиться абсолютно нс на чем. Корова на корове. И между ними — несколько плюгавых, прыщавых пигалиц. А ведь столько симпатичных девчонок поступало — в какие, интересно, места их отправили?.. И двое парней, что стоят чуть поодаль от группы, вполне под стать остальным. Один квадратный, на коротких кривых ножках, черты лица крупные, неприятные. Второй — коротышка, метр с шапкой, лобик и носик микроскопические, угодливо заглядывает первому в рот, подхихикивает. А первый излагает, налегая на «о»:

— А я чо? А я ничо! Чо хочу, то и ворочу! У меня деды половиной Сибири володели!

«Влип! — с тоской подумал Нил. — Действительно, спецотряд! Нечего сказать, удружил мне этот Васютинский!»

Подошла электричка. Дали команду «по вагонам!», и Нил понуро поплёлся следом за всеми.

Ехали долго. Полтора часа на электричке, потом столько же на двухвагонном «подкидыше». Всю дорогу Нил, нахохлившись, сидел у окошка, особняком, ни с кем не общался, только мрачно посматривал на остальных. Чем дольше он смотрел, тем больше все лица сливались в одно — широкое, как Днепр (редкая птица долетит до середины!), тупо апатичное, с крошечными поросячьими глазками и низким скошенным лбом, на котором без всяких букв отчётливо прочитывалось — быдло! Единственное, пожалуй, исключение, составлял высокий, гибкий, с кошачьей пластикой молодой человек в модных больших очках. С этим Нил и не прочь был бы пообщаться, но тот, как приклеенный, всю дорогу сидел рядом с руководителем группы, Игорем Донатовичем Абзалиловым, и оживлённо с ним беседовал.

Сгрузили их на мрачном полустанке посреди чистого поля. Все разбрелись по полусгнившему дощатому перрону, а Нил спустился по лесенке и лёг прямо на сырую траву. Он злился на Васютинского и очень жалел себя.

— Эй, эй, товарищ студент, как вас, Марков! — окликнул сверху Игорь Донатович.

— Баренцев, — индифферентно поправил Нил.

— Баренцев... Немедленно поднимитесь, Баренцев! Трава сырая, вы простудитесь.

Нил покорно поднялся, думая про себя: «Тоже мне, эрзац-мамаша! Ну и простужусь, ну и хорошо, быстрей дома буду... В самом деле, вот бы заболеть бы...»

Минут через десять к платформе на всех парах подкатил заляпанный грязью грузовичок, с визгом затормозил, и из кабины шустро выпрыгнул не кто иной, как Витя Васютинский.

— Ребята, все сюда шагом марш! — крикнул он. — Вещички в кузов, живенько!.. Здравствуйте, Игорь Донатович...

— Вещички в кузов, а сами куда? — неприязненно осведомился кривоногий здоровяк, у которого деды половиной Сибири владели.

— А сами пешочком! — весело отозвался Васютинский. — Идти-то тьфу, километра полтора. Сразу за тем леском возьмете влево, там на горке амбар двухэтажный, это и будет ваше хозяйство.

Все принялись кидать в кузов рюкзаки и чемоданы, а Нил тем временем подошел к Васютинскому.

— Здорово! Я боялся, что ты передумал и в другой отряд подался.

На «ты» он перешел, даже не заметив этого, — сказалась сельская местность, способствующая мгновенному опрощению нравов.

— А, Баренцев! Ну, как трубочка моя, ничего?.. Нет, брат, я тут с позавчера. Видишь, уже шоферить пристроился.

— Ты, что ли, и машину водить умеешь? — задал Нил удивительно глупый вопрос.

— Я танк водил! — гордо заявил Васютинский и, понизив голос, добавил: — Ты тоже попробуй подальше от стада устроиться, у нас с тобой своя программа будет... Игорь Донатович, прошу в кабину, нам еще в правлении отметиться надо.

Они укатили, а остальные нестройными рядами двинулись к лесочку...

Памятуя совет Васютинского, на летучке, созванной Игорем Донатовичем, как только все разобрались по помещениям, покидали вещички на нары и набили полосатые наматрасники прошлогодним сеном, Нил записался в кухонные мужики, под начало Нины, самой голосистой из всех прибывших коровищ. Фамилия у этой Нины была редкая и весьма красноречивая — Каракоконенко. Драконий норов она проявила незамедлительно — после летучки все помчались купаться на озеро, а ему было велено наколоть изрядную кучу дров, натаскать с десяток ведер воды из неблизкого колодца и разделать половину бараньей туши. Зато они с Ниной первыми напились холодного молока с горячим, одуряюще ароматным хлебом — и то и другое привез из деревни Васютинский. Нила разморило, глаза закрылись сами собой, и только громкие веселые голоса оголодавших студентов, вернувшихся с озера, вывели его из состояния полудремы. Когда все поели и разбрелись по стойлам, поганка Нина заставила его перемыть всю посуду и только потом отпустила окунуться.

Уже стемнело, но тропка, по которой шел Нил, была видна хорошо — как ему объяснили, если идти по ней, никуда не сворачивая, упрешься в пологий песчаный берег. Он миновал перелесок, край огорода, еще перелесок и очутился на широком лугу. Впереди, над озером, клубился туман, а справа, совсем рядом с тропинкой, горел костер и виднелись вокруг него черные человеческие фигуры. Нил вжал голову в плечи и замедлил шаг. Ему захотелось повернуть назад — встреча с местными, о чьих диких нравах особо предупреждали на собрании, да еще одному и почти ночью, в его планы не входила.

«Ладно же, — упрямо подумал он, — хватит труса праздновать! Сберкнижку завести испугался, теперь вот аборигенов испугался! Назло вот пойду!»

Он решительно двинулся к озеру, но через десяток шагов горько об этом пожалел: от костра донесся грубый, нетрезвый голос:

— А ну, кто там шляется? Тебе говорю! Стой, а то хуже будет!

Нил развернулся, изготовившись бежать, но тут его с ног до головы залило светом мощного армейского фонарика.

— Стой, студень вшивый! — крикнул тот же голос, но тут же вмешался второй голос, знакомый и в данную минуту несказанно родной:

— Коль, погоди, не ори, это вроде свой... Баренцев, ты? Подай голос!

— Витя! Витя! Я это, я! — прокричал Нил, сбившись под конец на фальцет.

— Так иди сюда! — отозвался Васютинский. — Не бойся, ребята хорошие, старые мои кореша.

— Я и не боюсь! — мгновенно осмелев, заявил Нил и двинулся к костру, одна из фигур поднялась ему навстречу.

— Мужики, рекомендую, Нил Баренцев, главный, можно сказать, друган в нынешней моей жизни, — Васютинский качнулся к Нилу, неожиданно крепко сжал его в объятиях, увесисто хлопнул по спине и запечатлел на щеке пьяный мокрый поцелуй. — А это вот, знакомься, Женя, Вася, Коля.

Парень с гармошкой на коленях слегка кивнул. Двое других даже не пошелохнулись.

— Садись, в ногах правды нет, — сказал гармонист, и Нил послушно сел на край длинного бревна, рядом с Васютинским.

Воцарилось долгое, тягостное молчание.

— А что, малой, винца нашего не хлебнешь? — неожиданно спросил самый крупный из мужиков.

По грубому голосу Нил узнал того, кто первым окликнул его и так напугал.

— Хлебнет, Коля, обязательно хлебнет, — подхватил Васютинский, не давая Нилу и рта раскрыть. — Я ж говорю, парень свой в доску. Я ему даже трубочку свою уступил...

Коля наклонил туловище, и Нил заметил в ногах у него два ведра. Коля зачерпнул из обоих и с едкой улыбкой протянул Нилу две кружки. Нил взял их, поднес одну из них ко рту.

— Да не с этой начинай, — сказал Коля. — Это вода, для запивки.

Нил приблизил к себе вторую кружку, нюхнул и страшно скривился.

— Это что? — спросил он, чувствуя, как побелели губы.

— Ты не нюхай, ты пей давай, не в театр пришел! — прикрикнул грубый Коля. — Аль кишка тонка?

— Диколон это тройной, — подхихикивая, пояснил мужичок, сидящий между гармонистом и Колей.

— Давай, Баренцев, нос зажми и залпани. И сразу водички, — горячо зашептал Васютинский. — Не посрами честь Альмы, нашей матери.

Нил зажмурился, в два стремительных героических выхлеба осушил кружку и жадно пригасил водой вспыхнувшее в горле и пищеводе едкое пламя.

— Для городского сойдет, — похвалил Коля, отобрал у Нила кружки и тут же зачерпнул ими из ведер. — Пока никто не желает? — спросил он и, не дождавшись ответа, мгновенно влил в себя обе кружки.

— А не в очередь? — встрепенулся мужичок, говоривший про «диколон».

— Кто не в очередь? — грозно надвинулся на него Коля. — Ты на кого тут, тварь, тявкать удумал?!

— Да ладно вам, — примирительно сказал гармонист. — Добра много, на всех хватит.

— Именно! — подхватил Васютинский. — Давайка, Жека, изобрази нам что-нибудь этакое. А ты, Коля, черпани и мне, а то в горле пересохло...

Жека приладил на плечо ремень и с громким «Е-ех!» растянул меха:

> Ох, изменит мне Матрешка,
> Раскрасавица душа!
> Только ты, моя гармошка,
> Нежным звоном хороша!

— Ты прощай, моя родная, —

визгливо подхватил мелкий мужичонка, —

Уезжаю в Азию.
Может быть, в последний раз
На тебя залазию!

— Люди пудики срывают,
Нам полпуда бы украсть.
Люди целочки ломают,
Нам в готову бы попасть! —

монотонно прохрипел Коля вслед за ним.

Настал черед Васютинского:

— Что за юбочка из ситца,
А под юбочкой — ларек.
Разрешите попроситься
На усиленный паек!

Все это время Нил, понимая, что и здесь придется поддерживать честь родной «альма-матери», лихорадочно вспоминал хоть одну пикантную частушечку, но вспоминалась только какая-то детсадовская фигня. Валентине Терешковой за полет космический... И только когда Васютинский ткнул его в бок локтем, само собой вспомнилось:

— Мы с приятелем вдвоем
Работали на дизеле.
Я ушел, и он ушел,
А ночью дизель с...

Оп-па! Гармонист резко снял пальцы с кнопок. Пронзительно зазвенела тишина.

— Вы чего? — оторопело спросил Нил.

Васютинский кашлянул и поспешно сказал:

— Ничего, так... Коля, налей-ка ему еще!

Вторые полкружки пошли куда легче. Нил уже не замечал омерзительного парфюмерного запаха, вместо огня внутри разлилось приятное тепло, и запивал он неспешно, растягивая удовольствие.

— А можно теперь мне?

Он протянул руки к гармошке, и Жека с готовностью передал ему инструмент.

В пионерлагере у музрука был баян, и Нил, в трехлетнем возрасте усаженный за рояль, быстро и без особого труда овладел основными навыками игры. Так что теперь в грязь лицом не ударит. Только вот репертуар...

> Ты подошла ко мне похабною походочкой
> И тихо на ухо шепнула мне: «Пойдем».
> А поздно вечером, споивши меня водочкой,
> Ты овладела моим сердцем, как рублем...

Слушали его молча, внимательно а когда допел, даже мрачный Коля хрюкнул одобрительно. Ему налили третью порцию, и он радостно выпил. Потом гармошка уплыла куда-то, а он глухо, словно через стенку, слышал звяканье кружки, какие-то фразы, в которых улавливал интонации, но не разбирал слов. Потом фразы сделались тише, сопровождаемые тяжелыми удаляющимися шагами.

— Мужики, вы куда, и я с вами, — забормотал он, но никто его не слышал, только где-то совсем далеко раздался отчетливый матерный вскрик и звук удара...

Очнулся он в сером сумраке предрассвета, лежа ничком у остывшего кострища, стуча зубами от холода. С трудом поднялся на четвереньки — скованные мышцы ныли, не желали подчиняться. Адски болела голова, во рту было сухо и жарко, как в Сахаре. Болезненно щурясь, он разглядел у края сырого черного бревна ведро. Он дополз до ведра, заглянул. На донышке плескалась вода. Он встал на колени, наклонил ведро, приподнял дрожащими руками, напился, вылив бо́льшую часть на горло и на грудь. Собравшись с силами, поднялся во весь рост, тут же согнулся и вывернулся наизнанку. Рвало его долго, основательно, до желчи. Но потом стало полегче, он выпрямился и, чертыхаясь под нос, побрел от озера. На краю поля лежал гармонист с синим, в кровь разбитым лицом. Он судорожно водил ребрами и громко стонал. Рядом валялась разорванная на части гармошка. Нил постоял, посмотрел на него и пошел дальше. Своих проблем хватало. Пока добрался, еще два раза вырвало...

Проснувшись, как положено, на час раньше всех, Нина нашла своего помощника на кухне, прямо на полу, возле теплой со вчерашнего дровяной плиты. Она осторожно ткнула его в бок. Нил застонал и открыл мутные глаза.

— Все ясно, — сказала она добродушно-сварливым тоном ко всему привычной женки. — Надрался ночью, да?

— О-о! — простонал он в ответ.

— Что пил?

— О-о, тройной...

— Блевал после этого?

— Да-а-а!

— Это хорошо... На-ка, выпей.

Она поднесла к его губам кружку холодного молока. Он жадно выпил все до капельки.

— А теперь подъем и за работу! — скомандовала Нина.

Нил снова застонал.

— Нечего тут! — прикрикнула она. — Топориком помашешь, водички потаскаешь — глядишь, и похмела сгонишь, и разогреешься! Батька мой с утреца этим только и спасался.

И впрямь. Первые мгновения были буквально адовы, зато потом легчало с каждой минутой, и, когда он принес и вылил в огромную, блестящую пищевую флягу последнее ведро воды, захотелось есть. Нина выдала ему большой ломоть хлеба с маслом и толстым куском «докторской» колбасы.

— Сейчас иди, спрячься где-нибудь в кустиках. А то народ вот-вот просыпаться начнет, неохота мне, чтоб тебя Игорь Донатович в таком виде заметил. Если про тебя спросит, я скажу, что в деревню услала, укропа к обеду выпросить. А ты примечай — как все в поле двинут, тогда и приходи. Горячего я тебе оставлю...

День прошел без осложнений, и к вечеру Нил чувствовал себя прекрасно да и выглядел, по обстоятельствам, совсем неплохо. Молоко и хлеб перед ужином им привез не Васютинский, а незнакомый мужик, пожилой и хмурый, и машина была совсем другая.

— А где Витя? — спросил у него Нил.

— Какой еще Витя?.. А, городской! — Нил кивнул. — Так вы, что же, ничего не слышали? Вся деревня с обеда гудит...

И мужик рассказал дикую историю. Будто бы нашли полуторку Васютинского в тридцати километрах отсюда, в кювете на проселке, колесами вверх. Двое в ней ехавших убились на месте, но самого Васютинского среди них не было. И будто бы стоял в кабине такой густой спиртной дух, что всем все сразу стало ясно. И еще паршивая деталь: в кузове, рядом с трупом местного бандюги Кольки Романова нашли покореженный новенький дизель-генератор, исчезнувший ночью с машинного двора. Не успела эта новость дойти до деревни, в правление заявился местный житель Зубаков Евгений с разбитой рожей и сказал, что эти двое, Ильин с Романовым, и присоединившийся к ним городской шоферюга из «студней» в ходе совместного, стало быть, распития подбивали его на покражу дизеля, да только он отказался, за что и был ими зверски избит, а личная его гармонь — потоптана и порвана напополам. Васютинского отыскали мертво пьяным в постели гулящей девки Ленки Сорокиной и прямо оттуда увезли в Выборг для дальнейшего выяснения.

— Так что не скоро вы теперь Витьку увидите, — подытожил свой рассказ мужик. — Годков через шесть, не ранее...

После столь бурной первой ночи жизнь Нила в Житково потекла спокойно, однообразно и невыносимо скучно. Когда он исполнял свои кухонные обязанности, было еще терпимо, но вот в часы досуга — бр-р! Бесконечные бахвальства кривоногого Маркова, воображавшего себя не иначе, как современным Васей Буслаевым — раззудись плечо, размахнись рука. Визгливые перебранки нелепых созданий (и язык-то не поворачивается назвать их девушками, таким если цветы дарить, то разве что из сострадания!) на всякие животрепещущие темы, вроде того, кто лучше — Магомаев или Ободзинский. А то, бывало, и по производственным вопросам чуть друг другу в волосья не вцепятся.

— Мы ишшо борозды не прошли, а они ужо ишшо яшшык ташшуть!

Со Стефанюком контакта тоже не получалось — он все время неотлучно следовал за Игорем Донатовичем. Идут с поля по деревенской улице под ручку и общаются примерно так:

— А вот видите, Юрочка, подсолнух. А знаете, как по-фински будет «подсолнух»?

— Хекки-мекки, Игорь Донатович.

— А вот и нет, Юрочка, мекки-хекки! Про него в Лапландии даже песенку сложили: «Мекки-хекки юкки пюкки, яурийокки пекки нюкки!»

— А по-норвежски как будет «подсолнух», Игорь Донатович?

— Бюк-бригге-бю, Юрочка. А по-японски?

— Асаёси серимасён, Игорь Донатович?

— Правильно, Юрочка!

Деревенские только смотрят вслед, плюются.

— Во, бля, жидов понаехало! По нашему-то совсем не волокут...

Даже не знаешь, что лучше — спецнабранное жлобье или эта томная парочка. Как говорят детишки: «Оба хуже». Нет, редкой все-таки сукой оказался товарищ Васютинский — заманил черт те в какую глушь, в хрен знает какую компанию, а сам...

С Ниной Каракоконенко общение исключительно деловое — подай то, сделай это. А так — либо вся в хлопотах, так что не приставай, либо спит. Устроила себе каморку в пристроечке, прямо над кухней и чуть что — шасть туда, и в койку. Очень поспать любила.

Книжек с собой Нил не взял. У других, надо полагать, ничего достойного по этой части не найти — вот и оставалось выть с тоски. А когда он узнал, что он здесь вообще единственный ленинградец, а остальные благоразумно записались в Репино и Шушары и спокойно могут ездить домой хоть каждый день, он взвыл так, что какая-то из девок пальцем по виску постучала и посоветовала ему лечиться. Так прошло десять дней. А на одиннадцатый...

II
(Житково, 1973)

Контраст между собой и всем окружающим она заложила самим своим появлением. Ненастный день, бригада только что вернулась с поля, все мокрые, грязные, усталые. Нина с Нилом в запарке, дрова сырые, еле-еле печку раскочегарили, ужин не поспевает, публика ворчит. И вот только-только выкатили на стол чан с макаронами по-флотски, присели, дух перевели, глядя, как народ наворачивает... И тут возле покосившегося столба, обозначающего собой границу между деревней и базой временного сельхозотряда, тормозит белоснежная «Волга». Делового вида мужчина в импортном плаще ступает под навес столовой, окидывает всех цепким колючим взглядом, выхватывает Игоря Донатовича, жестом подзывает к себе, они садятся в машину и уезжают. А на том месте, где только что была «Волга», остается девушка — среднего роста, стройная (размер не больше сорок четвертого), длинноногая, с короткой светлой стрижкой. Одета в импортный спортивный костюм ярко-красного цвета, у ног — объемистый «абалаковский» рюкзак и гитара в черном чехле. Все уставились на нее, а она легким шагом взошла под навес и сразу направилась к Нине, как к самой старшей на вид.

— Привет, — произнесла непринужденно. — В деканате меня направили к вам. Куда можно вещи сложить?

— Привет, — медленно ответила Нина, разглядывая новенькую. — Вещи можно положить к девчонкам в комнату. Нил, проводи.

Нил проворно вскочил, в несколько больших, чуть ли не беговых шагов достиг столба, у которого она оставила вещи, взвалил на плечо рюкзак, поднял гитару. Она вышла из-под навеса и ждала его. Он поднялся на крыльцо дома и позвал:

— Прошу сюда!

Они оказались в тесных сенях, где едва хватало места для печки и деревянной лестницы, упирающейся в деревянный же чердачный люк.

— Девчонки направо! — сказал он и толкнул дверь плечом.

Она остановилась на пороге, вдохнула трепетными ноздрями, сморщила прямой, самую малость крючковатый носик.

— Слушай, а другого помещения нет?

Нил озадаченно посмотрел на нее, потом перевел взгляд внутрь комнаты. Дощатые нары в два яруса, плотно забитые пыльными тюфяками. Под ними рядком стоят сапоги с неосыпавшейся грязью, а неровный пол покрывает грязь осыпавшаяся, вперемешку с шелухой от семечек и конфетными фантиками. Через всю комнату протянута веревка, с нее свисают разноцветные маечки, трусики, бюстгальтеры. Пахнет затхлой кислятиной и немытыми подмышками.

— У мужиков, конечно, почище и попросторней, — задумчиво протянул Нил. — Но у мужиков.

Она улыбнулась, показав ровные белые зубы.

— Неправильно поймут, да?

Он тоже улыбнулся.

— У Нинки своя каморка, над кухней. Но там тесно, вдвоем не развернешься. Мы ее комнатенку между собой так и зовем — Нинкина щель.

Девушка звонко рассмеялась. Вслед за ней и Нил.

— Еще есть чердак, конечно. Только там холодно...

— У меня спальник.

— И света нет.

— У меня фонарик. И свечки.

— Тогда полезли?

— Полезли.

Он держал фонарик и одновременно надувал резиновый матрас, пока она натаскивала душистого сухого сена в выбранный уголок, приспосабливала доску у будущего изголовья, устанавливала на ней извлеченную из рюкзака свечку. Потом она расстелила на матрасе синий спальный мешок с толстой нейлоновой «молнией» и тут же плюхнулась на него, закинув руки за голову.

— Кайф! А ты говоришь — девчонки направо... Пиво будешь?

— А есть?

— У меня нет, я на твое виды имею. — Увидев его замешательство, она рассмеялась: — Да есть, конечно, сейчас достану. Куришь?

— Ага.

Она извлекла из рюкзака две бутылки пива, одну бросила ему, потом достала блок сигарет.

— Ух ты, «БТ»! — с восхищением заметил он.

— А то! Спички есть?

— Есть. А вот открывашки для пива нет.

— Давай сюда.

Она поднесла бутылку к бутылке, так что крышки соприкоснулись нижними, зубчатыми краями, примерилась, рванула. Обе крышки слетели одновременно.

— Учись, студент! — Девушка протянула ему бутылку. — Будь здоров! Имя у тебя интересное, напомни.

— Нил, — сказал он, прихлебнул теплого свежего пива. — Нил Баренцев.

— Красиво. А я Линда. Линда Маккартни.

— Иди ты!

— А что, не похожа? Говорят, похожа...

В неровном свете свечи он вгляделся в ее удлиненное, несколько аскетическое лицо с большими светлыми глазами и чувственным алым ртом. А ведь и в самом деле...

— Похожа, только симпатичнее. В той Линде есть что-то лошадиное.

— Ну, мерси... Вообще-то по паспорту я Ильинская Ольга Владимировна, только мне это не нравится.

— Отчего же? Отличное имя.

— Совсем как та шибко правильная девушка, которая Обломова спасала. А я девушка неправильная и никаких Обломовых спасать не желаю.

— А что желаешь?

— Закурить желаю... Да ты что стоишь, кидайся рядом...

Они курили, болтали, жевали ее бутерброды с копченой колбасой. Нил глядел на нее и думал, что и здесь, в Житково, оказывается, может быть совсем неплохо. Даже хорошо.

— А мою маму тоже Ольгой Владимировной зовут, — неожиданно сказал он. — Ольга Баренцева, оперная певица.

— Не знаю. Мне вся эта опера по фигу. Я «битлов» слушаю, рок всякий.

— Играешь? — Он подбородком показал на зачехленную гитару.

— Так, бренчу. А ты?

— Можно?

Он подтащил к себе гитару, расстегнул чехол. Гитара была плохонькая, кустарно переделанная из семиструнки. Он проверил звук, подкрутил колки.

> — La-la-la-la-la-la lovely Linda
> with a lovely flower in her hair*... —

это про тебя, между прочим.

— Про нее. Но закроешь глаза — никакой разницы... Как будто сам Поль поет.

— А откроешь — всего-навсего Нил.

— Не прибедняйся... Лучше еще сыграй, ты здорово умеешь.

— Учился, — скромно сказал Нил и ударил по струнам:

> — Let's all get up and dance to the song
> That was the hit before your mother was born,
> And though she was born a long-long time ago...
> Your mother should know, a-ha.

— Your mother should know**, — подхватила она.

Голос у нее был очень высокий, звонкий, красивый, но совсем не поставленный. И со слухом не все в порядке. Ну и что? Его давно задолбало правильное пение. Мелани, самая знаменитая хиповская певица, из четырех нот в три не попадает...

— Sing it again...***

Когда он закончил, она быстренько наклонилась к нему и чмокнула в щеку.

— Нил, ты гений! Спиши мне аккорды.

С появлением Линды тонус жизни в отряде изменился не только для Нила. Когда они спустились под столово-кухонный навес и Нил взгромоздил на плиту отрядный чайник, чтобы испить с Линдой раствори-

---

* Ля-ля-ля, очаровательная Линда, с очаровательным цветочком в волосах *(англ.)*.
** Ну-ка, подъем, и песню споем,
Что была старым, старым, старым хитом
Еще до того, как родилась твоя мать.
Но — она должна знать, е-е.
Твоя мать должна знать... («Битлз», «Твоя мать должна знать» с альбома «Magical Mystery Tour».)
*** Спой еще раз *(англ.)*.

мого кофе, тоже привезенного ею, рядом никого не было. Но стоило Нилу вновь взять гитару в руки, откуда ни возьмись появился Юра Стефанюк, уселся на другой край лавочки со скучающим видом.

— Something in the way she moves
Attracts me like no other lover...*

Линда подпевала, а Стефанюк в такт постукивал ногой о земляной пол. Когда же гитара смолкла, он неожиданно сказал:

— Это с «битловского» «Рубероида» вещица. Я этот диск у Толяна на Галере за пять-ноль брал.

— А я по три-ноль сдавала. Может, тот же самый. Ну Толян, гад, хорошо наварился.

— Толяна знаешь? — оживился Стефанюк.

— А кто ж его не знает? Он одной герле знакомой джины самопальные за «Леви-Страус» впарил. Она меня потом подписала ему претензию предъявить.

— Ну и?..

— По коктейлю в «Лукоморье» жахнули и разошлись довольные друг другом.

— А герла?

— А что герла? Товар берешь — глаза на месте держать надо... А как он весною на гринах чуть не попух, слыхал? Его комсомольцы с хорошей суммой в гостинице прихватили, в опорный пункт привели, так он там, пока спецы к Литейного ехали валютную статью оформлять, главного комсомольца на выпить расколол, сотенную бумажку долларов со стола тихонечко подобрал да под коньячок и схавал. Комитетчики приехали, а им предъявляют финскую монетку в пять марок и две бумажки по доллару. Смехота! Ну, сообразили, конечно, в чем дело, откоммуниздили Толяна от души да и отпустили. А что делать?

---

* Нечто в ее движениях влечет меня, как никого другого (Джордж Харрисон, «Что-то» — «Битлз», альбом «Abbey Road»).

— Так он сто зеленых съел, что ли? — переспросил Стефанюк. — Во дает! Я бы в жизни не смог бы!

— Потому-то ты и не Толян.

Нил из этого разговора понял лишь то, что Линду со Стефанюком объединяют некие тайные и небезопасные знания, покамест для него, Нила, закрытые. Нил почувствовал неприятный укол ревности. Когда Стефанюк удалился на минуточку, попросив их не расходиться, он, сколь можно небрежно, заметил:

— Интересный парень...

К его несказанному облегчению Линда только брезгливо поморщила свой аристократический носик.

— Фарцло дешевое! К тому же — голубой.

— В каком смысле голубой?

— В таком смысле, что педик. Он к тебе часом не клеился?

— Ко мне?! — Нил никак не мог переварить услышанное. — Да нет, мы с ним за все это время и парой слов не перекинулись. Он все с нашим Абзалиловым под ручку ходит.

— А я что говорю — классическая голубая парочка!

Стефанюк вернулся с гитарой, и не с такой доской, как у Линды, а с новенькой, фирменной, блестящей серебристым лаком. И где только прятал все эти дни?

— Сбацайте дуэтом что-нибудь, — попросил он, протягивая гитару Нилу.

Нил кивнул и взял несколько первых нот «Paint It Black».

— Хочу я дверь твою покрасить в черный цвет, — узнав, пропела Линда.

Он показал ей основные аккорды, они попробовали сыграть вместе, остановились, немного подстроили гитары друг к другу, начали снова. Слов Нил не знал, поэтому просто мурлыкал, слегка подражая пианоле с вибратором.

— А я из «роллингов» еще «Леди Джейн» могу! — похвасталась она, когда музыка смолкла.

Нил тут же взял первые ноты партии соло.

— My sweet lady Jane*, — зажурчала она своим неправильным, но таким очаровательным голоском.

Стефанюк разлил по трем кружкам кипяток, сыпанул из банки коричневого порошка...

Постепенно под навес стал стягиваться народ. Спустилась из своей щели Нина, потирая сонные глазки. Сидели, слушали, кто-то пытался подпевать. Постепенно перешли на более знакомый публике отечественный репертуар, и вдруг оказалось, что у Нины неплохой альт, а одна совсем невзрачная крыска сочиняет собственные песни, притом вполне симпатичные — если, конечно, отбросить школярскую наивность текстов:

> Старая кондукторша в беретике
> Продает счастливые билетики...

Но сюрпризы вечера на этом не закончились. Девка типа «ишшо яшшык ташшуть» на этот раз притащила не просто ящик, а черный транзистор «ВЭФ». Им повезло: по «Маяку» как раз передавали «Мелодии и ритмы зарубежной эстрады». Начались танцы. Хотя девчонок было человек двадцать, а парней всего четверо, считая и проблематичного в этом отношении Стефанюка, Линда была нарасхват. Нил танцевал только с ней, а когда, через два танца на третий, приходилось все же уступать партнершу, не уставал любоваться ею. Хороша. Нежная кожа налилась прозрачным румянцем, движения изящны, естественны, плавны. Как тонка и грациозна, особенно на фоне всех этих коровенций!..

«Мелодии и ритмы» сменились «Последними известиями», и все разбрелись спать, а Линда с Нилом, не говоря ни слова, вышли за столб и пошли по тихой и темной деревенской улице. Он накинул ей на плечи свою плащевую куртку и положил руку на неправдоподобно тонкую талию. Она обняла его плечо, довер-

---

* Моя милая леди Джейн (*англ.*).

чиво прильнула к нему теплым боком. Так незаметно дошли до одинокого клена. Там остановились. Линда прижалась спиной к толстому прямому стволу.

— Жаль сигарет не взяли, — хрипло сказала она.

— Жаль...

Нил вдруг навалился на нее, впился губами в ее раскрытые губы — жадно, неумело. Она крепко обхватила его руками, протолкнула язык ему в рот и, пристанывая, принялась водить по его зубам. Нил прижался к ней всем телом, непроизвольно повел вздувшимся внизу бугорком по ее бедру. Руки его судорожно водили по ее бокам, хватаясь за них, как утопающий хватается за соломинку. Ему не хватало воздуха, он задыхался...

Он подхватил ее, совсем легонькую, будто маленького ребенка, понес куда-то, не разбирая дороги. Она лежала в его объятиях, откинув голову. В свете полной луны он видел, как бьется на ее хрупкой белой шее темная жилка.

— Линда, — прошептал он как заклинание, как молитву, — Лин-да!..

— Нинуль, — сказал Нил, взгромоздив на плиту бак с только что нарубленной им бараниной, — Нинуль, я в борозду хочу.

— Понятно. — Она усмехнулась. — Ближе к телу, да?

Он вспыхнул и отвернулся.

Нина села рядом, положила руку на плечо.

— Да я разве против, мальчик? Договорись с кем-нибудь из парней, чтоб подменили тебя — и вперед.

Договариваться с парнями он не хотел. Он вообще разговаривать с ними не хотел. После того, что увидел, придя в поле звать бригаду на обед. Девчонки по борозде ползают, картошку в ведра собирают, а Марков, Семенов и Стефанюк — грузчики, отрядная элита, чтоб им провалиться! — на краю поля с трех сторон обсели Линду, как мухи сладкий пирог, байки травят, смеются, выделываются друг перед другом и перед нею. А с четвертой стороны — Игорь Донатович Абзалилов лично, сидит на ящике с командирской тетрадочкой в руках, улыбается, Линду хищными глазами поедает. Даром что голубой! А она, коварная, посмеивается, сигарету в пальчиках держит — кто, мол, первым огоньку поднесет. Глаза б не видели!

Тем не менее к вечеру он снова выбрался в поле, молча взял у Линды продырявленное ведро (перед уборочной ведра в колхозе специально дырявили, чтобы население не воровало их для хозяйственных надобностей, однако все равно воровали, поэтому каждому студенту-батраку предписывалось в обед и после работы личное свое ведро уносить в лагерь). Так и шел с этим ведром, будто школьник с портфелем приглянувшейся одноклассницы, насупленно молчал, сопел. Линда шагала рядом, такая бодрая, чистенькая — не чета прочим, усталым, тяжким, изгвазданным.

— Давай быстренько на озеро, пока светло? — предложила Линда.

— Я попрошу у Абзалилова, чтобы в поле меня перевел, — мрачно сказал Нил. — Хочу с тобой в паре.

— Не вздумай. Я не желаю по твоей милости в борозде корячиться.

— Погоди, как это — по моей милости?

— А так. Как мы с тобой в пару встанем, так нам и намерят грядку на общих основаниях, норму начнут требовать, как со всех. А так, стоит мне мигнуть — мальчики сами помогать рвутся. Как трактор погрузят, сразу в борозду, за меня работу делать. А я сижу себе, покуриваю...

Нил отвернулся. В этот момент он ненавидел ее.

Однако свернул вслед за ней к озеру. Плелся сзади, тупо и мрачно, не понимая толком, зачем он это делает.

На берегу Линда быстренько скинула с себя тренировочный костюм и, не дожидаясь Нила, сиганула в воду, подняв сноп брызг. Он же остановился возле того места, где красной кучкой лежала сброшенная одежонка, бросил ведро, расстегнул штормовку, но тут же застегнул. Вечера уже становились по-осеннему холодными, к тому же внезапно дунул резкий, обжигающий ветер.

— Эй, ты что, иди сюда! — бодро окликнула Линда.

— Холодно, — отозвался он неприязненно и хмуро.

— Зато вода теплая!

Он подошел к кромке воды, нагнулся, потрогал пальцами. Действительно, вода в озере, нагретая за погожий день, казалась из-за холодного воздуха еще теплее — прямо парное молоко, а не вода.

Он отвернулся, пошел обратно и уселся рядом с ведром. Не пойдет он купаться. А раз вода теплая — тем более не пойдет. Пусть она увидит, как ему плохо.

Но она ничего видеть не желала. Плескалась, как русалка, повизгивая от восторга. Не девчонка, а наяда, озерная нимфа. И такая же бесчувственная...

Нил с остервенением закурил, но отбросил сигарету — первая же затяжка почему-то вызвала резкое отвращение. «Сигарета, сигарета, даже ты мне изменяешь», — грустно переиначил он слова известной песенки.

Прибежала Линда, мокрая, дрожащая, синяя от холода, сгребла свою куртку, принялась лихорадочно вытираться.

— Вот д-д-дура, п-п-полотенце не взяла, — бормотала она. Зубы ее клацали громко и часто. — Н-нил, будь д-другом, разотри м-меня...

Нил стремительно поднялся, притянул ее к себе и принялся с ожесточением растирать, словно желал стереть, содрать эту нежную кожу, от его прикосновений из синей превращающуюся в розовую. Сначала он тер ее мокрой курткой, потом куртка свилась в жгутик и упала к его ногам, и он тер уже ладонями ее хрупкие плечи, спину, бока. От его неловкого движения выстрелила куда-то в траву пуговица от лифчика, и взгляду его предстали остренькие, с темными затвердевшими сосками груди. Тихо и утробно рыча, он принялся мять эти груди, потом повалил ее на траву и упал сам, и руки его скользнули ей на бедра и поехали вниз по стройной ноге, утаскивая с собой трусики...

— Если хочешь меня — возьми, — четко проговорила она. — Только тогда ты должен будешь на мне жениться.

Он мгновенно замер, скатился с нее и сел, мотая головой, как слегка контуженный медведь.

Линда, должно быть, по-своему истолковала его замешательство. Она села рядом с ним, ласково взяла ладонью за подбородок, повернула его лицо к себе.

— Нилушка, ты хороший, милый, славный, я люблю тебя — но по-другому я не могу... Моя бедная мама... сестра... обе были обмануты... брошены... Я росла, не зная отца...

Она уткнулась лицом в его грудь и зашлась в рыданиях. Он гладил ее по мокрой голове, по плечу, такую трогательную, хрупкую, беззащитную, утешал, как мог.

Вечером они опять пели песни под навесом, а когда основная часть публики отправилась спать, расшалившаяся Линда написала губной помадой на серой кухонной стене, красиво и крупно:

«ALL YOU NEED IS love, ALL YOU GET IS SEX!!!»[*]

Нил хохотал.

А утром его пробрал белый понос, и накатила такая слабость, что он еле-еле сполз с тюфяка. Слабость вскоре прошла, оставив сухость и жжение во рту, но Нил понял, что нешуточно заболевает. Загреметь в местную, определенно препаршивую больницу ему не улыбалось, и он попросту удрал, оставив записку, что

---

[*] Жаждешь только любви, а получаешь только секс *(англ.)*.

заболел и уехал в город. Административных последствий он не опасался, зная, что справку из поликлиники получит наверняка.

III
(Ленинград, 1973)

Вечером, уже дома, температура поднялась до сорока, и бабушка вызвала «неотложку». Диагноз был поставлен сразу и без колебаний, и Нил оказался на улице Лебедева, в гепатитном отделении Военно-медицинской академии.

Ему крупно повезло — подлый вирус тронул его в легчайшей из возможных степеней. Желтизны кожи не было вовсе, желтизна в уголках глаз прошла на третий день. Собственно медицинское вмешательство сводилось к тому, что у него ежедневно брали кровь из вены и три раза в день давали по куску сорбита — белого, сладкого и довольно противного вещества, заменяющего сахар. Плюс диета без острого, жареного, жирного и бульонов. Как поведал Нилу лечащий врач, до более радикального лечения гепатита медицина не дошла и вряд ли когда-нибудь дойдет.

— Так что ж вы меня держите? — спросил тогда Нил. — Я прекрасно себя чувствую. Отпустили бы. Мне учиться надо.

— Да вы что, молодой человек?! — возмутился врач. — А карантинный период? А повышенная трансаминаза?

Скука была невероятная. Телевизора нет, радио поломано. Связь с внешним миром затруднена предельно — единственный на весь корпус телефон-автомат не работал, свидания, по причине инфекционного характера заболевания, строго запрещены, разрешалось только получать передачи и обмениваться записками.

Передачи с фруктами и соками, но без писем, приносила бабушка, и записки он писал только ей. Просил книжек и сигарет. С сигаретами некурящая бабушка вечно путала, вместо болгарского «Кома» приносила мерзейший кубинский «Ким», вместо болгарской же «Тракии» — кубинскую «Трою» или отечественную «Тройку», от которой першило в горле и тяжелело в груди. Соседи были вялы, пожилы и малоинтересны, за исключением, пожалуй, профессора-кибернетика, обучавшего Нила игре в преферанс, и усатого рокера первого призыва, игравшего в легендарных «Аргонавтах». Рокер, правда, был тяжел — лежал под капельницей в отдельной палате, совершенно бронзовый. Потом вроде бы пошел на поправку, вылезал, опираясь на палочку в коридор, где, собственно, они с Нилом и общались. А через три дня помер, чем устроил на отделении небывалый переполох. Из разговоров врачей Нил понял, что чрезвычайность происшествия заключалась не в летальном исходе, а в том, что наступил он в результате приема смертельной дозы алкоголя, неизвестно как и через кого попавшего на режимное отделение. Меры безопасности были удвоены — каждый предмет в поступивших передачах внимательнейшим образом просматривался, все емкости вскрывались, пронюхивались и пробулькивались. Попутно зачем-то конфисковали карты. Стало совсем тоскливо. Ладно, больные, им не до скуки, у них есть занятие — болеть. А здоровые? Нил и еще парочка таких же страдальцев в охотку подряжались мыть полы и туалеты, таскать туда-сюда бачки с едой, белье, посуду и прочее.

Как-то вечером — шла уже третья неделя его заточения — к нему тихо подошел дежурный врач, тронул за плечо и шепотом сказал:

— Баренцев, спуститесь в приемный покой, пожалуйста.

— Опять труп выносить?! — начал возмущаться Нил.

На них обернулись. Врач сделал страшное лицо и нарочито громко сказал:

— Надо кое-что уточнить в вашей истории болезни.

Такая конспирация предполагала нечто нелегальное, а стало быть, более интересное, чем вынос сверхкомплектного жмурика. Нил спустился следом за врачом на первый этаж, но тот свернул не направо, в приемный, а налево, в ординаторскую. Широко раскрыл дверь, жестом подозвал Нила и провозгласил:

— Общайтесь!

Нил вошел в просторную комнату, жмурясь от непривычно яркого света, и в первые мгновения комната показалась ему пустой. Затем он увидел, что за самым большим столом с табличкой «Майор медицинской службы Никулин В. С.» сидит кто-то небольшой и худенький.

— Линда! — воскликнул он, не веря собственным глазам. — Как ты попала сюда?

— Через ворота, потом через дверь. — Она улыбнулась. — Потом еще через дверь. Ну как ты, болящий? Скучал без меня?

— Очень! — убежденно сказал он. — Как ты? Рассказывай.

— Учусь. В свободное время развлекаюсь. Тебя вспоминаю.

Она вышла из-за стола, приблизилась к нему, положила руки на плечи, привстав на цыпочки, поцеловала.

— Я же заразный!

— Зараза к заразе не пристает, — усмехнулась она, но все же отошла на пару шагов и принялась разглядывать его.

— На умирающего не похож. Растолстел, щеки наел.

— Делать здесь нечего, вот и валяешься целый день да жрешь от пуза. Я вообще не понимаю, зачем меня здесь держат.

— Я тоже. На таких симулянтах пахать бы.

Он засмеялся.

— Кстати о пахать — как там в колхозе было, без меня? Заплатили хоть чего-нибудь?

— У-гу. Я три сотни домой привезла.

— Ого! Оклад народного артиста.

— Когда страна прикажет быть артистом, у нас артистом становится любой... Как ты слинял, я с местным бригадиром парой ласковых перекинулась, он меня за пол-литра в контору перевел, графики чертить. На ставку! И из отрядных мне Абзалилов равную долю отсчитал.

— Это за что же?

— А за то, что им за меня целый гектар с плана скостили. Видишь, какая я для факультета полезная оказалась. Благодарность в приказе получила.

— Поздравляю!

— Я еще и на твою долю у него сорок четыре рубля выбила. Вот, возьми. Ты ж одиннадцать дней честно отработал.

— Ой, спасибо, я и не рассчитывал...

Нил засунул в пижамный карман четыре десятки, трешку и рубль, и растроганно прижал к груди ее руку.

— Я такая... Слушай, где тут у вас стаканы?

— Я не знаю. Это ординаторская, больным сюда нельзя...

— А вот, вижу.

На одном из столов, на круглой стеклянной подставке стоял графин со стаканом. Второй стакан был занят — в нем лирически увядала одинокая чайная роза на коротком стебле. Линда решительно взяла стакан, подошла к расположенной в углу раковине, розу выкинула в стоящую под раковиной корзину, а стакан тщательно сполоснула.

— Постой, зачем ты так? Чужие цветы, неудобно...

— Неудобно в противогазе целоваться.

Она вернулась к столу майора Никулина, достала из стоящей там клетчатой сумки длинную темную бутылку с надписью «Портвейн Лучший», зубами вытащила пробку, принялась разливать. Он смотрел на нее, вылупив глаза.

— Что, лихо? Вспомнил, как я тогда пиво открывала? Ладно, признаюсь: эту бутылку я штопором заранее откупорила.

— Я не поэтому... Ты разве не знаешь, что при желтухе пить нельзя категорически, она печень затрагивает. У нас тут один выпил — сразу откинул копыта.

— А мне, конечно, погибели твоей надобно. — Она засмеялась и протянула ему стакан. Он отпрянул. — Да сок здесь. Виноградный сок для детского питания. Он в трехлитровых банках продавался, так пришлось в бутылку отлить.

Нил тоже засмеялся, принял стакан, сказал торжественно:

— За тебя, Линда. Спасибо тебе.

— За меня — до дна!

Они дружно выпили и одновременно поставили стаканы на стол. Никогда в жизни он не пробовал такого вкусного сока.

— У меня еще подарочек есть.

Улыбаясь, она достала из сумки поблескивающий целлофаном блок сигарет. Белый в тонкую черную полоску.

Нил пригляделся к блоку, прочитал крупные синие буквы.

— «Кент». Ни фига ж себе фига! Откуда?

— Грибные места знать надо. Распечатывай, что ли, а то курить охота...

Они допили сок, за легким трепом о том о сем скурили полпачки «Кента», а деликатный дежурный врач все не показывался. Наконец Линда посмотрела на часы.

— Ладно, я побежала. А то метро закроют.

Он проводил ее до выхода из корпуса и смотрел ей вслед, пока ее хрупкая фигурка не растворилась во тьме.

Мысли путались...

— Вот бюллетень. Вот выписка для вашей поликлиники. Вот памятка насчет диеты и прочего. Распишитесь.

— Да знаю я, — отмахнулся Нил. — Уж сколько раз говорено, что можно, чего нельзя.

Старенький зав отделением в полковничьих погонах посмотрел на Нила неодобрительно.

— Порядок такой. Нам, знаете, тоже потом за вас отвечать неохота. А то другой больной выпишется — и первым делом в винный магазин. Откачают его в реанимации, а он с заявлением — врачи, дескать, не предупредили... Полгода будете наблюдаться, как миленький. Амбулаторно не устраивает — могу вернуть в стационар.

— Что вы, что вы! — торопливо сказал Нил, сгреб бумажки и выскочил из кабинета.

Свобода! Бюллетень позволял ему еще неделю высидеть дома, но на следующее утро он рванул в университет.

Новая жизнь оглушила каскадом новых имен, новых дел и новых антуражей. Первые дни Нил постоянно запаздывал или попадал не в свою группу, потому что никак не мог сориентироваться в хитрой нумерации аудиторий, когда, например, они идут подряд с двадцать девятой по сороковую, после сороковой оказывается семьдесят первая, перед двадцать девятой — шестьдесят шестая, а с восемьдесят пятой по сто тридцатую надо идти через двор и спускаться в подвал.

Лекции были разные: на одних он не понимал ни слова, на других протолковывались вещи, давно и хорошо ему известные, на третьих было просто интересно. Но даже и на этих последних Нила хватало от силы минут на пятьдесят. Потом он начинал зевать, ерзать, поминутно поглядывать на часы и совершенно терял нить изложения.

Студенты тоже были разные. Старшие курсы казались ему сплошь состоящими из личностей ярких, значительных, наблюдаемых с опаской и издалека. На этом фоне сокурсники смотрелись удручающе безликой серой массой с отчетливо выраженным гегемонско-дембельским окрасом и с редкими вкраплениями чего-то неординарного. Для Нила таких вкраплений было, главным образом, два — Таня и Линда.

Сравнению они не подлежали. Хотя бы потому, что каждая из них обладала удивительной способностью творить вокруг себя собственный мир, и миры эти были сугубо параллельны и взаимно непроницаемы. Танин мир Нил воспринимал как сверкающий, безупречно прекрасный и ледяной. Он восхищался Таней, его неудержимо влекло к ней, но, оказавшись рядом, он ощущал себя нелепым, инфантильным, неуклюжим, чувствовал, как потеют и дрожат руки, заплетается язык, краснеют уши... В любой, самой обыкновенной фразе, которую он обращал к ней, ему слышались несусветная глупость и пошлость. При этом он вполне отдавал себе отчет, что едва ли сама Таня воспринимает его столь же строго и критично — иначе не стала бы заговаривать с ним, угощать сигаретами, поить кофейком в буфете. Она не творила свой особый мир, достаточный и совершенный, он сам создавался вокруг нее, замыкая хрустальным коконом.

Иное дело Линда. Свой мир она лепила весело, азартно, эпатажно, шокируя публику то стрижкой «под бокс» — почти наголо, с микроскопическим намеком на челочку, — то широченной цыганской юбкой до пят, то длинными алыми серьгами в виде капель крови. Длинные ногти на ее тонких белых руках были покрашены черным лаком с блестками, а с тонкой серебряной цепочки свисал на грудь круглый черный камень — агат. Вокруг нее всегда толпился народ, гудели оживленные голоса, звенел смех.

Она училась на экзотическом албанском отделении и общими у нее с Нилом были только лекции по истории КПСС, читаемые громогласным и краснолицым профессором, прозванным студентами Зевс. Они садились рядом, выбрав местечко поближе к окну, расположенному за мощным вертикальным перекрытием, разделяющим зал надвое. Не беда, что отсюда не видно кафедру и лектора — главное, что их самих не видно оттуда. Пока Зевс метал молнии в адрес меньшевиков, троцкистов, левых уклонистов и нерадивых студентов, они тихонечко перешептывались и перехихикивались, а минут через двадцать незаметно сползали на пол и доставали сигареты. Курить на лекции было весело и немного страшновато, но если прикрыть огонек ладонью и не позволять дыму свободно растекаться, а отгонять его руками к окошку, никто, кроме ближайших соседей, ничего не видел. А соседи не закладывали — в задних рядах сидели свои ребята. Всякие же потенциальные стукачи — зубрилки-отличницы и «ишшо яшшыки» — усаживались в передней части аудитории, усердно конспектировали, ловили каждое слово профессора, нередко просили повторить помедленней. История КПСС не относилась к числу любимых предметов Нила, но лекций Зевса он ждал с нетерпением.

Естественно, помимо занятий на факультете текла бурная общественная жизнь. К счастью, когда распределялись всякие комсомольские и профсоюзные должности, Нил валялся в больнице и от муторных постов был застрахован, как минимум, на год. Но его, как и всякого, тоже доставали.

— Если бы я не слышала, как ты играешь и поешь, я бы к тебе не приставала, — объясняла Нина Каракоконенко, избранная культоргом. — Факультетский смотр на носу, а я прямо не знаю, что делать. Одни стесняются, другие отнекиваются, третьи не могут ничего. Но мы же должны защитить честь курса, показать старшим, что и мы что-то можем. Нил, вся надежда только на тебя. Ты у нас будешь ударным номером, звездой.

— Нинуля, я ж болел, пропустил много, наверстывать надо... — как умел, отбрёхивался Нил.

— Пойми ты, олух, тебя ж все равно какой-нибудь нагрузкой нагрузят, это уж обязательно, без этого у нас никак. Так чем с противогазом бегать или по ночам пьяниц в дружине отлавливать, сбацаешь что-нибудь — и свободен. А я бы за тебя на комитете доброе слово замолвила.

— Хорошо, — после некоторого раздумья уступил Нил. — Я что-нибудь подготовлю.

Но возникал вопрос, что именно. Репертуар у него был богат чрезвычайно: память на музыку, на тексты была отменная. На слух он тоже пожаловаться не мог — от природы не был им обделен, подбирал влет, нередко с первого прослушивания. И сейчас нужно было правильно выбрать, попасть в точку с репертуаром. Дворовые песни отпадают, это понятно. Бардовская лирика — а не сочтут ли его сентиментальным идиотом? Что-нибудь шуточное — а если не дойдет?

За этими мыслями он и сам не заметил, как миновал лингафонную лабораторию, где намеревался взять пленку с фонетическим курсом, и оказался в дальнем уголке двора у настежь раскрытой двери. Она вела в довольно просторное и пустое помещение. То есть, пустое, если не считать небольшого рояля, ощерившегося черно-белой пастью, и двух придвинутых к нему стульев. «Вот, кстати, и рояль в кустах, — улыбнулся Нил. — А между прочим, это мысль. Чем петь, лучше сыграю-ка я что-нибудь этакое. Скажем, сборную солянку из „битлов"».

Он вошел, уселся за рояль, попробовал звук. Сойдет.

Начал он с «Земляничных полей», плавно перешел в «Норвежский лес». «Революция номер раз», «Леди Мадонна», «Она уходит из дома»... Каждую новую тему он играл чуть более уверенно, четко, мастеровито, вводя все более сложные вариации. Во-первых, разыгрался, во-вторых, боковым зрением увидел, что в комнате кто-то появился и слушает его, внимательно и с интересом. Музицируя, Нил всегда остро ощущал энергетику аудитории, даже если эта аудитория состояла из одного человека, впитывал ее, и когда эта энергетика была позитивной, он заряжался и играл или пел намного лучше.

Закончив, он не встал, не обернулся, а так и замер на стуле, ожидая реакции слушателей.

— Я ж говорил — класс! — сказали за спиной, и тогда он повернул голову.

Их было трое. Подавший реплику был круглолиц, курнос и очкаст, и от него здорово несло пивом.

— Ты, Ларин, текстовик, и твое мэсто — в бюфете, — неприятно кривя рот, заметил второй, низкорослый, худой и отчего-то, при вполне прямой спине, производящий впечатление горбуна.

Судя по бороде и длиннющим волосам, перехваченным красной ленточкой, этот второй был либо освобожден от военной кафедры, где по утрам студентов, заподозренных в излишней длине волос, проверяли с линейкой и нещадно гнали в парикмахерскую, либо пятикурсник, либо вообще не студент.

Третий, крупный, широкоплечий, с сильно поредевшими волосами, большим носом и усами подковой, стоял чуть позади и авторитетно молчал.

— Сами же жаловались — клавишника нет, — с намеком на всхлип проговорил Ларин. — А тут вот он, готовый клавишник.

— А на синтезаторе? — брезгливо спросил квазигорбун, и Нил не сразу понял, что обращаются к нему, а когда понял, ответил неприязненно:

— Дадите синтезатор — смогу.

Крупный парень рассмеялся и, подойдя поближе, похлопал Нила по плечу.

— Слышь, друг, мы тут сейчас репетировать будем. Если есть время, оставайся, попробуй. Хороший киборд нам действительно нужен.

— Пуш, да на фига нам этот детсад? Видно же, что не потянет, — по-прежнему кривя рот, проговорил волосатый.

— Я, конечно, не Джон Лорд, но и вы, надо полагать, не «Дип Пёпл», — нахально ответил задетый за живое Нил.

Пуш рассмеялся еще громче.

— Мы не «Дип Пёпл», это верно. А ты, должно быть, первокурсник.

— А что, запрещено?

— Ладно, не ершись. Просто иначе ты бы знал, кто мы такие.

— И кто же вы такие?

— Группа «Ниеншанц», а я — Константин Пушкарев, бас-гитара и художественный руководитель. Это чудо волосатое зовут Гера Гюгель, а который пьяненький — наш поэт Ванечка Ларин.

— Не такой уж и пьяненький, — возмутился Ларин. — Пару «Жигулевского» всосал, так уже и пьяненький. Вы лучше послушайте, что я под это пиво выродил:

> Тишина, промелькнувший образ.
> Превратились в бумагу осенние розы.
> И голые ветки — как зонтики сломанные...

Нил остался на репетицию и уже через две недели впервые выступил в составе «Ниеншанца» на дискотеке в факультетском общежитии.

Группа была и в самом деле не «Дип Пёпл». Ударник сбивался с ритма в среднем раза по три за номер, Пуш, хоть и руководитель и вообще парень неплохой, редуцировал басовые партии до минимума — разик бухнет в заданной тональности и отдыхает до следующего такта. Хваленый соло-гитарист Гюгель, возомнивший себя профессионалом, поскольку в свое время был вытолкан взашей из музыкального училища, норовил к месту и не к месту влезть со своими замороченными запилами, сбивая с толку всех остальных, и безбожно врал тексты. Так что клавишник Нил Баренцев, честно говоря, попавший в «Ниеншанц» лишь потому, что профком закупил для группы вполне пристойный немецкий синтезатор «Роботрон», который пылился без дела в клубном чулане, оказался в этой команде лицом не последним.

Группа, целиком состоявшая из студентов-филологов, находилась на содержании профкома и проходила как народная самодеятельность. Плановые факультетские мероприятия, включая и дискотеки в общежитии два раза в месяц, она обслуживала бесплатно, когда же ее приглашали на другие факультеты, приглашающий факультет оформлял на кого-нибудь из музыкантов материальную помощь. Она делилась на всех, так что каждый получал рублей по восемь—десять.

Играли они преимущественно вещи простые, но забойные, и каждое свое выступление начинали с легендарной «Шизгары», а заканчивали рок-н-роллом про голубые замшевые шузы. Было весело, а времени и сил отнимало куда меньше, чем мог бы подумать человек несведущий.

Как-то в пятницу, когда он только что пришел из университета, ему позвонили. Сухой официальный голос назвался старостой общежития и уведомил, что в связи с предстоящим закрытием зала на санобработку завтрашняя дискотека переносится на сегодня, а потому товарища Баренцева убедительно просят к половине седьмого прибыть в общежитие. Он прибыл, но застал лишь замок на дверях зала. Дежурные ничего не знали и очень удивились, услышав, что в общежитии есть какой-то староста. Ругаясь на неведомого шутника, Нил покурил в стеклянном вестибюле, выпил в буфете паршивого кофе и собрался уходить, как вдруг его окликнули. Ему не нужно было поворачиваться, чтобы понять, кто это. Адреналин скакнул вверх, руки дрогнули.

— Линда! Я и не знал, что ты в общаге живешь.

— Представь себе. А ты к нам?

— К нам — это куда?

— Сегодня же пятница, очередной суперсэшн у Джона.

— Очередной что?

— Суперсэшн. Ну как в песне: «Собрались на суперсэшн у фирмового мэна». Иными словами, заседание КПЛ.

— Коммунистической партии Лаоса? Кружка поэтов-лириков? Комитета пламенных лизоблюдов? Казанских педерастов-любителей?

Она хихикала после каждой его версии, а потом заявила:

— Все равно не догадаешься. Клуб «Пенни-Лейн».

— Сборище битломанов, — сообразил он. — Ну и чем вы в своем клубе занимаетесь?

— Пойдем, увидишь. Студенческий при себе?

— Вход по студбилетам?

— Конечно... — Она увидела его ехидную улыбку, сначала ничего не поняла, потом тоже улыбнулась. — Не к Джону, конечно, а в общагу. На вахте сдать. Видишь, вон там тетка сидит.

Сама Линда ничего предъявлять не стала, спокойно прошла мимо полной пожилой женщины в синем кителе, слегка кивнув ей, и остановилась возле лифта. На Нила женщина взглянула строго и требовательно. Он протянул свой студенческий. Она раскрыла его и принялась придирчиво изучать, сравнивая лицо на фотографии со стоящим в шаге от нее оригиналом.

— Фамилия? — сурово спросила женщина, положив студенческий рядом с толстым вахтенным журналом.

— Но там же написано. — Нил показал на билет.

— Мало ли что там написано! Фамилия?

— Баренцев.

— Имя-отчество?

— Нил Романович.

— Правильно… Номер?

— Какой номер? Билета? Я наизусть не помню…

— Номер комнаты, к кому идете, — пролаяла женщина, теряя терпение от такого непроходимого идиотизма.

— Триста сорок три, Кизяков Станислав, — громко подсказала Линда.

Женщина даже не посмотрела в ее сторону, записала что-то в журнале, а Нилов студенческий закинула в ящик стола, заложив полоской бумаги с цифрами «343».

— Проходите, — неприязненно сказала она. — Как пятница, так все к этому Кизякову и шляются. Медом там, что ли, намазано?.. В двадцать три тридцать общежитие закрывается. Если кто из посторонних не вышел — документ конфискуется и передается в деканат.

— Понял, — грустно сказал Нил.

Женщина, не обращая более на него ни малейшего внимания, уже собачилась со следующим визитером.

— Давай скорей, я лифт держу! — крикнула Линда, и он нырнул вслед за ней в фанерный ящик, рассчитанный, судя по всему, человек на десять.

Когда Линда, не постучавшись, толкнула дверь и вошла в триста сорок третью, ведя на буксире Нила, ему показалось, что что-то внезапно случилось со зрением — с комнате стоял такой густой дым, что ничего нельзя было разглядеть. К тому же у него моментально защипало в глазах.

Когда он чуть-чуть проморгался, то увидел, что в небольшой комнате стоят, сидят и лежат человек двадцать—двадцать пять, при этом еще умудряясь кучковаться примерно по пятеро — по шестеро. Одна такая кучка группировалась вокруг стола, уставленного пустыми стаканами и тарелками, полными окурков. Еще три группы разместились на каждой из кроватей. Сидели, тесно прижавшись друг к другу, смолили. На кровати слева молчали, на кровати справа тихо о чемто переговаривались, на дальней, у окошка, пели про желтую подводную лодку, очень недружно, отвратительными голосами. На подоконнике весьма бесстыдно целовалась парочка. Разговаривали тихо, пели тоже не очень громко, но когда в деле участвует столько глоток одновременно, эффект получается основательный. У Нила даже уши заложило. Линда взяла его за руку и повела, лавируя между гостями. Некоторые узнавали ее, махали лениво рукой или говорили:

— Хай, Линда! Пивка не принесла?

— И тебе хай! В другой раз...

— Хай, Линда, а я два текста с «Раббер Соул» снял.

— «Револьвер» тебе в руки...

— Линда, лапушка, у тебя, говорят, полный «Хайр» есть.

— Пусть говорят...

«А она знает себе цену, — с удовлетворением думал Нил. — Жалко, что я тогда, в колхозе, так облажался. Может, что-нибудь получится здесь, может, поезд еще не ушел...»

Нил никого из этих людей не знал, хотя двоих-троих вроде бы видел на факультете. А вот его кое-кто определенно знал:

— Хай, Баренцев!

Ему улыбалась сидящая у стенки девчонка, маленькая, курносая, раскрашенная не хуже ирокеза.

— Приве-ет, — растерянно протянул он.

Это создание в узких «вареных» джинсах, чрезмерно обтягивающих толстенькие ножки, было ему совершенно незнакомо.

— Не узнал? Я же Линда.

Он изумленно моргнул, придержал за руку настоящую Линду.

— Так вот же Линда...

Девушки оглядели друг друга без особого тепла и одновременно процедили сквозь зубы:

— Хай, Линда.

— Пойдем, — шепнула Линда-первая и потащила его дальше.

— Слушай, а эта самозванка тоже Линда. Почему? — тихо спросил он, когда они удалились на два шага.

— А потому что у нас в «Пенни-Лейн» нет никакого порядка. Два Поля — Князев и Рейман, два Джорджа, целых три Йоки. Один чувак вздумал даже Джоном заявиться, только уж этого наш Джон не стерпел и объявил его Питом Бестом. Бардак! Хоть бы по старшинству определяли, что ли. Я вот уже четвертый год Линда, а эта писюшка только весной себе такое имя взяла, потому что ей, видите ли, Поль Маккартни пласт подарил, с автографом...

— Который Поль Маккартни? Князев или Рейман?

— Нет, ты не понял. Настоящий Поль Маккартни, «битловский».

— Ничего себе! А как так получилось?

— А папаша у нее дипломат или что-то в этом роде. Она пять лет в Югославии жила, сюда только поступать приехала, на сербохорватское. Там, значит, и адрес его раздобыла, и письмо написала, как она, простая советская девочка, аж с самого детства в него влюбленная, в кумира своего. А через месяц из Лондона бандероль...

— Неужели в самом деле Маккартни?..

— Очень сомневаюсь. Она, конечно, этот диск всем показывала, хвасталась. Но я так думаю, подпись подделала... Йоко, эй, Йоко!

Линда бесцеремонно принялась расцеплять целующуюся на подоконнике парочку.

— Лариска, да оторвись ты, завязывай лизаться!

Девушка на подоконнике отстранила пылкого партнера и выпрямилась во весь свой немаленький рост. Лицо ее пылало праведным гневом.

— Какого члена!.. — начала она, но увидев, кто стоит перед ней, резко сменила тон: — Ой, Линдочка, хай! Тебя Джонни спрашивал.

Быстренько оглядевшись, Линда наклонилась и прошептала на ухо Йоко-Лариске:

— Он у нас?

— Да, и Ринго с ним. Постучи три-два-три, он откроет.

— Ясно, — Линда переключилась на нормальную громкость: — Вот, знакомься, это Нил Баренцев.

— Йоко! — Лариска выставила руку с опущенной ладошкой. — Я слышала тебя на дискотеке. Супер! У тебя непременно должно быть клубное имя, только я все забываю, кто «битлам» на фоно подыгрывал — Джордж Мартин, Фил Спектор... Джордж у нас уже есть... Вот, будешь Филом, годится? Фил — Нил, почти то же самое.

— У нас кота Филом звали, — сказал Нил. — Можно я лучше Нилом останусь? Как Кэссиди.

— А это еще кто?

— Это... — Нил многое мог бы порассказать о Кэссиди, про которого узнал из книги, подаренной ему одним американцем, приезжавшим к матери в театр. Книга была о самых знаменитых американских битниках — Керуаке, Бэрроузе, Гинзберге, Кене Кизи. Всю книгу Нил, понятно, не прочитал, но главу о Кэссиди кое-как осилил. Потому что непутевого доктора всяческих наук, признанного последним истинным героем Америки и выведенного в «Полете над гнездом кукушки» под именем Мак-Мэрфи, звали так же, как Баренцева, Нилом. Тезка красиво жил и красиво умер — у полотна железной дороги посреди мексиканской пустыни, в наркотической горячке пересчитывая шпалы до Мексико-сити... Нил поглядел в необремененное интеллектом и необезображенное красотой лицо Йоко и сказал:

— Ударник у Джимми Хендрикса. Сейчас с Джорджем Харрисоном играет.

— Ой, погоди, я тогда имя запишу... Как ты сказал — Нил Кессоги?

Она принялась черкать обгорелой спичкой на пачке из-под «беломора», а Нил завертел головой, ища глазами Линду. Но ее не было, зато к нему тут же подскочила Линда-два.

— Так и не узнал меня? — игриво спросила она.

— Не-а... Хотя погоди, ты в сто восемьдесят третьей школе до пятого класса не училась? Или до шестого...

— Не училась, — капризно сказала Линда-два. — Я сейчас с тобой учусь.

— Но у нас в группе всего две девчонки, и они...

— А я не в твоей группе. У нас общие семинары по языкознанию.

— Ну-ка, ну-ка... — Он вгляделся в ее раскрашенное, кукольное лицо. — Неужели Заволжская?!

— Задонская, — сердито поправила она.

Вот это да! Серая мышка Задонская, которую он с первого взгляда зачислил в разряд тихонь-отличниц... То есть, не сказать, чтобы в нынешнем своем виде она стала ему более симпатична, скорее, наоборот. Но какая разительная перемена!

— Слушай, Марина...

— Линда! — Она топнула ножкой. — Марина я на факультете, и то для чужих!

— Но та, другая Линда...

— А она вообще не Линда! — Пухлые губы Марины Задонской предательски задрожали. — Она Олька, Олька Ильинская с албанского!

Задонская резко отвернулась и убежала в угол, а Линда-первая не заставила себя ждать. Подошла сзади, тронула за рукав, прошептала в ухо:

— Через пять минут жду тебя у лифта. Выходи незаметно... А то толпа рванет следом...

Нил ничего не понял, хотел переспросить, но ее уже не было.

Ему моментально сделалось до тошноты скучно среди незнакомых людей. Все они казались ему какими-то

серыми, пыльными и удивительно вторичными, как бы
пародирующими стиль и манеры хипующей западной
молодежи. Да и пародирующей весьма уныло и по-со-
ветски благопристойно. Где наркотики, где секс, если
не групповой, то хотя бы индивидуальный? Некстати
вспомнился анекдот про групповой секс в трех странах — Швеции, Польше и СССР. В Швеции — это
когда десять человек совокупляются, а одиннадцатый
записывает на кинопленку. В Польше — десять человек эту пленку смотрят, а одиннадцатый крутит.
В СССР же десять человек слушают, а одиннадцатый
рассказывает, как он в Польше видел фильм про то,
как в Швеции десять человек занимаются групповым
сексом. Такая вот асимптота получается...

Пока он предавался этим размышлениям, у него
трижды стрельнули покурить, дважды наступили на
ногу и раз предложили задешево купить совсем ка-
пельку попиленный двойной альбом «Битлз» в венгер-
ской перепечатке. Тут он решил, что пять минут, на-
значенные Линдой, истекли, и пора идти на конспи-
ративное рандеву.

Линда перехватила его на площадке и тут же увлек-
ла за лифты, на лестницу.

— Слушай, что все это значит? — спросил Нил,
спускаясь вслед за ней.

— Ринго приехал! — возбужденным полушепотом
проговорила Линда. — Хотел спокойно с Джоном, Йоко
и со мной посидеть, а сегодня пятница, клуб, к Джону
пиплов набилось немерено...

— И что?

— Не всю же ораву поить-кормить? А потом Ринго всей этой колготы не любит...

— Чего не любит?

— Колготы, — повторила Линда. — Ну, суеты, толчеи. Вот они с Джоном и заперлись у Йоко в комнате.
И она туда подойдет, как только с этим придурком Ми-
ком развяжется...

168

Нил остановился.

— Ты чего? — удивленно спросила Линда.

— Знаешь, я, наверное, домой пойду. А то неудобно получается. Я же буду лишний, меня никто не приглашал.

— Как никто? А я?

— Но ты...

— Для них мое слово — закон! — Она рассмеялась. — Ладно, не парься. Они сами просили тебя привезти. Очень хотят познакомиться с крутым рокменом Нилом Баренцевым.

— Откуда они знают?

— Слухами земля полнится.

В общем, он позволил Линде уговорить себя.

На этаже, куда они спустились, было тихо, только в кухонном отсеке визгливо переговаривались вьетнамки, и оттуда тошнотворно несло жареной селедкой.

Дверь им открыли после условного стука, и взгляду Нила предстала необычная картина — вместо лампочки горели свечи в стаканах. Свечей было не менее десятка, и нетрудно было разглядеть лежащие на полу и висящие на стенах коврики, кокетливое фигурное зеркало над маленьким рабочим столом, две аккуратно заправленные и прикрытые цветными пледами кровати, на подоконнике — ваза со свежими гвоздиками, на полках — расставленные между книг шкатулки, куколки, ракушки. Уютная девичья светелка, обжитая и ухоженная.

Все это Нил разглядел в те две секунды, пока маячил на пороге за спиной у Линды. Она втянула его за собой, и он оказался лицом к лицу с молодым человеком весьма своеобразной наружности. Прямые черные волосы, остриженные под горшок и реденькие усы и бородка придавали его внешности что-то китайское, хотя круглые светлые глаза за столь же круглыми «леннововскими» очками были однозначно европейскими. Одет он был в просторный и длинный черный балахон, из-под края которого вылезали неимоверных размеров ярко-желтые ботинки. Вместо рукопожатия молодой человек церемонно поклонился и показал рукой в глубь комнаты.

— Милости прошу, — проговорил он неожиданно скрипучим и пожилым голосом.

— Джон, это и есть тот самый Нил Баренцев, — прощебетала Линда.

— Спасибо, я уже догадался, — проскрипел странный молодой человек и, виляя бедрами, как заправская манекенщица, направился к расположенному в центре комнаты продолговатому столу. Линда вновь взяла Нила за руку и пошла вслед за Джоном.

Стол был великолепен. Посередине царственно возвышалась громадная плетеная бутыль, рядом с ней — половина бежевой продолговатой дыни на плоском блюде, с другого бока — большая салатница, доверху наполненная сушеной хурмой, чурчхелой и чищеным миндалем, и тарелка с нарезанным тонкими ломтиками сушеным мясом с белым соляным ореолом по краям.

Джон уселся за стол, длинными пальцами вытащил из салатницы хурму и принялся жевать, не обращая на Линду с Нилом никакого внимания. Нил пожал плечами и вопросительно посмотрел на Линду.

— Будь проще, — весело сказала она и села на единственный свободный стул. — А Ринго где?

— А Ринго вот он!

Из-под стола вынырнула кудрявая взлохмаченная голова, появились широкие плечи, обтянутые серым свитером грубой вязки, атлетическое туловище и рука, легко держащая за ножку толстую деревянную табуретку. Табуретка была протянута Нилу, и он едва удержал ее двумя руками.

— Седалище для гостя! — провозгласил Виктор Васютинский. — Садись, дорогой, не стесняйся.

Нил вздрогнул.

— Ты?! Но ведь ты же... Сбежал?!

— Зачем сбежал? Сами отпустили. Разобрались и отпустили. С университетом, правда, расстаться пришлось. Ну да какие наши годы!.. Линда, стаканчики!

— Мне не надо, — поспешно сказал Нил.

— Что так? — с искренним, похоже, огорчением спросил Васютинский. — Винишко отличное, домашнее, совсем легонькое.

— У Нила желтуха была недавно, — пояснила Линда. — Ему теперь год спиртного нельзя.

— Бедный! Ну тогда дыньки. Или чурчхелы.

Он ловко отхватил длинным ножом увесистый кусок дыни и плюхнул перед Нилом на неизвестно откуда взявшееся блюдце. Себе же, Линде и Джону плеснул из бутыли темного вина, красиво переливающегося в пламени свечей.

— Чтоб все так жили! — провозгласил Васютинский. — И за возобновленное знакомство. — Он повернулся к Нилу: — Зови меня Ринго. Говорят, похож.

За полтора месяца Васютинский изрядно оброс и действительно сделался похож на Ринго Старра — крупный нос, усы, челка. Разве что мускулистостью заметно превосходил барабанщика легендарной ливерпульской четверки.

— А про твои таланты, Нил, мне все уши прожужжали. Жаль, гитары нет, а то показал бы класс. — Ринго выразительно посмотрел на Джона.

— Я в «Пенни-Лейн» не пойду, — капризно проговорил Джон. — Засвечусь только, вся шарага на хвост сядет.

— Тогда в другой раз. Мы ж не последний раз встречаемся, верно, Нил? — Он налил еще по стакану, а Нилу протянул тарелку с бастурмой. — Попробуй, такой нигде не найдешь. Ее в горах знаешь, как делают? Нарежут мясо на плети — и на неделю коню под седло. Оттого и вкус, и запах такой особенный.

Нил взял кусочек, с опаской поднес ко рту. Видя его нерешительность, Ринго-Васютинский расхохотался, закинул себе в рот сразу три куска и принялся усердно работать челюстями, запивая понемногу вином. Нилу ничего не оставалось, как последовать его примеру. В первый момент показалось, что он жует тонкую, круто посоленную подметку, но когда разжевал до сока, оказалось необыкновенно вкусно.

— А я анекдотец привез. Женщина звонит на Армянское радио и спрашивает: «Почему у меня из горжетки лезет мех?» Армянское радио отвечает: «Мы не знаем, что такое горжетка, но советуем поменьше ездить на велосипеде».

Нил хихикнул, Линда улыбнулась, до Джона, видимо, не дошло — так и остался сидеть с томной рожей, глядя в пространство.

— Отвечу историей с нашей знаменитой военной кафедры, — дожевав бастурму, сказал Нил. — Есть там, как многие знают, полковник Бондаренко, личность, можно сказать, историческая. Так вот, в прошлом году его назначили ответственным за лагерные сборы. А один наглый студент поспорил с друзьями на пять бутылок коньяку, что от сборов отмажется. Короче, приходит он к полковнику Бондаренко и заявляет: «Товарищ полковник, я, студент такой-то, на сборы ехать не могу». — «Что так, товарищ студент?» — спрашивает полковник. «А я убежденный пацифист». Бондаренко глаза вылупил, подумал немного и говорит: «Хорошо, товарищ студент, идите, мы ваш вопрос на командовании обсудим». Через два дня тот нахал снова приперся, докладывает: «Студент такой-то, по поводу сборов». Полковник на него смотрит, грустно так, и с сочувствием говорит: «Что ж, товарищ студент, обсудили мы ваш вопрос. Я-то лично вас понимаю и поддерживаю, но командование решило, что хоть вы и убежденный педераст, но на сборы вам ехать необходимо».

Все прямо-таки зашлись в пароксизмах смеха. Сильнее всех история про пацифиста-педераста впечатлила

Джона. Тот в буквальном смысле рухнул со стула и принялся кататься по полу.

— Надо бы что-то делать с парнем, — сказал Ринго. — Водички дать, что ли.

— Не надо, — лениво отозвалась Линда. — С ним такие припадки часто. Полежит немного, отойдет.

Джон действительно перестал кашлять и сипло задышал. Ринго успокоился, налил себе и Линде еще по стакану. Нил в знак солидарности поднял сжатый кулак.

— Нехорошо как-то, — нахмурился Ринго. — Мы тут себе балдеем, а у человека ни в одном глазу.

— Но ему ж нельзя, — вмешалась Линда.

— Спиртного нельзя, согласен. А вот кой-чего другого...

— А у тебя есть?! — с волнением спросила Линда, а Джон тут же забыл про недавний свой приступ и, сидя на полу, сверлил Ринго взглядом.

— Я ж с Кавказа приехал.

Ринго встал, отошел к окну, покопался в сумке, возвратился с массивным металлическим портсигаром. Достал оттуда длинные толстые папиросы, похожие на «Казбек» или «Герцеговину-Флор», выдал каждому по штуке.

— Мне не надо, — сказал Нил. — У меня «Феникс». Линда расхохоталась.

— Эх, певец, певец, что ж ты? Вспомни-ка лучше песенку: мой чемоданчик, набитый...

— Планом, — вспомнил Нил и тут же догадался: — Так это он и есть?

Он ощутил сладкий трепет где-то под грудиной, почувствовал, как задрожали руки. О плане, анаше, опиуме, героине, «кислоте» имел он сведения сугубо теоретические и приблизительные и знал только, что все это — штуки запретные и опасные, и что раз вкусивший этих зелий испытывает такое неземное блаженство, что готов жизнь отдать за повторение этого блаженства. К тому же Нил читал и слышал, что наркотики расширяют сознание и открывают перед людьми творческими небывалые новые горизонты. Даже сам Маккартни — никакой, понятное дело, не наркоман! — четыре раза в год отправляется в «магическое мистическое путешествие». И такое же путешествие предстоит сейчас ему, первокурснику Нилу Баренцеву...

Ринго тем временем услужливо подпалил четыре папиросы, передал каждому по очереди, последнюю оставил себе. Нил благоговейно принял свою, втянул дым, ожидая чуда...

Как-то в пионерлагере он с другими десяти-двенадцатилетними пацанами, отчаянно завидуя большим, занимался изготовлением разного рода «курева». В дело шел чай, вишневые и березовые листья, резаные лапки папоротника, даже осока. Все это высушивалось в укромном уголке, а потом заворачивалось в самокрутки из «Пионерской правды». Удерут, бывало, в тихий час, забьются в щель между котельной и туалетом, и дымят, давясь от кашля, сплевывая ежесекундно и друг перед другом выставляясь — хорошо, дескать, пошла, зараза ядреная...

Так вот, несколько первых затяжек живо напомнили такую «заразу ядреную» — замес из белого мха и какой-то усушенной до неузнаваемости луговой травки. Ничего, кроме першения в горле и жжения в носу, он не почувствовал. Ничто не поплыло перед глазами, никакие ангельские видения не спешили вторгнуться в сознание. Стало обидно. Неужели эти гады просто разыграли его, как он сам, в компании одноклассников, разыграл весной Смирнова из десятого «б»? Тогда они под пивко в подвальном зале на Литейном скушали по таблетке глюконата кальция, а вытаращившему глаза Смирнову объяснили, что это ЛСД, и тоже предложили штучку. Потом начали изображать: Бурыгин вертит пальцем и ржет — смотрите, у меня палец до потолка вырос; Поповский принялся что-то про цветочки гнать; у самого Нила джинсы вдруг рыжим волосом поросли. Смирнов послушал их бред с минутку, с лица сблед-

нул — и пулей во двор, травить под мусорный бак...
А за месяц до того Бурыгин пригласил Нила на чердак
выкурить по сигаре «Упман», а там принялся с жаром
втолковывать, что сигары эти — с героином, потому как
написано же на обороте у пачки: «Upmann Cigars Herein
Contained» *. Нил тогда не стал разубеждать троечника
Бурыгина и советовать ему заглянуть в словарь и посмотреть, что значит слово «herein». А тот настолько поверил собственной идее, что на середине сигары начал
отключаться, а потом все порывался полетать. А дом-то,
между прочим, был пятиэтажный, так что пришлось
применять меры физического воздействия...

Нил неглубоко затянулся и украдкой, из-под руки,
посмотрел на остальных — не наблюдают ли за ним,
не ждут ли, когда он рванет в сортир или к балкону,
чтобы потом беспощадно осмеять? Но нет, похоже, им
не до него — Джон чуть не пополам сложился на стуле, самозабвенно сосет кулак, в который зажата папи-
роса с травкой. Линда с Ринго ставят друг другу «па-
ровозики» и хихикают о чем-то о своем. Все честно.

— Не... это... — Линда взглянула на него с обод-
ряющей улыбкой. Вообще-то он хотел сказать, что не
берет его кавказская ботаника, но слова почему-то за-
стревали в горле и не хотели наружу. — Вот, — бес-
сильно резюмировал он.

— И хорошо, — сказала Линда и подернулась розовой дымкой.

Нил протянул нетвердую руку за кусочком дыни,
но тот неожиданно ожил, в два прыжка перемахнул
через стол и плюхнулся на пол.

— Ломанулся, — глупо хихикнув, констатировал
Нил.

— Как черепашка из вольера, — поддакнул Джон.

— Черепашка — зверь безвредный! — изрек Нил,
гордясь своей мудростью.

---

* Содержащиеся здесь сигары «Упман» (*англ.*).

Все важно закивали.

— А трубка твоя сгорела, — патетически продолжил Нил. — До уголечков. И фирма «Данхил» по-другому пишется, я узнавал...

Ринго с виноватым видом покачал головами.

— А я сейчас стихи почитаю, — неожиданно предложил Джон и надолго замолчал.

— Это было твое лучшее стихотворение, — прервал затянувшуюся паузу Ринго.

— Кофе хочу, — заявил Нил и попытался встать.

— Кофе сейчас не надо, — сказал Ринго. — Кофе только кайф выбьет. Лучше мы еще вина выпьем, а тебе, как непьющему, вот это. — Он протянул Нилу маленький красноватый пузырек, до половины заполненный какой-то густой жидкостью. — По две-три капельки в каждую ноздрю. Нормальный полет гарантирую.

— Эй, а мне? — Джон протянул к пузырьку тощую руку, по которой Ринго несильно хлопнул.

— Ты что? — Джон обиженно затрепетал ресницами.

— А ты и винцом догонишься, — небрежно проговорил Ринго. — Имей совесть.

Джон начал канючить, но выпросить сумел только еще одну папироску, которую мрачно засунул за ухо и прикрыл черной сальной прядью.

— Ну, на старт! — скомандовал Ринго, разливая по стаканам...

IV
(Ленинград, 1982)

— Что-то стало зябко...

Нил медленно поднялся, намереваясь прикрыть окно. Но, подойдя вплотную, передумал, снял с больничной кровати покрывало, набросил на плечи, придвинул кресло к окну и сел. Дотянулся до тумбочки, достал новую свою трубочку, принялся набивать...

— Третий час, однако... — бормотал он, трамбуя табак. — Однако... Проглючило меня тогда не слабо. Ни черта потом не мог вспомнить... А вот теперь, кажется... Кажется...

Нил щелкнул зажигалкой...

V
(Занаду, год Кабана)

Он шел по желтой песчаной дороге, извилисто струящейся между ароматных лиственниц, озаряемых мягким закатным солнцем. Оно напоминало спелый лоснящийся апельсин на голубой скатерти неба с жемчужной каемочкой облаков, будто нарочно придуманных для того, чтобы солнышко могло тактично ретироваться за них при первом же подозрении на причиненное кому-либо неудобство.

Дорожка полого забирала вверх, уводя Нила к зеленому холму, увенчанному величественным зданием с куполом цвета слоновой кости. Отсюда трудно было точно определить размеры дома, но он казался огромным. Сбоку от холма тянулась глубокая расселина, окаймленная деревьями. Из нее с шумом низвергалась голубая, пенная вода, устремляясь в ровный, окаймленный розовым камнем канал, параллельный дорожке, по которой шел Нил.

Он приблизился к каменной стене высотой метров пять, сложенной из плит черного мрамора. Прямо перед ним возникли широко раскрытые бронзовые ворота с орнаментом из цветов и дубовых листьев. Нил постоял немного, полюбовался воротами и вошел.

За воротами раскинулся дикий парк, где вольготно и бесстрашно резвились разные звери. Всего в полусотне шагов от себя Нил увидел громадного тигра, который, вытянув шею, подкрадывался к стаду изящных прозрачных антилоп. Антилопы навострили уши и, перебирая ножками, похожими на стеклянные палочки, грациозными прыжками устремились в невысокую рощицу, откуда немедленно поднялась в воздух многоцветная стайка фазанов. В свете неяркого солнышка их крылья напоминали осколки старинных витражей. Тигр обернулся, одарил Нила улыбкой чеширского кота и лениво потрусил в чащу. «И тигры сыты, и лани целы...» — подумалось Нилу, и стало еще спокойнее и блаженнее.

Он поднялся еще немного и оказался перед тщательно постриженной живой изгородью из густого темно-зеленого кустарника. Живая стена едва достигала Нилу до пояса, зато в толщину доходила метров до пяти. Дорожка, на которой стоял Нил, перед самой изгородью резко ныряла вниз, переходя в широкую и пологую лестницу, выложенную черным мрамором с голубыми прожилками. Кустарник смыкался над головой, образуя своего рода сводчатый потолок в этом пешеходном туннеле, напоминающем безлюдный переход в метро. Полированные каменные стены туннеля были испещрены узорами из геометрических фигур, а шагах в двадцати от входа прямо на уровне глаз Нил увидел голубую табличку, многократно усиливавшую впечатление сходства с метрополитеном. Белые буквы на табличке образовывали два слова: «УЛИЦА СЛАДКОГО». Нил прочитал, хмыкнул и пошел дальше.

Вскоре он поднялся по мраморным ступенькам и оказался на широкой кедровой аллее, завершающейся крутым мостиком через ручей. Дальний конец мостика упирался в резную деревянную беседку, похожую на китайскую пагоду. Скамьи вдоль стенок беседки были обиты красным шелком. Вокруг беседки раскинулась идеально ровная лужайка, испещренная многоцветными и многофигурными клумбами, дорожками, обрамленными ровными рядами цветущих кустарников или невысоких деревьев, аркадами, увитыми плющом, виноградом и розами. Самая широкая дорожка, безукоризненно прямая и ровная, присыпанная мельчайшим полупрозрачным гравием, искрящимся как самоцветы под нежными косыми лучами солнца, начиналась сразу за беседкой и с плавным подъемом перетекала на противоположный конец лужайки, на вершину холма, где и стоял увенчанный куполом дворец.

Впрочем, дворец ли? Теперь, с более близкого расстояния, Нил видел, что здание не так уж и велико. Два этажа, облицованных светло-коричневым камнем, выдвинутый вперед крытый портик с широкой и высокой дверью и двумя симметричными арочными окнами по бокам, над ним балкон во всю ширину центральной части (едва ли больше десяти-двенадцати метров) с единственным, но очень широким окном. От портика под тупым углом разбегаются два симметричных крыла — два этажа по восемь окон в каждую сторону. И лишь купол, поднимающийся позади центральной части, придает дому вид величественный и монументальный... Дворец? Замок? Особняк?

Несколько минут Нил посидел в беседке, наслаждаясь великолепным видом, тишиной, чистейшим благоуханным воздухом. Потом поднялся и вышел на дорожку, ведущую к зданию, с определением которого он по-прежнему затруднялся.

В самом центре лужайки дорожка разбегалась надвое, правильным кругом огибая трехъярусный фонтан. Чаша фонтана была сделана из чего-то черного и гладкого — то ли особого стекла, то ли обсидиана, то ли какого-то отполированного, чуточку прозрачного камня. Из того же материала были сложены бассейн и невысокий бордюр. На двух нижних ярусах струи били вниз, но под углом, образуя как бы два выпуклых винта с разнонаправленной резьбой. В скошенных водяных гранях играли солнечные лучи, создавая прихотливые хроматические узоры. На третьем же ярусе струи шли вверх, по сходящейся траектории. Получался большой прозрачный (и по эффекту немного призрачный) колокол, над которым нимбом поднималась круговая радуга. Красота фонтана завораживала, и Нил не знал, сколько простоял возле него с открытым ртом, и только ветерок, прошумевший в листве и взъерошивший Нилу волосы, вывел его из гипнотического транса. Он подошел поближе, присел на широкий, прохладный бордюр, вгляделся в поразительно прозрачную, пузыристую воду. В бассейне плавали рыбки с пышными вуалевыми хвостами — красно-синие, нежно-голубые, красные в черную крапинку, оранжевые с черными полосками. Приглядевшись, Нил увидел золотую.

— Владычица морская... — улыбаясь, прошептал он.

Рыбка подплыла поближе и, как совершенно отчетливо показалось Нилу, подмигнула ему круглым глазом и чуть-чуть повела хвостом в направлении дома: заходи, мол.

— Спасибо, родная...

А что еще оставалось сказать в такой ситуации? Нил поднялся с барьера, огляделся. Позади него та самая беседка, пагода в миниатюре, из которой он пришел. Впереди и чуть сбоку, между двумя розовыми клумбами, в тени могучего раскидистого клена виднеется краешек белого садового стола и такой же стул. На спинке стула висит белая панама, рядышком прислонился сачок на длинной ручке.

Впервые Нил сошел с самоцветной дорожки и оказался на ровном зеленом газоне. Ступая осторожно, словно боясь примять короткую изумрудную траву, он приблизился к столу. На крышке лежало пенсне с черным шнурком и стояла раскрытая доска изящных карманных шахмат с недоигранной партией, а скорее, с этюдом — во всяком случае, так решил Нил, поглядев на расположение немногих оставшихся фигур, в том числе и белой костяной фигурки священника в высокой шапке и с крестом на груди. Фигурка эта нисколько не смутила Нила: он знал, что шахматный слон по-английски будет bishop — то есть «епископ», и появление такой фигурки означало лишь то, что шахматы сделаны не у нас.

— Впрочем, здесь все *не у нас...* — пробормотал Нил.

— Вы что-то хотели спросить, юноша?

Нил вздрогнул и обернулся. В укромном тенечке на шезлонге, столь же белом, как стол и стул, возлежал средних лет человек, лысый, но с длинной бородой, и с приятной усмешкой глядел на него ясными, умными глазами.

— Я, собственно... Э-э, как называется эта роза? — не сразу нашелся Нил.

— Если вы про ту шпалеру, которую рискуете повалить, коли попятитесь еще на шаг, то этот вид именуется «La Belle Cécile»* и славится среди знатоков исключительной длиной стебля, девственной белизной и характерным чуть кисловатым ароматом. Но, возможно, вы имеете в виду скромные кремовые создания, что высажены вдоль центральной аллеи. Они называются «Many Happy Returns». Весьма подходящее название, вы не находите?

Нил кивнул. Так по-английски поздравляют с днем рождения, но буквально это означает «много счастливых возвращений». То есть, тебя будут рады видеть снова и снова...

— По правую же руку от вас особо крупная разновидность алой махровой розы «Château Rouge»**. Этот вид отличается... Впрочем, вы ведь не ботаник.

Нил молча покачал головой. Ему вдруг стало неловко, что он не ботаник.

* Прекрасная Сесиль *(фр.).*
** Красный замок *(фр.).*

— Ступайте-ка лучше в дом, — предложил бородатый незнакомец. — Вас определенно ждут.

— Меня? Но кто? Никто не знает, что я здесь, да и я...

— Но вы же пришли.

Незнакомец улыбнулся, показав белые зубы, и закрыл глаза. Нил постоял еще немного, но более тревожить этого странноватого, но симпатичного господина не решился и побрел к дому, глядя во все глаза и на каждом шагу открывая что-нибудь эти глаза радующее. Так, по обе стороны от ступенек, ведущих к центральному входу, он залюбовался двумя симметричными наклонными партерами, искусно составленными из цветов, кустиков, разноцветных камней и мхов и украшенных небольшими гранитными химерами, вроде тех, что на Нотр-Дам.

Нил мало что понимал в архитектуре, точнее сказать, ничего не понимал, и определиться со стилем того здания, в которое вот-вот войдет, не мог. То ли современное, но сделанное под старину, то ли действительно старинное, но недавно тщательно отреставрированное. Он медленно поднялся по ступенькам и замер перед двустворчатой застекленной дверью, не решаясь ни войти, ни заглянуть вовнутрь. Дом, казалось, сам понял его замешательство, где-то нежно зазвенели колокольчики, и створки стеклянных дверей бесшумно разъехались. Словно в новом Пулковском аэропорту. Ничего не оставалось, кроме как войти.

В просторном беломраморном холле было тихо, прохладно. Справа, спиной ко входу, расположился высокий и длинный диван, служивший одновременно своего рода барьером, отгораживавшим от холла нечто вроде гостиной — пара столиков, глубокие мягкие кресла, на стенах — беспредметные картины прохладных, спокойных тонов, высоченный камин с зеркалом и большими позолоченными часами на полке. Причудливые выпуклые стрелки показывали без пяти шесть. Над камином — громадных размеров кабанья голова с устрашающими клыками и ветвистыми рогами. Прямо впереди — прозрачная, невероятно широкая дверь, точная копия входной, вела в светлый круглый зал со множеством столов, накрытых белыми скатертями в красную и голубую клетку. Слева — чуть изогнутая лестница со светлыми деревянными перилами и ступеньками, покрытыми приглушенно-алой ковровой дорожкой. Все объемы интерьера были непривычно велики, глаза Нила непроизвольно искали какой-нибудь предмет поменьше, покомпактнее и сами собой остановились на черном лакированном столике у подножия лестницы.

На столике были беспорядочно раскиданы газеты, журналы, брошюры. Среди названий на незнакомых Нилу языках он автоматически выхватил несколько понятных. Толстая, в цветных фотографиях газета называлась «The Daily Bread»*. Поверх нее наискосок лежала книга в глянцевом бумажном переплете с красочным изображением длинного хрустального стакана и соломинки. Нил взял ее в руки, прочитал название. «Good Living for Good Livers»... Краткое руководство по приготовлению коктейлей. Смешное название — можно понимать как «Хорошая жизнь для крепких печенок» или «Хорошая жизнь для хороших жильцов»... Нет, «жильцы», конечно, не совсем то слово, но не скажешь же «житоки»... В общем, для тех, кто живет в свое удовольствие. Еще какой-то журнальчик по-французски. «Aucune Rancune»**. Никакого, значит... чего? В общем, надо надеяться, «никакой бяки». На краешке стола Нил увидел и русскую книгу — на серой обложке лиловыми буквами косой заголовок «До сиреневой звезды. Очерки русского пофигизма». Нил потянулся было к заинтриговавшей его книге, но тут заметил, что она основательно запая-

---

* Хлеб насущный (буквально «ежедневный хлеб») *(англ.)*.
** Без злословия *(фр.)*.

на в плотный полиэтилен. Разорвать упаковку он постеснялся, а потому взял в руки номер «The Daily Bread». Через первую полосу наискосок тянулся заголовок: «Many Happy Returns, M & M, Sweetest Couple!!! Three Cheers for Mickey and Minnie!!! The Golden Jamboree of the Mices' Golden Union»*.

— И что пишут? — произнес приятный девичий голос из-за спины.

— Да вот... — Нил заставил себя говорить медленно, спокойно, будто голос его нисколько не взволновал. — Золотая свадьба Микки и Минни Маусов.

— «Бредятина» верна себе. Прямо-таки сокровищница мудрости, кладезь ценнейшей информации.

Стараясь не спешить, он обернулся. Никого. Посмотрел вокруг — никого.

— Кстати, раз уж ты стоишь, будь добр, сделай мне джинджер-сламмер, — продолжил голос как ни в чем не бывало.

— Кого?

Нил растерялся окончательно. Заколдованный замок, невидимка, неисполнимые поручения. Будто пьяный сказочник перемешал «Аленький цветочек» и «То — не знаю что».

— Джинджер-сламмер, — повторил голос. — Имбирный эль, на полпальчика джина и много-много льда.

— Где? — оторопело спросил Нил.

Голос рассмеялся, как колокольчик зазвенел.

— Сразу за лестницей увидишь стойку. Джин на полке, стаканы на стойке, лед и эль — в холодильнике. Заодно и себе плесни.

— Чего?

Голосок вновь рассмеялся.

— Чего хочешь, глупый. Вина, пивка, сока...

---

* С днем рождения, сладкая парочка!!! Трижды ура Микки и Минни!!! Золотой сабантуй золотого союза Маусов (*англ.*).

Нил сделал робкий шажок, другой — и остолбенел. За лестницей до самой двери в круглый зал тянулась длинная металлическая стойка, обтянутая красной кожей. Из-за стойки частоколом вырастали длинные блестящие рычаги с черными рукоятками. На рычагах красовались разноцветные разнокалиберные таблички. «Амстел». «Хайнекен». «Дос-Эквис». «Гролш». «Гиннесс». «Карлсберг». И еще, и еще, и еще... Нил перевел завороженный взгляд наверх. На двух застекленных полках он увидел не меньше сотни бутылок всех мыслимых цветов и форм. Мартини в шести вариациях. «Кампари». «Бейлиз»...

— Эй, босс! — окликнул голос. — Как проходит инвентаризация?

— Прости... те.

Сконфуженный Нил устремился к высоченному холодильнику и, заставляя себя не глазеть на всякие диковины, хранимые за стеклянными дверцами, быстро отыскал большую бутыль с желтой этикеткой «Ginger Ale» и черное пластмассовое корытце с искрящимся льдом. На боку у корытца был приделан какой-то рычажок, Нил надавил на него, внутри что-то хрустнуло и из корытца выпрыгнул ледяной кубик, стукнул Нила по носу и упал на пол. Нил хотел было нагнуться за ним, но сообразил, что в питье этот лед уже не годится, а как засунуть его обратно — непонятно. На стойке стоял красный пластмассовый ящик со стаканами, Нил вытащил один и вновь засмотрелся — высокий стакан голубоватого стекла был не круглый и не граненый, а квадратный в сечении, с закругленными углами. Нил поднес стакан к корытцу, вновь щелкнул рычажком, умудрился поймать стаканом кубик льда и, весьма довольный собой, принялся шарить глазами по полке в поисках джина. Нашел аж шесть разных бутылок и остановил свой выбор на «Бифитере», поскольку видел такую посудину (пустую, естественно) у приятеля в коллекции и, следовательно, был с этим напитком знаком. Плеснул, как было велено, совсем немножко, доверху долил имбирным элем и со вздохом облегчения (притомился от сильных впечатлений) двинулся вдоль стойки на выход.

— Эй, а себе? — весело прощебетала невидимка. — Неужели ничего не будешь?

— Буду, буду...

Нил дико зыркнул на полку и схватил первую же бутылку, на которой остановился взгляд. По форме она напоминала пульверизатор, который давным-давно привез из Китая отец. Нил без проблем свинтил золотистую крышку, налил полный стакан густой жидкости купоросного цвета и пошел дальше, держа в каждой руке по стакану. Однако, выйдя из-за стойки, он замер в нерешительности, не вполне представляя себе, куда двигаться теперь.

— Да здесь я, здесь, — хихикнула невидимка.

— Где? Я не вижу.

— Лежу на диване и смотрю на тебя в зеркало. Поднялась бы, да ножка болит. Иди сюда.

Нил вновь вздохнул с облегчением и в несколько больших уверенных шагов дошел до дивана, обогнул его и оказался лицом к лицу с полулежащей незнакомкой. Молоденькая девчонка с симпатичной круглой курносой мордашкой. Босая, в серых шортах и красной маечке, одна нога, перебинтованная на лодыжке, лежит на диване.

— Ну, давай же! — Незнакомка протянула руку, и Нил вложил в нее стакан с джинджер-сламмером. — Попробуем твое изделие. — Она прихлебнула и смешно сморщила носик. — Со льдом пожадничал, зато джина перебухал. Я же просила на полпальчика... Ладно, сойдет... Чего не садишься?

Она показала на противоположный краешек дивана, и Нил послушно сел. Девчонка посмотрела на его стакан и присвистнула:

— Оригинально, однако. Голубой «кюрасо» как аперитив? Надо бы как-нибудь попробовать... Ах да, извини, меня зовут Бетси.

Она протянула руку. Нил подался вперед и взял ее ладонь в свою. Это оказалось очень приятно.

— А я Нил, — представился он.

— О-о, Нил! Класс! Как река. Или как Нил Армстронг, первый человек на Луне.

— Да я, признаться, и чувствую себя первым человеком на Луне...

— Здесь?! — Бетси расхохоталась. — Скажешь тоже! На Луне нет никого, темно, пыль и кратеры, и дышать нечем. А здесь все наоборот. И очень, между прочим, классно, вот увидишь.

Она прихлебнула еще раз и поставила стакан на столик. Нил осторожно нюхнул своего «кюпороса». Пахло аптекой, сладкими фруктами и немножко сивухой — в общем, обычный ликерный запашок. Смелым глотком он осушил половину стакана. Внутренности обожгло, но в меру и всего на мгновение.

— Да я и сам вижу, что тут неплохо, — с деланным равнодушием сказал он.

— Точно! — с энтузиазмом подхватила Бетси. — Главное, можно делать все, что хочешь. Бассейн, теннис, гольф, поло. Можно пойти на горки, в лагуну или на мыс, в лес, в город смотаться. На планере полетать или на дельтаплане. Ты летал на дельтаплане?

— Нет, — признался Нил.

— Зря, это так здорово. Я бы прямо сейчас с тобой полетала, только... — Она показала на забинтованную ногу. — Вчера каталась с Пабло Эстебаном в тисовой аллее, запуталась в стременах — и вот... Теперь зато просвещаюсь.

Она подняла с дивана книжку и показала Нилу.

— Как странно, — сказал он, — «Защита Лужина». Тут, возле фонтана я разговаривал с одним человеком...

— А, так ты уже познакомился с нашим шахматистом-энтомологом? Милейший старый чудак. Его зовут доктор Доктор. То есть, его действительно зовут Док-

Дмитрий Вересов

тор, но доктор он не настоящий, в смысле, не врач...
Старички друг друга терпеть не могут. Доктор Доктор
говорит, что тот, второй, злостно исказил историю его
любви к... Ой, кстати, я тебя обязательно познакомлю
с Долли Хейз, отличная тетка, мы с ней заняли второе
место на чемпионате по бриджу. Нас только сестрички
Монтгомери обскакали, но с ними не потягаешься...

— Погоди, погоди... Долли Хейз, сестрички Монтгомери...

— Ну да, близняшки, Джун и Джули, их друг от
дружки не отличить, только у одной шрам на запястье...
Да, так вот, наш доктор Доктор в отместку слямзил у
него и профессию, и хобби — то есть бабочек и шахматы, — и даже пенсне завел, и так хорошо его передраз-
нивать научился, что мы все тут со смеху под столы па-
даём. Как они тут третьего дня за ужином сцепились...

— Постой, кто с кем сцепился?!

— Ну, Набоков с Доктором...

— Набоков? Разве он еще жив?

— А ты?

— Не знаю, — честно признался Нил. — Иногда
кажется...

— Вообще-то у нас этим интересоваться не принято, — слегка надув губы, сказала Бетси. — Жив, умер —
дело сугубо личное...

— Бетси, лапочка, спасибо, что подменила... — Из-
за дивана проворно вышел худощавый, длинноволосый
парень в оборванных по колено джинсах и выгоревшей
черной майке с надписью «Live Super». Парень наклонился, расцеловал Бетси в обе щеки и с улыбкой протянул Нилу жилистую ладонь. Нил вгляделся в его
лицо. Большие прозрачные светло-карие глаза, пра-
вильные, немного астенические черты, ассоциирующие-
ся обычно с высокой одухотворенностью. Рыжие, чуть
вьющиеся волосы, длинная негустая борода. Боже, но
это же... Сходство на грани кощунства...

— Господи Иисусе... — невольно пролепетал Нил.

188

Парень улыбнулся еще шире, разжал руку, вытянул ее к противоположной стене, сделал какое-то сложное движение пальцами — и остолбеневший Нил услышал первые аккорды бессмертного альбома «Иисус Христос — Суперзвезда».

— И все же предпочту, чтобы меня называли Верджил, — усмехнулся парень. — И чудеса не по моей части. Обычное сенсорное дистанционное управление. Можно и с изображением, но покамест воздержимся. Здесь много всяких таких штучек, я покажу, но для начала...

Верджил исчез за диваном, и Нил в зеркале увидел, как он по-хозяйски орудует за стойкой. Тихо, вкрадчиво зажужжал какой-то агрегат.

— Бетси, киса, тебе, как всегда, сламмер?

— Да, только совсем слабый и побольше льда. — Она подмигнула Нилу.

— А тебе, Нил?

— Не знаю... Пивка можно?

— Какого? В баре бочкового двенадцать сортов и примерно двадцать бутылочного и баночного. От прозрачного, как водичка, до черного, как деготь. В большой столовой на панно еще триста двадцать видов, а если захочется чего-нибудь совсем экзотического, то в погребах точно есть. От соргового из Микронезии до «Жигулевского» из Конотопа.

— На твое усмотрение...

Нил судорожно допил ликер. В голове слегка зашумело. Одна из стенок чуть наклонилась, но тут же приняла первоначальное положение.

— Может, «Дос-Эквис»? Светлое, терпкое, чуть отдает текилой. Тебе понравится.

— Давай...

Через мгновение Верджил появился с напитками, раздал, оставив себе стакан с чем-то мутным, красноватым, пенистым.

— Cheers! — сказал он, плюхаясь в кресло напротив. — За тебя, Нил. Чутье мне подсказывает, что это не последний твой визит. Кто хоть раз нашел сюда дорогу...

— Слушай, я как раз хотел спросить... — На лице Верджила проступило настолько странное выражение, что Нил спросил совсем не то, что намеревался: — Что ты такое пьешь?

Верджил спокойно, расслабленно улыбнулся.

— Свежий морковный сок.

— Сок? Но тут столько всего...

— Именно поэтому каждый здесь пьет, что захочет.

— Понятно...

Нил отпил пива, которое, наложившись на только что принятый ликер, не очень ему понравилось.

— Знаешь, чтобы не утомлять Бетси, перейдем в столовую. Там и поговорим.

— Верджил, вы мне нисколько... — Бетси помолчала. — О да, конечно, идите. Нил, тебе будет интересно.

Двери в круглую столовую бесшумно и мягко отъехали вверх, будто занавес, и они оказались в громадной, залитой неярким солнцем полусфере. Противоположная от входа стена представляла собой сплошное пространство высоких окон, из которых открывался вид в великолепно ухоженный сад, несколько японский по стилю, совсем не похожий на тот, что перед домом. За садом виднелся кусочек моря, розового от закатных лучей. Окна были французские, то есть служили одновременно и дверьми. Нил обратил внимание, что некоторые из окон плотно зашторены.

— Это особые окна, так называемые порталы, — пояснил Верджил, без труда прочитав мысли Нила. — Они выходят совсем в другие места, и без хорошей подготовки в них не рекомендуется даже заглядывать, поскольку иные из этих мест далеко не так приятны, как наш Фрамбуаз Дорэ.

— Фрамбуаз Дорэ? — переспросил удивленно Нил.

— Присядем?

Они уселись за ближайший столик, причем Верджил тут же непринужденно закинул босые ноги прямо на белую скатерть и продолжил:

— Фрамбуаз Дорэ — это старинное название того дивного местечка, где мы сейчас находимся. Впрочем, оно давно уже не употребляется, и мы называем его просто *Sweet Home*. К сожалению, это понятие плохо поддается переводу на русский.

— Отчего же нет? Милый дом, родной дом.

— Это не совсем то. Родной дом — это место, где ты родился, или где живешь, или где живут твои родители. А *home*, помимо этого, означает такое место, где тебе хорошо и где ты оказываешься вовсе не благодаря своим достоинствам и заслугам, а просто по праву рождения. Один наш поэт именно так и выразился: «Something you somehow don't have to deserve». Нил узнал цитату, и это несказанно его вдохновило:

— Наш поэт? Это же Роберт Фрост сказал! Здесь что, Америка?

— Не совсем... Скажем так, Запад.

— Запад вообще? Как это?

— Ты, наверное, уже понял, что у этого места свои, особые отношения с пространством и временем... Так уж повелось, что, мечтая о лучшей жизни, человек всегда обращал свой взор в сторону заката. Вспомни Западный рай Индры, вспомни Платона, вспомни Острова Блаженных в преданиях кельтских народов. У американских индейцев, самого западного, с точки зрения географии, народа, путь в Страну Большой Охоты лежал на запад. На запад же уплывали, покидая Средиземье, эльфы господина Толкиена... А орды Чингисхана, а американские пионеры — думаешь, их не вела все та же извечная мечта о блаженном Западе?

— Но Спаситель придет с Востока! — неожиданно выпалил Нил.

Верджил улыбнулся в ответ:

— Придет с Востока и уведет спасенных — куда? Спасителям едва ли свойственны кривые пути.

Верджил усмехнулся, достал из кармана джинсов помятую пачку сигарет, щелкнул зажигалкой, затянулся. Нил вдохнул аромат небывалой сладости и силы.

— Эт-то что? — с легкой запинкой спросил он.

— «Латакия — Дикий Мед». Мое собственное изобретение. Берешь коробку обычной мак-бареновской «Латакии», добавляешь...

Нил громко расхохотался.

— Ты что? — с легкой обеспокоенностью спросил Верджил.

— Вот уж не думал... Я-то химичу, потому что не достать ничего...

— А я химичу, потому что все достать. — Верджил со смехом бросил Нилу пачку и плоскую, черную с золотом зажигалку. — Угощайся.

Нил внимательно посмотрел на пачку. На глянцевом белом картоне не стояло ни слова, зато рельефно проступал красно-желтый силуэт рогатого кабана, которого Нил видел в гостиной над зеркалом. Повеяло неприятным холодком.

— Это что такое? — как можно небрежнее спросил Нил, показывая на изображение.

— Не что, а кто, — поправил Верджил. — Кернунн, Хранитель Дома.

— Это его портрет над зеркалом висит?

— Это не портрет. Это он сам. Точнее, его голова, а сам он — в зазеркальном пространстве, недоступном никому, кроме него.

— Боже!

Верджил поморщился.

— Не Боже, а Хранитель. Он спит, но все видит. И если почувствует, что Дому что-нибудь угрожает... Ладно, схожу выжму еще сока, а ты походи здесь пока, посмотри, как все устроено. Только на еду и питье особенно не налегай, аппетит испортишь. У нас сегодня рождественский ужин.

— Но ведь лето?

— И что?

— Но Рождество зимой...

— Что такое Рождество?

— Ну, когда Христос родился...

— Кто такой Христос?

— Ну, это... Сын Божий.

— Все мы дети Божьи. И каждый день кто-то родился...

Верджил вышел в гостиную-прихожую, а Нил подошел к непонятным серым экранам, расположенным на стене. Стоило ему подняться на приступочку, которая тянулась вдоль экранов, ближайший экран замерцал приятным для глаз зеленым светом, а мелодичный женский голос радушно произнес:

— Хэлло! Добро пожаловать в наше домашнее кафе.

Нил вздрогнул от удивления и поспешно сошел с приступочки. Экран мгновенно погас, и все стало так, как прежде. Он осмотрелся, еще раз шагнул на приступочку.

— Хэлло! Добро пожаловать в наше домашнее кафе, — с той же жизнерадостной интонацией произнес голос.

На зеленом поле экрана проступили разноцветные квадратики со словами:

Hors d'oeuvres	Salads	Soups	Sauces & Seasonings	Fish & Seafood	Meat
Poultry & Game	Vegetarian Delight	Lacto-Ovo Feast	Side Dishes	Cheese Board	Just Desserts
Soft Drinks & Juices	Beers	Wines	Hard Stuff	Hot Beverages	Fruit
Suggestion: Menu № 1	Suggestion: Menu № 2	Special Requests	Small	Medium	Large
Browse by Letter	Browse by Country	Browse by Group	Be Your Own Cook	OK	Serve

Нил диким взглядом окинул таблицу, моргнул — и английские надписи тут же сменились русскими.

— Дотроньтесь до экрана в желаемом секторе, — бодро посоветовал голос, и Нил ошалело ткнул в квадратик «Закуски» на теплом силиконовом экране.

Три верхних ряда моментально запестрели множеством цветных картинок, во всех аппетитных подробностях изображающих всякие мыслимые и немыслимые вкусности. Нил несколько секунд молча изучал картинки, а потом нажал на изображение чего-то круглого и зеленого, политого чем-то розовым. Изображение тут же выросло в половину экрана, а под ним загорелась надпись: «Авокадо под крабовым соусом».

— Понятненько, — сказал Нил и ткнул в кнопку «ОК».

Послышался тихий звон колокольчика, и тут же ярко загорелись квадратики «Small, Medium, Large». Нил сообразил, скромно нажал на «Medium», снова на «ОК» и на «Serve». На экране высветился вопрос: «That's all?» и под ним два квадратика «Yes» и «No». Нил нажал на «Да», раздалась тихая барабанная дробь, экран выдал нечто вроде мультипликационного салюта, и из щели под экраном на белом подносе выехала тарелочка с авокадо под крабовым соусом и обернутые салфеткой нож и вилка.

— Мерси, — на всякий случай сказал Нил и спустился в зал.

Если бы в природе существовало такое блюдо, как копченый кабачок, то как раз на него было бы похоже это самое авокадо, крабовый же соус оказался именно тем, чем и должен был оказаться — мелко настроганным крабом в майонезе. В целом было совсем недурственно, Нил пожалел лишь о том, что не заказал к авокадо кусочка хлеба, и остатки соуса пришлось вылизывать языком, благо в столовой никого не было.

Покончив, таким образом, с закусками, Нил вновь, теперь уже намного смелее приблизился к чудо-авто-

мату, выбрал квадратик «Вино» и смело задал алфа-
витный поиск. Через минуту он обрел желаемое —
большой стакан славного мозельвейна «Die Nackte
Arsch»*. Выходит, вино с таким колоритным названием действительно существует.

Потягивая на ходу вино — белое, чуть сладенькое,
с приятной горчинкой, — Нил принялся расхаживать
по залу, разглядывая то, чего еще не успел разглядеть.
В частности, если пройти мимо питательных автоматов налево, то за застекленной дверью будет бильярд-
ный зал с двумя зелеными столами и одним светло-
коричневым, а если налево — музыкальный салон с
бархатными портьерами, глубокими, уютными кресла-
ми и небольшой сценой, на которой господствовал яр-
ко-красный концертный рояль. Нил без колебаний вошел в салон, поднялся на сцену, поставил стакан на
крышку рояля, уселся на круглый табурет, открыл
рояль — оказалось, «Стейнвей» — и для разминки
пробежал пальцами по клавишам. Великолепный глубокий звук, идеальная настройка.

— Мамаше бы такой, — шепотом сказал Нил и
еще раз прошелся по клавиатуре...

Когда Нил учился классе примерно в седьмом, фирма «Мелодия» вдруг шлепнула подряд три больших
пластинки замечательного русского шансонье Александра Вертинского, прежде если и не запрещенного,
то и не сильно разрешенного. Старшее поколение, слушая, вспоминало молодость, а молодое открывало для
себя, что, оказывается, можно и так. На какое-то время
мудрый старый Пьеро по популярности почти сравнял-
ся с «Поющими гитарами». Каждый дворовый бард,
наряду с бессмертными шлягерами «Сека, сека повяза-
ла» (слова народные, музыка народная) и «Я хочу вам
рассказать, как я любил когда-то» (музыка Леннона и
Маккартни, слова Марка Подберезского), норовил

---

* Голая задница (*нем.*).

включить в свой репертуар, как минимум, «Над розовым морем».

Всеобщее открытие не было открытием для юного Нила. Сколько он себя помнил — столько помнил и тяжелый пыльный магнитофон, который иногда выдвигали из угла и ставили на него громадные шершавые бобины. По знаку бабушки все благоговейно замирали, и из магнитофонного бока с шипением вырывались голоса чужой эпохи — Вертинский, Лещенко, Плевицкая, Иза Крамер, Варя Панина... Но в молодой среде привился один Вертинский. На переменке соберутся, бывало, все мальчишки из класса в рекреационном зале — за старым роялем маэстро Баренцев — и заголосят зычным хором «Матросы мне пели про остров...» Наладились было под нее строем ходить на военной подготовке, но военрук, товарищ Каратаев, наорал на них, еще и директрисе нажаловался.

Позднее, в студенческие годы, открыв для себя иные музыкальные ориентиры, Нил как-то в веселую минутку сочинил песенку а-ля Вертинский и очень пафосно, со всеми характерными для прославленного шансонье приемами, исполнял ее на разных капустниках и вечеринках. Народу нравилось...

Он взял несколько аккордов и запел:

На пустом Петропавловском пляже
Ветер волны терзал, как струну.
Вы прошли не заметив и даже
Не взглянули в мою сторону...

— Если бы я знала, что ты еще и поешь, то непременно взглянула бы, и не раз, — тихо проговорил кто-то.

Нил поднял взгляд и застыл в изумлении... Нет, это невозможно, никак невозможно... Хотя... Если здесь мог оказаться еще кто-то из того, нижнего мира, то именно она, только она...

— Что ж ты замолчал, Нилушка? Так пел хорошо. И как к лицу ей эта зеленая хламида...

— Просто неожиданно очень. Ты здесь...

— Добро пожаловать в Занаду! — с ослепительной улыбкой произнесла Таня Захаржевская.

— Занаду?

— Храм земных утех, построенный одним монгольским мечтателем и описанный мечтателем английским. Но поскольку оба были опиофагами... Ладно, ты играй...

> А луна так изысканно-нежно
> Отдавалась бегущей волне,
> Одиночество было безбрежным
> В безнадежной моей стороне...*

Нил вздрогнул. Необъяснимое ощущение переполняло его. Словно бы он одновременно находился в двух точках пространства-времени. Он же в кресле у раскрытого окна весенней ночью восемьдесят второго, он же рядом с нею, с Татьяной небесною, в Бог весть каком Занаду, в году неизвестно каком... Нет, не в двух точках, а в трех, потому что на двойную картину накладывалось невидимо, но явственно — его несут, держа за руки, за ноги, куда-то кладут, встряхивая, зачем-то расстегивают брюки... Октябрь семьдесят третьего... Нет, не так. Рано! Еще, еще!..

Он слегка надавил на веки, силясь вернуть себя в пласт видения... Но тамошние предметы налились прозрачностью и зыбкостью. Белая клавиша продавилась под его пальцем, будто мягкий пластилин. Вновь перед глазами предательски близко замаячил край белой больничной занавески...

— Побудь еще... — прошелестела она призрачным голосом.

— Я хочу, но не могу, оно само ускользает...

— Ты здесь! — твердо приказала Татьяна. — Возьми мою руку, ощути ее тепло, вдохни в себя пьянящий воздух Занаду и не думай, главное, не думай о том, что

---

* Текст В. Волковского.

осталось там, за порогом... Теперь выдохни и сразу затянись, вот...

Прозрачная сигарета, которую она поднесла к его губам, обрела относительную материальность лишь на третьей затяжке. Поверхность клавиши стала ровной и твердой.

— Ну вот, — с несказанным облегчением проговорил Нил, взял сигарету из ее белых пальцев и заглянул в ее золотистые, искрящиеся смехом глаза. — Спасибо. Я снова здесь. Что это за сигарета? Я помню этот запах, этот вкус. Совсем недавно.

— Верджил в столовке оставил, а я подобрала. — Она показала ему пачку с кабаньей головой. — Спой еще чего-нибудь, пожалуйста.

— Что? Свое или чужое?

— Свое, разумеется.

— Да у меня все такое... не очень соответствующее этому месту. Как бы опять назад не утянуло.

— Тогда давай мое. Посвящение нашему «Сладкому дому».

— Но я же не знаю...

Она усмехнулась и щелкнула пальцами.

— Уже знаешь. Здесь это просто. Начинай, а я подхвачу.

И действительно, даже не успев удивиться, он без малейших колебаний отыграл вступление в пламенном испанском стиле и начал:

> Снова под балконом с серенадой
> Я стою в своем плаще старинном,
> И свежей глотка амонтильядо
> Сень дубрав, где зреют апельсины.
> В ночь бежим, где трепетные звуки
> Изольются в пламенном фанданго,
> Где струятся пламенные звуки,
> А река струится соком манго.

Она чуть наклонила голову и подхватила — чисто, звонко, весело:

Перебор гитары шестиструнной
Растревожил душу девы юной.
Голос твой, Диего, меня манит вдаль,
Как в топленом сахаре миндаль...

В искрометном географически-гастрономическом дивертисменте они пробежались по странам и континентам, и каждому куплету вторили сильные, отчетливо кондитерские, вкусовые ощущения — французский шартрез, венский апфель-штрудель, вязкая греческая халва и рассыпчатый тульский пряник с терпкой отдушкой ядреного хлебного кваса.

Послышались дружные аплодисменты и одобрительные возгласы. Нил смутился — он даже не заметил, что во время их номера музыкальный салон наполнился народом. Люди, по большей части молодые и симпатичные, сидели в креслах, на диванах, прямо на полу, стояли у окон и возле самого рояля.

— Забойно, браток! — выразил общее мнение высокий стройный негр в красно-желто-зеленом балахоне и с немыслимо сложной системой косичек на голове. — Считай, вписался. Мы все тебя уже любим. — Он похлопал Нила по плечу. — Еще что-нибудь сбацаешь?

— Попозже. Устал немножко.

— Ладно. Тогда браток Соломон немного побренчит, о'кей?

Он уселся на освобожденный Нилом табурет и ловко, сноровисто заиграл небыструю, но очень ритмичную, на четыре четверти, мелодию. Ребята и девушки обступили рояль, принялись прихлопывать и пританцовывать в такт.

Не привлекая к себе внимания, Татьяна отошла от рояля, неспешно приблизилась к дверям в столовую. Нил тем же манером последовал за ней. Оказавшись в пустом, гулком зале, Нил взял ее руку, прижал к груди.

— Там, в нижнем мире...

— Он не нижний, — мягко поправила она, не отнимая руки. — Он просто обыкновенный.

— Хорошо. Там, в обыкновенном мире, рядом с тобой я смешон, жалок, недостоин твоей благосклонности...

Окружающие цвета резко поблекли, пол качнулся, и Нил поспешно заглотил остаток фразы.

Она молчала и с улыбкой смотрела на него.

— А здесь? Здесь и сейчас... Скажи мне, здесь ведь все иначе?

— Я и там никогда не считала тебя ни смешным, ни жалким... Но ты прав — здесь все иначе.

— Что же, выходит, я могу надеяться?..

— Возможно все. — Она пожала плечами.

— Тогда почему не сейчас?

Он наклонил к ней голову, ловя губами ее губы. Она чуть отвела лицо, подставив щеку.

— Сейчас — это где, милый? — услышал он ее шепот. — Здесь — это когда?..

Мир Занаду закружился и поплыл, истончаясь...

— Постой... — прохрипел он.

— Охотница твое согреет ложе... Она ждет, Антиной... Ступай...*

VI
(Ленинград, 1982)

Нил отпрянул от окна, тряся головой. Что это было, Господи, что это было? Капризное воскрешение дурманного видения более чем восьмилетней давности? Или лукавая подстановка, отыгранная расшалившимся подсознанием? Доводилось же и прежде видеть яркие сны, уноситься в мечтах... Но чтобы так далеко, так ярко, так вещественно?! Тотально! Органолептически истинно! Видел, слышал, вкушал и обонял. Еще

---

* Ах, какой пророческий глюк! *(Прим. Т. Захаржевской.)*

200

стоит во рту вкус Верджиловой сигареты... И все же — зов прошлого или сигнал из будущего?..

— Я молод, здоров и свободен, — шептал Нил Баренцев, вглядываясь в тусклое раннее утро. — Я молод, здоров и... Но буду свободен! Хочу быть свободным, черт побери!

Но память отпускать не спешила... Антиной... Анти-Ной, поленившийся построить ковчег и теперь утопающий в безбрежном океане памяти...

VII
(Ленинград, 1973)

Пробудившись, Нил долго-долго не мог сообразить, где находится. Он лежал, поджав ноги, на узкой короткой койке, накрытый тонким серым одеялом. Поверх одеяла лежала куртка, в которой он пришел... Куда? В общежитие студгородка, куда ж еще. Когда? Судя по тусклому свету, сочащемуся из невидимого отсюда окошка, вчера. Вчера... И где же он оказался теперь, куда забрел? «Ни черта не помню...» — подумал Нил и заставил себя приподняться.

Далось это с трудом. Ничего особенно не болело, но слабость была сверхъестественная. Слабость и холод, и нежелание что-либо делать. Накрыться бы чем-нибудь потеплее и лежать, лежать, ни о чем не думая...

Он окинул мутным взглядом комнату, пытаясь по каким-то внешним приметам определить, где он. Первыми бросилась в глаза книжная полка, а на ней — два стакана, до половины заполненные топленым воском, потом — красный коврик на противоположной стене, верхний край зеркальной рамы, стол, посередине которого красуется блюдо с дынными корками, кресло, развернутое теперь к окну... Выходит, никуда он не забредал, так и завалился в чужой комнате, отрубившись от какой-то дряни, закапанной в нос... Господи, что могла подумать о нём Линда? А Ринго? Мнение Джона его не особенно интересует...

Нил застонал и встал на ноги, попав левой в собственный расшнурованный ботинок. Второй ботинок лежал рядышком, уткнувшись высоким голенищем в мятую серую кучу брюк. Нил поспешно вытащил брюки — новенькие, модные клеши, тщательно отпаренные вчера, — озираясь, натянул их, дрожащими пальцами застегнул пуговицы... В общем, погуляли... Мать с бабушкой, наверное, с ума сходят, ведь не позвонил даже. Теперь предстоит объяснение. И в университете... Блин, а ведь студенческий его на вахте и, если верить вчерашней сердитой тетке, уже сегодня будет передан в деканат для дальнейших разбирательств. Во влип!

Интересно, где все? В комнате ни звука, ни шевеления, никто на его пробуждение не прореагировал. Ушли на занятия, не разбудив его? А который, кстати, час?

От обилия разом навалившихся вопросов тупо заболела голова, в левом виске противно задолбил невротический дятел. Нил застыл, зажмурив глаза, и внутренним зрением буквально увидел сизый туман, окутывающий мозги... Чашку горячего, крепкого чаю и покурить — остальное потом!

Нил заставил себя раскрыть глаза и окинуть помещение более осмысленным взглядом. Тихо и пусто, но на столе блюдце с длинными окурками, надорванная пачка «Шипки», в которой, возможно, осталось что-нибудь. И еще... И еще из-за кресла, повернутого спинкой к нему, поднимается дымная спиралька... Нил метнулся к креслу, шумно зацепив стул.

Линда, бледная как сама смерть, сидела в кресле и безучастно, остановившимися покрасневшими глазами смотрела на простирающийся за окном блеклый пустырь. На ее хрупкие плечи был накинут серый халат, в опущенной на подлокотник руке тлела сигарета.

— Линда... — проговорил он голосом, дрожащим от слабости, стыда и облегчения. — Мощно я вчера вырубился, да?

Она молчала, не сводя глаз с окна.

— Слушай, я тут вчера на вахте студенческий оставил...

— Там...

Не поворачивая головы, она показала рукой назад.

На краешке стола лежал его студенческий билет. Нил схватил его, поспешно затолкал в карман.

— Вот спасибо! Ты не представляешь...

— Не за что.

Ее еле слышный голос звучал безжизненно, картонно, и это насторожило:

— Что было, скажи мне, что было?! Я ничего не помню. Я что-нибудь натворил?

Она молчала. Нил приблизился к креслу, опустился на колени, положил голову на ее безвольно лежащую руку.

— Ну, скажи же мне...

— Скажи?

Глаза ее блеснули, рука ожила, приподнялась, одновременно поднимая его подбородок. Он заглянул в ее глаза, ожидая ответа, но она опустила голову, прижалась лбом к его лбу, что-то горячее и влажное обожгло его щеку. Он поднял руку, робко положил на ее хрупкое плечо.

— Ну, что ты, что ты, Линда, не надо...

Она сняла его руку с плеча, приподняла голову, отвернулась. Нил поднялся с колен, обошел кресло, взял ее за подбородок и заглянул в глаза.

— Что было? — требовательно спросил он. — Говори! Я буйствовал, избил кого-нибудь, оскорбил, в непотребном виде попался на глаза начальству?

— Нет... Уйди, прошу тебя...

Он вспыхнул, больно сжал ее плечи.

— Я не уйду, пока не скажешь, что было!

Линда уткнулась лицом в его живот.

— Нилка, Нилка, что мы натворили... Я понимаю, я старомодная, смешная, но я не могу... не могу... Ты не виноват... ты не обязан... я сама... — сбивчиво лепетала она.

— Да что же такое? — Опешивший Нил опустил руки. — Объясни же, наконец!

— Помнишь, тогда, на озере, когда ты хотел... А я сказала... А этой ночью... Но ты не виноват... Ты не бойся, я переживу...

Нил почувствовал, как жарко стало лицу. Он понял. Но отказывался поверить.

— Ты хочешь сказать, что ночью мы с тобой...

Она кивнула, ненароком боднув его в живот.

Нил с новой силой стиснул ее плечи.

— Линда, — тихо сказал он. — Я с тобой. Навсегда...

В этот день в университет они не пошли. Нахально смотались в кино, а «обедали» в кафе-мороженом, взяв на двоих полкило ассорти и литровый сифон газировки. Вечером он лихо играл на дискотеке в соседнем корпусе, а ночевал опять в комнате Линды. На этот раз обошлось без подкурки и капель в нос*.

---

* Казалось бы — семнадцатилетняя девчонка до головокружения влюблена в семнадцатилетнего парня. Появляется другая — старше, явно опытнее в сексуальном плане, явно имеющая на него самые серьезные виды... Я прекрасно понимала, что стоит лишь пошевелить мизинчиком — и соперница будет повержена, и не перед ней, а передо мной опустится на колени мой желанный... Я столкнулась с чем-то, что властвовало надо мной, чем-то сильнее меня. Это было ново и очень неприятно... Вы скажете — голос естества. Глупости! Тут было, если угодно, сверхъестество! Только в нем, в этом смазливом юном неврастенике, мне приоткрылась сила, родственная моей, во всяком случае, равновеликая. Приоткрылась — и чуть не придавила!.. Что же говорить о нем? Он не ощущал своего избранничества. Меня поставили на его пути вовсе не для немедленного слияния в экстазе — последствия были бы катастрофическими! — а для того только, чтобы при моем посредничестве он открыл свое предназначение... Ночь напролет я обдумывала свою миссию, и к рассвету сложился план. Тут очень кстати подвернулся Ринго... Думаете, этот жук так просто закорешился с каким-то там сопливым школяром? И в тот же день этот школяр крадет

VIII
(Ленинград, 1973)

— А вот, попробуйте, роза с грецким орехом, нам из Молдавии прислали... Простите, милочка, запамятовала ваше имя.

— Линда Маккартни, — без тени смущения заявила Линда.

— Вот как? — с непонятной интонацией проговорила бабушка, а мама удивленно выгнула выщипанную бровь.

— Вы из Прибалтики?

— Из Даугавпилса, — подтвердила Линда.

— Надо же, а Нил говорил, что вы с Кольского полуострова.

— В Мончегорск мы переехали два года назад. Отцу предложили руководящую работу...

— А-а, так вы из руководящей семьи? — В бабушкином тоне отчетливо просквозило ехидство.

— В известной мере...

— Ты ж говорила, что росла без отца... — растерянно шепнул Нил на ухо Линде.

— Он вернулся к маме, когда мне было двенадцать, — сердито прошептала в ответ Линда и тут же спросила громко: — Ольга Владимировна, вы не возражаете, если я закурю?

книги из семейной библиотеки, чтобы обзавестись фирменной трубкой... Расширение сознания через ломку этических стереотипов. Обязательный этап любой инициации... А потом пришла очередь Линды. Со своей ангиной она могла запросто отмазаться от любого колхоза — но пришлось ехать в дурацкий отряд. Отрабатывать должок, о котором чуть позже... Конечно, я не рассчитывала, что эта дура влюбится всерьез. Возвратившись из колхоза, она первым делом прибежала ко мне плакаться и каяться. Я спокойно выслушала, даже обещала посодействовать. И посодействовала. Без ложной скромности замечу — режиссура всей сцены в общежитии была гениальна! (*Прим. Т. Захаржевской.*)

— Будьте любезны...

Линда демонстративно затянулась «Мальборо». Мать смотрела не нее рассеянно и благодушно, бабушка — лукаво. Нил молчал, угрюмо прихлебывая чай. Светская беседа, которую Линда вела с его домашними, ему активно не нравилась. Матери-то по большому счету все равно, что там очередная подружка сына заливает. Даже когда узнает, что это не просто подружка, отреагирует точно так же — благосклонной и рассеянно-царственной улыбкой. И доброта, материнская любовь здесь не при чем: никто, кроме себя самой, ее, великую диву-примадонну, не интересует нисколько. Нил давно это понял и давно смирился. Иное дело бабушка. Она никогда не откровенничала с внуком, он с ней — тем более, но Нил готов был поклясться, что она знает все об особых отношениях, связывающих его с Линдой, о заявлении, которое они неделю назад подали в загс и которое у них не приняли, посоветовав прийти в декабре — с тем, чтобы можно было назначить дату регистрации на конец апреля, когда Нилу исполнится восемнадцать и отпадет надобность в разных дополнительных бумажках, включая и письменное согласие родителей. (Кстати, только при подаче заявления он узнал, что Линде уже исполнилось двадцать.) Сейчас он чувствовал, что бабушка придирчиво и без особого доброжелательства изучает будущую невестку, подмечая каждый промах в поведении, каждую нестыковку в речах. Линда заваливала этот экзамен катастрофически. Этот ненужный эпатаж — кличка вместо имени, сигарета, — это вранье про Прибалтику, про отца-начальника...

— Латышских, стало быть, кровей, — продолжала между тем бабушка, словно разговаривая сама с собой. — А я было подумала, что из турок...

— Почему из турок, бабушка?

Нил встрепенулся, почувствовал, что бабушка готовит какую-то каверзу, попытался предупредить.

— А как же? Был у нас один, до революции еще... Знаменит был на всю губернию, толстый, усатый, будто таракан. Мехмет Маккартни звали. Возле пристани дом свиданий держал. Думала, может, предок ваш, дед или прадед...

Линда, опустив взгляд, покачала головой. Подписываться на такого предка ей явно не хотелось.

— Ах, ну конечно, совсем у меня память дырявая стала. Тот-то Маккартни в революцию всем семейством за границу бежал, говорят, в Англию. Внучок у него потом там музыкантом известным стал. Поль Маккартни, не слыхали такого?.. Да вы ешьте, Линдочка, ешьте...

Осень, как ей и свойственно, была сырая и холодная. Природа не манила и не звала, дома у Нила, где безвылазно сидела бабушка, возможности общения были существенно ограничены, поэтому после занятий Нил с Линдой едва ли не каждый день забивались на набережной в троллейбус, из него ныряли в метро и через каких-нибудь полчаса весело отряхивали мокрые куртки у дверей ее комнаты. Наспех перекусывали, чем Бог послал, а потом... Не всегда понятливой Йоко, если та составляла им компанию, Линда шептала пару слов на ухо, и та, демонстративно собрав учебники и конспекты, удалялась в рабочую комнату, прихватив с собой в качестве компенсации пачку Линдиных фирменных сигарет. Они оставались вдвоем.

Она сводила Нила с ума движениями бедер и талии, тончайшим кружевным бельем, заостренными коричневыми сосками — и головокружительной изобретательностью в любовных играх. Некоторые ее идеи поначалу несколько коробили Нила, но он старался не подавать виду. Закрывал глаза и представлял себе, что водит языком совсем не там... а, скажем, нализывает ее изящное, маленькое ушко. Да и, в конце концов, это элементарная справедливость — она-то у него берет... С третьего раза подавлял в себе уже не брезгливость, а смех: все представлял себе, до чего нелепо это должно выглядеть со стороны, и в голову сами собой лезли обрывочные цитаты из народного фольклора. Лучше выпить водки литр... Почему из горжетки лезет мех...

— Кто обучил тебя этим непотребствам, о развратница?! Берегись, ибо твой повелитель узнает все, и тогда — трижды талак и острый меч палача! — закатив глаза вещал он, отдышавшись после очередной экзотики.

Она смеялась в ответ, зная тщету его угроз — ведь после той памятной ночи они вместе застирывали зримые свидетельства ее непорочности.

Но скоро им пришлось перестраивать график. В комнату вселилась третья девушка, считавшаяся доселе «мертвой душой». У коренастой, золотозубой Люды возникли какие-то нелады с родственниками, у которых она проживала, и пришлось переселяться по месту прописки. Линда и Нил, не сговариваясь, определили в ней типичную активистку-провинциалку, осведомительницу деканата, в лучшем случае, потенциальную. Это не своя в доску Йоко, такую не попросишь посидеть в рабочей комнате, пока жених с невестой будут любить друг друга.

Дней десять Нил приходил утром, когда все уходили на занятия. Но это тоже был не вариант — время наступало горячее, до первой в жизни сессии оставался месяц, и совсем уж беспардонно манкировать учебой не следовало. А между тем интимные игры вошли в привычку, и день, прожитый без них, казался Нилу днем, прожитым напрасно. Линда тоже была неспокойна.

— У Ринго земляк до весны уехал, — как-то сказала она. — Комната свободна, и мы могли бы снять ее. Тридцать пять рублей в месяц.

— Нет проблем, у меня кое-что отложено.

— Пусть лежит, где отложено, скоро нам каждая копеечка пригодится, — рассудила Линда. — Первый месяц Ринго сам проплатит, он мой должник, а потом что-нибудь придумаем...

Комната находилась на пятом этаже внушительного дома на Четвертой Советской. Ее вид и убранство оставляли двойственное впечатление бьющей в глаза смесью монументального и векового с зыбким, преходящим, транзитным. Четырехметровые потолки с добротной лепниной, широченное полукруглое окно, стены толщиной в метр без малого, старинный квадратный паркет, вместительные встроенные шкафы и стеллажи, явно сохранившиеся здесь с досоветских времен, кровать и стулья тоже из эпохи, не знавшей стружечной плитки и фанеровки. Но при этом стены оклеены газетами месячной давности, с потолка на голом витом шнуре свисает одинокая лампочка под газетным же импровизированным абажуром, на громадном подоконнике — безнадежно увядшая гвоздика в майонезной банке.

— Обуютим! — хором заверили Нила Линда и Ринго, который, оказывается, снимал в этой квартире вторую комнату.

Третья и вовсе стояла на запоре, хозяева что-то хранили в ней, сами же наведывались редко. Нил их ни разу не видел, так что квартиру можно было смело считать своей.

Уют наводили быстро, весело и малой кровью — сгребли и вынесли мусор, украсили застекленную полку шкафа красивым сервизом, позаимствованным у хозяев, развесили на стене два вымпела каких-то заграничных университетов и большой плакат с Полем Маккартни, на стол за неимением скатерти постелили отстиранную темно-зеленую портьеру. За какие-то полчаса комната преобразилась, и едва за улыбающимся Ринго закрылась дверь, Нил с рычанием повалил Линду на кровать, застеленную теперь новеньким клетчатым пледом...

Теперь он появлялся дома только на час-полтора, забегал после занятий или репетиции, торопливо выхлебывал бабушкин суп, чмокал ее в морщинистую щеку и убегал, ловя спиной ее нерадостный взгляд. Она ничем не попрекала внука, но и без слов ему было понятно, что она не одобряет ни новой подружки Нила, ни его занятий рок-музыкой. Он и сам понимал, что слишком мало времени уделяет учебе, что совсем забросил спорт и серьезную музыку, но это все никуда не денется, а сейчас он живет совсем другими интересами. Все вечера, свободные от «Ниеншанца» — а он прилагал немалые усилия, чтобы таких вечеров было как можно больше, — Нил в эту зиму проводил у Линды и Ринго. Примерно раз в неделю он налаживался оставаться там на ночь и перед такими ночами всякий раз звонил домой и врал, что задерживается на репетиции или у друзей.

— Что ж, ты уже взрослый, поступай, как считаешь нужным, — отвечала обычно бабушка.

Нил не сомневался, что она прекрасно знает, у кого он проведет эту ночь.

А с Линдой было хорошо, и не только в постели. Ему нравилось быть с ней рядом, разговаривать. Нравился сам строй ее мысли — конкретный, четкий, иногда парадоксальный в своей категоричности. Он постоянно ловил себя на том, что подхватывает ее интонации, ее словечки. Бессчетных ленинградских бабулек называет «жабульками», маленьких злобных собачонок — «закусками», одежду, особенно хорошую, фирменную — «прикидом». Ее оценки людей отличались однозначностью и нелицеприятностью. Для Линды мир, в принципе, делился на идиотов и сволочей, причем в каждой сволочи она находила изрядную долю идиотизма, а в каждом идиоте — сволочизма. Исключения делались для немногих, и Нилу было тепло и уютно оттого, что в этом избранном кругу нашлось место и для него. И еще Нил не слышал от нее ни одного худого слова в адрес его домашних, хотя и мать, и бабушка принимали ее, мягко говоря, без восторга. И он был благодарен ей за такую деликатность.

У него на Моховой она показывалась нечасто и исключительно по его инициативе. Обычно они забегали после университета, перекусывали на кухне и скоренько уединялись «позаниматься» — подальше от бабушкиных неласковых глаз. Благо, было куда — после смерти бабуленьки бабушкин рояль благополучно перекочевал обратно в ее комнату, туда же переместились и ученики, так что теперь бывшая гостиная оказалась целиком в распоряжении Нила. Их с Линдой занятия сводились, преимущественно к курению, слушанию музыки, невинным ласкам: присутствие бабушки за стенкой отбивало охоту к ласкам более капитальным, тем более что всего в четырех остановках отсюда было их укромное гнездышко, где можно предаваться *всему* без каких-либо неудобств. Нил с гордостью демонстрировал Линде свою коллекцию пластинок, которые мать во время зарубежных поездок неизменно приобретала для него. Некоторые пластинки, изрядно заезженные и не особенно для него ценные, они слушали прямо на его старенькой «Ригонде», другими же они только любовались, а музыку с них слушали в магнитофонной записи на приставке «Нота».

— Маг — это не то, — заявила Линда во время очередного визита. — Надо бы тебе аппаратуру поприличней завести, чтобы пласты не пилила и давала полный «хай-фай».

— Надо, — согласился Нил. — Да где ж ее взять?

— Где взять, где взять — купить! — шутливо проворчала Линда и проворно соскочила с его колен. — Славке, это приятель Ринго, он в комиссе на Апрашке работает, вчера сдали новенькую «филипсовскую» плату с усилителем. Электромагнитная головка, две щетки для снятия статика. Всего пятьсот пятьдесят. Славка, конечно, придержит, но недолго, дня два. А хорошие колонки можно потом за сотню прикупить.

— Но у меня нет таких денег, — растерянно сказал Нил. — На книжке четыре сотни, стипендию только со второго семестра дать обещают, а у тебя я все равно не возьму.

— А я тебе и не предлагаю. У умных людей не должно быть финансовых проблем... Слушай, ты мне доверяешь?

— Конечно.

Нил даже покраснел от мысли, что она могла усомниться в его полном доверии.

— Тогда так.

Она решительно подошла к полке с пластинками, принялась снимать их и раскладывать на две кучки на столе.

— Ты что делаешь? — озадаченно спросил Нил.

— Помолчи! — неожиданно резко отозвалась Линда. — Я же говорю, все классно будет. Через два дня получишь свои диски и кое-что в придачу. Мешочек есть?

Нил принес с кухни плотный полиэтиленовый пакет и с тоской глядел, как она запихивает в него самые лучшие его пластинки. «Битлз», Сантану, «Роллинг Стоунз», Эмерсона, Эрика Бёрдена...

Он молча проводил ее до дома на Четвертой Советской, у дверей молча достал из спортивной сумки драгоценный пакет и вручил ей, молча кивнул и отвернулся. Подниматься к ней он не стал, ушел, не попрощавшись, и всю ночь ворочался без сна, предаваясь тяжелым, нехорошим мыслям. На другой день он искал ее на факультете, но она не появилась. И через день тоже...

Он пришел домой чернее тучи и, не разуваясь, бухнулся на диван. Потом встал, остервенело зарылся в жалкие остатки своей коллекции, извлек почему-то забракованный Линдой «Soft Parade», самый мрачный альбом группы «Дорз», и без того не отличающейся веселостью, небрежно вытащил, хватаясь пальцами прямо за черную блестящую поверхность диска, с маху водрузил на «Ригонду» и, не глядя, припечатал пластинку гнилым советским тонармом с видавшей виды корундовой иглой. В динамике раздался омерзительный скрежет. Не один уважающий себя меломан не поступает так даже с дубовыми дисками фирмы «Мелодия», но Нилу было плевать. Все равно коллекции конец. По Линдиной классификации он, разумеется, идиот, окончательный и бесповоротный. Да и по любой другой тоже... То есть, он, конечно же, любит Линду, без колебаний отдаст за нее жизнь... Но пластинки... Инфернальный смех Джима Моррисона стучал в голове издевательским эхом...

Прохладная рука легла ему на лоб, и звонкий веселый голос ехидно осведомился:

— Лежишь?

Он встрепенулся, протер глаза, не вполне им веря.

— Поднимайся быстренько! — скомандовала Линда. — Поехали!

— Куда?

— Хорошенький вопрос! Сначала в твою сберкассу, потом на Апрашку. Славка ждать не будет.

— То есть, ты?..

Она победно вытянула вперед обе руки. В одной он увидел пакет со своими пластинками, в другой — несколько крупных купюр.

— Наше государство — полные идиоты! — убежденно заявила Линда, поставив на стол пустую рюмку. — Платят пенсии всяким ископаемым, рептилиям, которые не живут уже, а только небо коптят. Вот я бы давала пенсию как раз молодым, нам же еще жить охота, того охота, сего охота... Но от них, козлов, дождешься, как же, они дадут!

— Потом догонят и еще дадут! — подхватила Катя, подружка Ринго, крупная немногословная брюнетка, и заржала своим неподражаемым «ослиным» смехом, от которого Нила в очередной раз передернуло.

— Но если платить пенсию молодым, на стариков не останется, — попробовал возразить он.

— Ну и пусть, кому оно нужно, это старичье?! — хмыкнула Линда.

— Сама ведь когда-нибудь состаришься.

— Во-первых, это будет еще не скоро, если вообще будет, а во-вторых, я уж как-нибудь сумею подкопить на безбедную старость — и твою, кстати, тоже.

— Мерси. Однако не все же такие умные.

— Неумных пусть дети содержат, в наказание. А государство, чем пенсии платить, лучше бы открыло в каждом городе центры эвтаназии.

— Какие центры? — не понял Нил.

— Эвтаназии. Безболезненного умерщвления. Ну, как больных и старых животных усыпляют.

— Током, что ли?

— Не обязательно. Лучше химию какую-нибудь. Наркотик с ядом. Глотнет старичок — и отчалит под ласковым кайфом, тихий и счастливый. А если перед этим еще организовать бедолагам недельку-другую райской жизни, уверяю тебя, отбоя бы от желающих не было.

— Ага, а жилплощадь и сбережения отдать молодым, — мечтательно проговорила Катя.

Нил рассмеялся, похоже, он принял эти слова за шутку.

— А вы, тетки, не только жестокие садистки, но и халявщицы бессовестные!

— Зато нежные и обаятельные! — улыбнулась в ответ Катя.

Они сидели в Линдиной комнате, обмывая удачную покупку. Сам агрегат, опробованный и всецело одобренный, стоял в углу — Нил не решился привезти его домой, а то пришлось бы объяснять бабушке, на какие шиши куплено. Ринго с девушками угощались армянским коньяком и сухим винишком, для Нила были закуплены роскошные фрукты: персики, прозрачные сочные груши, грозди крупного янтарного винограда.

— А что делать? — Линда развела руки. — Если уж государству плевать на наши потребности, приходится самим заниматься их удовлетворением. И главное, многого-то не надо. Зима вот надвигается... Мне Славка сапожки австрийские отложил — закачаешься! А на «Горьковской» шубка висит как раз под эти сапожки. — Она посмотрела на Нила, Нил тоже посмотрел на нее, но ничего не сказал. — Ладно, лично я хочу кофе. Кать, пойдем заварим...

Девушки вышли, а Нил потянулся за очередным персиком.

— Ты извини, старик, только не очень красиво получается, — неожиданно сказал доселе молчавший Ринго. Нил удивленно и обиженно поднял брови. — Девочка помогла тебе, теперь ты ей помоги.

— Да я бы с радостью, только что я могу? У меня денег вообще не осталось.

— У тебя пластинки остались.

— Ну, остались...

— Так ссуди ей опять на пару дней, повторим операцию — и всего делов.

— Конечно. Только, слушай, я ведь так и не понял, как это она...

— А тебе ничего понимать не надо. Ты дай, а мы вернем с процентом.

— Может, все-таки объяснишь?

— Объяснять ничего не буду. Если хочешь, можешь все сам увидеть.

IX
(Ленинград, 1973)

— Ну, выбрали что-нибудь? — нелюбезно спросила продавщица сувенирного отдела.

Ее раздражение было нетрудно понять: посетители Гостиного двора проходило мимо этого хилого отдельчика, немногие останавливались на несколько секунд и, окинув беглым взглядом выставленный товар — топорных мишек с перекошенными физиономиями, горбатые шкатулки, вырубленные из полена в артели безруких инвалидов, красные флажки с бахромой и великое множество изображений одного и того же плешивого, раскосого гражданина с жиденькой бородкой, исполненных на бумаге, ткани, металле, пластмассе и стекле, — отворачивались и шли дальше. Иногда безмятежный покой продавщицы нарушали растрепанные, запыхавшиеся тетки с длинными списками в руках. Сверяясь со списками, тетки брали сразу по несколько десятков вымпелов, жестяных значков, медалек, а иногда и мишек со шкатулками, тщательно отсчитывали мятые купюры и непременно требовали товарные чеки. Это было продавщице близко и понятно: профсоюзные активистки, готовятся к какому-нибудь торжественному мероприятию или же спешно расходуют подотчетные средства в последние дни отчетного периода. Люди при деле, да и покупатели основательные. Эта же парочка юных оболтусов крутится возле прилавка уже минут десять, глазеет непонятно на что, покупать явно ничего не собирается, только держит несчастную женщину в напряжении...

Парень мотнул головой, положил на место бронзовую медаль с изображением ракеты и словами «Ленин жив вечно!» и начал отходить. Но девка, оказавшаяся намного наглее, удержала спутника и заявила продавщице:

— Еще нет. Покажите вон ту ложку.

Продавщица в сердцах хлопнула о прилавок длинную деревянную ложку с облупившейся краской, а парень неожиданно схватил девку за рукав и, показывая за окно, взволнованно зашептал:

— Ой, Линда, смотри, это же Стефанюк!

— Тиш-ше, — зашипела она и оттащила его в сторонку. — Стой так! — тихо сказала она, встав между Нилом и застекленным выходом на галерею. — Обними меня и смотри поверх моей головы. Ты будешь его видеть, а он тебя нет... Ну, что там?

— Стоит, мается. В ногах сумка... Какой-то типчик рядом крутится. Так, подошел. Стефанюк достает диски... Слушай, это ж не мои диски!

— Естественно, не твои. Что я, по-твоему, полная дура?

— Но я думал... Ой, смотри, никак Катя?!

— Правильно. Явление второе. Все идет по плану. Рассказывай, что она?

— Подходит к Стефанюку, осматривается. В руках пакет. Что-то говорит, он кивает. Она раскрывает пакет... Ага, вот и мои пластинки!

— Дальше!

— Стефанюк рассматривает... Трясет их, гад, нюхает даже. Слушай, зачем он их нюхает?

— Потом расскажу. Что сейчас?

— Два отложил, взял третий. Что-то спрашивает, она, похоже, не соглашается.

— Торгуются. Все верно. Теперь?

— Кладет в сумку. Деньги достал, пересчитывает. Озирается... Ох, атас!

— Что такое?

— Дружинники. Или менты переодетые. Здоровые, гады. Хватают его, руки выворачивают. В сумку лезут! Господи!..

— Спокойней, Баренцев!

— Но они же... Это же мое!..

— Да успокойся ты, дурила! Сколько прихватчиков?

— Д-двое... Один — совсем шкаф. Второй тоже не слабый!

— Этот второй — он в серой кепке с завязками на макушке?

— Да. Лица не вижу, спиной стоит... А что?

— А то, что все хорошо! Идем отсюда.

— Как это — идем?

Дмитрий Вересов

— Ногами. Потом на троллейбусе.
— И куда?
— К нам, естественно. Бабки подбивать. Если точнее — делить... Ну, что дрожишь, маленький мой?
Она поцеловала Нила в щеку и потащила к лестнице.

Дверь им открыл Ринго, чем, похоже, очень удивил Линду.
— Ты уже здесь?! Как успел?
— Элементарно. «Волга», она побыстрей троллейбуса будет. И на остановке загорать не требуется.
Теперь черед удивляться настал Нилу.
— Так и ты там был?
— А как же! Кто, по-твоему, задерживал злостных спекулянтов импортными товарами?
— Но один-то мент был здоровый, как слон, а второй — в кепке и вроде без усов.
Ринго самодовольно усмехнулся и потянул за черный висячий ус. Усы отклеились.
— Сбрил! — ахнул Нил.
— Искусство требует жертв. А уж если искусство еще и навар дает...
Нил кивнул, а Линда сразу посерьезнела и спросила:
— Сколько взяли?
— Триста наличными и кое-что натурой, — столь же серьезно ответил Ринго.
Деловитая обыденность этого диалога подействовала на Нила, как ушат ледяной воды. Истерическая эйфория, в которой он пребывал в течение всего дня, моментально улеглась, и ему вдруг открылась неприглядная реальность сегодняшнего приключения. Мошенничество! Он стал соучастником мошенничества! Они обманом отняли у Стефанюка деньги и вещи, а теперь пришли делить награбленное.
«Но ты здесь не при чем. Ты же ничего не делал... А вдруг он тебя узнал? Или Линду?.. Но какова Линда! Во что меня втянула!»

218

Нестройный хор внутренних голосов заглушил один — взрослый, холодный, словно бы чужой: «Хорош прикидываться! Последний кретин бы понял, что эти денежки не с неба свалились. И ты прекрасно это понял, только не захотел в этом признаться. А теперь, когда деньги достанутся не тебе, ни с того ни с сего и ум пробудился, и совесть заработала. Большая ты скотина, Баренцев...»

— Эй, да что с тобой? — Линда подергала его за рукав. — Очнись, спящий красавец!

Он дал увести себя в комнату. На тахте лежала Катя и листала иллюстрированный модный журнал, а за столом, держа в руке литровую пивную кружку, восседал монументальный парень с открытым, несколько грубоватым лицом, будто срисованным с плаката «Если тебе комсомолец имя...». Нил даже не удивился, узнав в нем сегодняшнего напарника Ринго.

— Что ж, господа, все в сборе, прошу к столу, — провозгласил Ринго и обратился к сидящему за столом гиганту: — Леша, знакомься, это Нил, хозяин дисков.

— Образцов, — пробасил плакатный комсомолец и придвинул к Нилу полиэтиленовый пакет с пластинками. — Получите.

— Убедительно у вас получилось сегодня, — робко заметил Нил.

— Леша профессионал, социальный герой из областного драмтеатра, — пояснила Линда, а на выразительном лице Ринго появилась скептическая гримаса. — Ценнейший кадр... Но пластинки на всякий случай проверь.

Леша хмыкнул.

— Не доверяешь?.. И правильно делаешь. — Он достал из стоящей на полу черной сумки еще один яркий плоский квадрат и метнул его поверх пакета. — Очинно я Фрэнка Заппу люблю, дорогой товарищ. Презентовали бы.

— Не вздумай, — строго сказала Линда. — А тебе, Образцов, стыдно. Своих не динамят. А Нил — свой в доску. Между прочим, мы с ним весной расписываемся.

— Поздравляю! — Социальный герой обаятельно улыбнулся, нисколько, похоже, не смущенный тем, что его только что поймали на мелком крысятничестве. — За это надо выпить.

— Сначала с делами закончим. — Ринго достал из кармана мятую стопку купюр и занялся подсчетом. — Значит, тебе полтинник обломился, держи... Нам с Катюшей — стольник на двоих, остальное, как договорились, Линде... Нил, тебе, дружок, не обессудь, в прошлый раз перепало.

— Да я и не претендую...

— А что натурой взяли? — осведомилась Линда, пересчитав свою долю.

Ринго кивнул Образцову, и тот водрузил черную сумку на стол.

— Боевой трофей, — сказал Ринго и похлопал сумку по кожаному боку.

— Премия! — радостно добавил Образцов.

— Которой тебе-то как раз и не полагается.

— Это еще почему?

Гигант набычился и грозно нахмурил брови. Он был здесь самый старший по возрасту и, вероятнее всего, самый сильный физически, но Нил с полной определенностью почувствовал, что никакой разборки не будет, а будет так, как скажет Ринго. И только так.

— А потому, что ты своими творческими находками чуть не запорол операцию. Ну, сунул ты этому мараме под нос красную книжечку, — Ринго постучал пальцем по лежащему на столе удостоверению с золотым гербом СССР, под которым Нил разглядел маленькие буквы «ДСО „Спартак"». — Но зачем при этом было вопить ему в ухо «КГБ!»? Зачем было меня называть «товарищ майор»? Тебе что, ставили задачу довести клиента до инфаркта? А черную «Волгу» зачем пригнал? «Москвича» достать не мог?

— Ну, для солидности... — пробубнил Образцов.

— Нам твоя солидность едва боком не вышла. КГБ, майоры, начальственная тачка. Еще бы пистолетом махать начал. Ты не в Голливуде, придурок! Катеньке, умнице, спасибо скажи, что смекнула бучу поднять, когда мы ее в машину запихивали, нас как бы отвлекла и успела крикнуть ему, чтобы сматывался по-быстрому. Если бы не она, куда бы нам его девать было? В Большой дом сдавать?

Образцов угрюмо молчал. Ринго распахнул сумку и принялся доставать оттуда пакеты и свертки.

— О, водолазочка «Made in Finland». Катюша, примерь, это тебе приз... Блок «Мальборо» — ну, это на команду.

Ринго распаковал красно-белый блок и выдал Линде, Нилу и Кате по две пачки, а оставшиеся четыре спрятал обратно в сумку. Образцов выразительно посмотрел на него, Ринго ответил не менее выразительным взглядом, но одну пачку все же вытащил и швырнул артисту. Тот ловко поймал сигареты, тут же распечатал пачку и с довольным видом закурил.

— Чуингама никто не желает? Американский... А вот и музычка. Нил, по твоей части. Разберись.

Нил придвинул к себе пачку пластинок и принялся придирчиво их изучать. Конверты были изрядно потрепаны, но сами виниловые диски блестели как новенькие и выскальзывали из рук, оставляя на пальцах маслянистый след. Нил принюхался, точь-в-точь как Стефанюк два часа назад, и ощутил еле заметный запах постного масла.

— Леченые? — понимающе усмехнулся Ринго, взглянув на него.

— Полный идиотизм! — не выдержал Нил. — Их же теперь вообще нельзя слушать.

— Зато приобрели товарный вид, — заметил Ринго и сгреб пластинки обратно в сумку. — Вроде все, деловая часть закончена. Не послать ли нам гонца за бутылочкой...

— Винца! — радостно закончил Образцов и посмотрел на Нила. — Идет самый младший.

— Хрен тебе! — заявил Ринго. — Нил не участвует, ему пить нельзя. Сам сбегаешь.

Артист крякнул.

— Ладно, сгружайте по червончику.

Он собрал деньги и исчез в прихожей.

— Я тоже пойду, пожалуй, — сказал Нил. — Сессия скоро, готовится надо.

— Пластинки заберешь или оставишь? — спросил Ринго.

— А что, опять для дела нужны? — напряженно спросил Нил.

— Нет пока. — Ринго встал и с хрустом потянулся. — Такие схемы часто повторять не рекомендуется.

Пластинки Нил забрал.

X
(Ленинград, 1973—1974)

Сессия неумолимо надвигалась. Нил зарылся в учебники, норовил выступить на каждом семинаре, автоматически зарабатывая зачеты. К тому же Пушкарев подписал «Ниеншанц» на две большие предновогодние дискотеки — на заводе и в техникуме. Две недели Нил встречался с Линдой только на факультете. За всеми заботами невеста временно отошла на второй план. Но в один прекрасный день, морозный и солнечный, ему удалось спихнуть сразу три зачета, два из которых считались легендарно несдаваемыми с первого раза, и тут обнаружилось, что до Нового года осталось четыре совершенно свободных дня и еще несколько дней после — первый экзамен поставили только на восьмое января. И сразу захотелось оказаться рядом с Линдой. Пока голова его была занята науками, он даже не сознавал, насколько истосковался по ее гибкому, сильному телу, острому и недоброму язычку, по чуть жутковатой, и тем более манящей ауре недозволенности, риска, хождения по краю пропасти, которую излучало все ее существо.

Факультет он покинул в восьмом часу, а в четверть девятого уже звонил в дверь дома на Четвертой Советской, держа за ленточку шоколадный торт, купленный по дороге в «Севере». Ему долго не открывали, хотя в квартире определенно кто-то был — на лестничную площадку доносились отзвуки негромкой музыки и оживленных голосов. Он позвонил еще и еще раз, потом повернулся к двери спиной и принялся громко лягать ее тяжелыми зимними ботинками. Кончилось это тем, что он чуть не растянулся на полу прихожей, не уловив момент, когда дверь внезапно распахнулась. От падения его спасла Линда, продемонстрировав отменную реакцию, — успела отпрыгнуть назад и выставить руки, принявшие на себя Нила, который влетел спиной вперед. Так оба удержались на ногах, правда, прозрачная ленточка, которой был перевязан торт, не выдержала испытаний и порвалась. Коробка с тортом описала в воздухе пологую дугу, впечаталась в дальнюю стену и лопнула, оставив на обоях шоколадную кляксу.

— Что за шум, а драки нет?! — крикнул из комнаты Ринго грубый, нетрезвый и совершенно незнакомый голос.

— Ерунда, сосед торт уронил, — отозвалась Линда.

Последовал характерный Катин смех, скрип стула и голос Ринго:

— Да сиди, Жора, без тебя разберутся.

223

— Линда, какой сосед, что вообще?.. — начал Нил, выкарабкиваясь из ее объятий.

Она чмокнула его в ухо и прошептала:

— Тс-с, так надо. Сегодня побудешь соседом. К Ринго не суйся, сиди на кухне.

Линда отошла от Нила, нагнулась и стала подбирать остатки торта и запихивать их в коробку.

— Объясни все-таки, что все это значит, что за Жора такой...

— Раздевайся и иди на кухню! — приказала она.

— Но я пришел к тебе...

Она выпрямилась, положила руки ему на плечи, заглянула в глаза.

— Потерпи... Прошу тебя, ничему сегодня не удивляйся и не возмущайся. Скоро сам все поймешь. — Она стремительно поцеловала его в губы и вновь занялась тортом. — Ну вот, только помялся немного, и розочка одна расплющилась... Все, ступай...

Он пил крепкий чай, яростно ковырялся ложкой в раздавленном торте и дико злился на Линду. Хороша невеста! Сколько времени не виделись толком, и вот как она его встречает. Нет, надо с ней очень серьезно поговорить, как только... Как только уберется этот неведомо откуда взявшийся Жора.

Заскрипела дверь, и на кухню выгреб тип, настолько неприятный, что Нил сжал зубы. В незнакомце было мерзко все — узкий и короткий дегенеративный лобик, мелкие глазки, разделенные микроскопической переносицей, треугольный нос с вывороченными ноздрями, мощно выпирающие челюсти; бордовый костюмчик с эстрадными блестками, некрасиво облегающий низкорослую, кряжистую, отнюдь не эстрадную фигуру; достающие до колен ручищи; густой алкогольный выхлоп, мгновенно заполнивший кухню. Особенно же взбесили Нила модные аккуратненькие бачки, придававшие гостю вид настоящей гориллы.

— Ты с-сосед? — с присвистом осведомился незнакомец, демонстрируя золотые фиксы в кривогубом рту.

— Ну, — неприязненно отозвался Нил.

Гориллообразный бакенбардист опасливо огляделся и перешел на заговорщицкий шепот:

— Слышь, друган, выручай, а?

— А что надо-то?

Нил напружинился и убрал под стол руку, в которой держал ложку. Если его неприятный собеседник вдруг вздумает заниматься рукоприкладством, то пока на выручку не прибежит Ринго, придется держать оборону. А этот тип, хоть и пьян, но в драке вряд ли оставит Нилу хоть какие-то шансы, если только не подловить его на неожиданности. Ложкой в брюхо или в горло, ногой по яйцам и бежать...

— Азартный я, понимаешь... А уж как поддам... ва-аще того... ну, этого...

Цицерон, блин! Quod tandem, Catilina...*

— Жорик, ау, где вы! — послышался кокетливый Катин голосок, и тут же вступил Ринго:

— Жорж, в самом деле, карты стынут, водочка теплеет.

Жорик встрепенулся, полез в карман. Нил сжался в комок.

— Сховай, будь друг... До утра, а? — Он положил перед Нилом пухлый, замусоленный конверт. — А то ведь до грошика продуюсь... А? В долгу не останусь...

Нил посмотрел на конверт и тяжело вздохнул.

— Ох, дядя, не садился бы ты в карты, раз вовремя остановиться не можешь.

Жорик угрожающе поднял брови:

— Учить меня будешь?!

Нил отодвинул конверт, и Жорик мгновенно сменил интонацию:

---

* Доколе, Катилина (*лат.*).

— Слышь, ну, не сердись, а? Прими на хранение, а? Хочешь, на колени встану, а?

Нил нерешительно положил на конверт два пальца.

— Ляленька, ты не взглянешь, куда там Жорж запропастился? — произнес в комнате Ринго.

Они еще и Ляленьку какую-то притащили... Скрипнула дверь, и послышался голос Линды:

— Заодно чайник поставлю.

— Ладно, давай сюда, — решился Нил и прикрыл конверт номером «Литературной газеты».

Жорик мгновенно расслабился, обмяк и плавно завалился под стол.

Вошла Линда с чайником в руках.

— А, Сергей Петрович, добрый вечер! — сказала она, отчаянно семафоря Нилу лицом и свободной рукой. — Жора, что с вами, вам плохо?

— Од-дыхаю! — отозвался тот из-под стола.

— А не лучше ли на диванчике?

— От-ставить диванчик! Перекур закончить!

Жора поднялся на карачки, со второй попытки встал и преувеличенно твердой походкой направился в комнату. Линда набрала в чайник воды, поставила его на газ, присела Нилу на колени, обняла его и приложилась губами к его губам. От нее пахло сладким вином. На поцелуй Нил отреагировал вяло — просто не отвел губы, и все.

— Дуешься? — спросила она с таким простодушным видом, будто и впрямь не могла взять в толк, с чего бы это.

— Нет, счастлив! — прошипел он. — Без ума от того, что Ляленька, оставив Жорика, пришла лизаться с соседом Сергеем Петровичем!

— Дурачок, — ласково проворковала Линда, прикрыв ему рот пальчиками. — Имена у нас с тобой больно приметные, запоминающиеся, а чем меньше этот козел про нас запомнит, тем лучше...

— Так вот, значит, как? Бизнес?

— Дойка, малыш, дойка.

— Дойка пьяного козла?

— Что делать, зайчик. Если хочешь жить красиво... Хочешь?

— Хочу.

Она рассмеялась и поцеловала его. На этот раз он ответил.

— Ладно, пора. Дождешься меня?

— А как же! — Нил улыбнулся. — Иди с Богом, Козлодоева. Если что — я Серега!

Нил не стал говорить Линде про конверт, полученный от Жоры, подозревая, что она начнет убеждать его не возвращать конверта. Если не сумеет убедить, между ними произойдет серьезная размолвка, если же сумеет — он больше не сможет себя уважать. Как бы ни был противен ему этот Жора, доверие есть доверие.

Нилу очень хотелось заглянуть в конверт, но он был заклеен. Уже в комнате Линды Нил разобрал на обмахрившейся поверхности — должно быть, Жора долго таскал в кармане — карандашную надпись «Г. Манюнину». Или Манюхину. Конверт был набит какими-то бумажками, но на ощупь было не разобрать, деньги там или что-то другое. На всякий случай Нил решил убрать его в местечко поукромней и, подумав, засунул глубоко под «филипсовскую» деку. Потом поставил на нее раритетную пластинку с критскими песнями в обработке Брайана Джонса, завалился на диван с томиком пьес Сартра и под заунывные песнопения и занудных «Мух» незаметно заснул.

Первое, что он увидел, проснувшись, была Линда. Она стояла во всегдашнем своем траурном облачении перед распахнутой створкой шкафа и придирчиво изучала в зеркале свое личико.

— Да хороша, хороша, — с усмешкой сказал Нил.

— Гутен морген, либер цушауэр!*

_____

* Доброе утро, дорогие зрители! *(нем.)*

— От Шниперсон слышу!

Линда рассмеялась.

— Да это я к зачету по немецкому готовлюсь... Посмотри, не сильно я потрепанная?

— Сообразно возрасту и образу жизни. — Нил едва увернулся от полетевшей в его голову расчески. — Как вчерашний надой?

— Рекордный! Золотой человечек попался. — Она облизнулась. — Побольше бы таких Жориков.

— Еще спит или уже опохмеляется?

— Кто?

— Ну, Жорик, естественно. Золотой козел.

Она махнула рукой.

— Вот еще! Продулся, с горя употребил все наши припасы и в половине пятого отправился искать добавки.

— И до сих пор не вернулся?

Линда выразительно покрутила пальцем у виска.

— А нам это надо? Мы что, по-твоему, просто так его до утра в двойной дупель накачивали? Просто так на дорожку четвертной подарили? Ты бы видел его под конец — натуральный коматозник, не соображал, на какой планете находится, не говоря уж в каком доме.

— Но ведь он мог замерзнуть, в вытрезвитель попасть...

— В вытрезвителе уют, сапогом по морде бьют... — пропела Линда на мотив известной песенки. — Это не наши проблемы. Пойми, золотко мое, такие Жорики — продукт одноразовый... Ладно, я побежала, пожелай мне ни пуха, ни пера.

— Иди к черту!

Как только дверь за Линдой закрылась, Нил вскочил с дивана, вытащил из-под проигрывателя конверт и торопливо вскрыл его. В конверте оказалась туго завернутая в газету пачка бумажек. Газета называлась «Северный путь», а бумажки назывались чеками Внешпосылторга. Эти бумажки были Нилу неплохо знакомы — такими с матерью расплачивались за выступления за рубежом. Те же деньги, только намного лучше, потому что на них в специальном магазине можно было купить то, что на рубли не враз купишь. Хорошая импортная одежда и обувь, всякая домашняя техника. Да те же фирменные сигареты, которые обычный человек мог купить только с рук рубля за полтора и за которые Ринго с Линдой платили по десятке за блок, стоили в том магазине на набережной Макарова семнадцать копеек. А здесь... Нил торопливо пересчитал. Шестьсот семьдесят два рубля! Значит, если на всю эту сумму купить сигарет, а потом продать хотя бы по рублю... Дрожащими руками Нил вытащил из портфеля ручку и занялся подсчетами прямо на «Северном пути». Цифра получалась умопомрачительная — почти четыре тысячи рублей! Так, спокойно, спокойно, спокойно...

Во-первых, это еще не его деньги. Что бы там не говорила Линда о вчерашней (точнее, уже сегодняшней) невменяемости Жорика, нет и не может быть никакой гарантии, что тот не проспится и не припомнит, где именно он был и что именно делал. А припомнив, явится... Но даже если и не явится — разве не полагалось бы самому Нилу разыскать этого самого Г. Манюнина или Манюхина и отдать то, что было ему передано на сохранение?.. С другой стороны... Где ж его искать-то теперь? И вообще, кому надо кого искать? Кому это выгоднее? Вот пусть Манюнин и ищет, раз уж так фраернулся. Надо выждать. Найдет его Манюнин — получит назад свои сокровища, а не найдет — ну что ж...

Его терпения хватило ровно на три дня. Тридцать первого декабря, мотаясь по городу в поисках новогодних подарков и не найдя ничего достойного внимания, он зарулил в чековый магазин и после мучительных колебаний приобрел-таки блок любимого Линдой «Кента», а заодно уж серебряный кулон в форме льва для матери (та была по гороскопу львицей) и веселенький вязаный шарф для бабушки. Потом подумал и прикупил яшмовые серьги для Линды. Хотелось, конечно, чем-нибудь порадовать и себя — особенно приглянулись высокие замшевые ботинки с бахромой, — но тут уж Нил нашел в себе силы сказать «нет» и ограничился немецким комплектом струн для акустической гитары. В общем, наследство товарища Манюнина сократилось на сертификатный сороковник. Опять же сам виноват, козел!

Подарки родным он сложил под мохнатую синтетическую елочку. Натуральную елку в их доме не покупали уже года четыре, когда мать вдруг обнаружила, что ее Нилушка — уже не маленький мальчик, верящий в Деда Мороза и добрые чудеса, а крупногабаритный подросток, имеющий второй взрослый разряд по плаванию и носящий обувь сорок четвертого размера, и подростку этому всякие там елочки до фени. Держать такую позу было проще и престижней, чем признаваться самому себе, что елка неприятна ему именно в этом доме, где создаваемый ею праздничный уют лишь оттенял разлитое здесь ощущение душевного холода, одиночества и неприкаянности.

Новый год всегда усиливал в нем эти чувства, потому что как раз в этот день он становился в доме особенно лишним. Мальчишкой бабушка засветло отводила его к знакомой пожилой бездетной паре, где его утыкали носом в телевизор и закармливали всякими вкусными вещами, так что просыпался он с расстроенным желудком и несвежей головой. Первого января бабушка забирала его, и под елкой он находил что-нибудь дорогое и неизменно практичное. Теперь он называл такие новогодние подарки «отдарками» и сам норовил отдариться, по возможности, непустячно.

Потом, когда он подрос, бабушка стала брать его с собой в Большой зал Филармонии на традиционные концерты, неизменное участие в которых принимала заслуженная, а потом и народная артистка РСФСР Ольга Баренцева. После концертов артисты и «своя» публика отправлялись на грандиозный банкет в Дом актера. Поначалу приподнято-оживленная атмосфера праздника захватывала его, он подпевал взрослым песням, смеялся взрослым шуткам, вместе со взрослыми поднимал бокал с шампанским, когда часы били полночь, но потом быстро уставал, куксился, и бабушка начинала одергивать его, тихо шипеть и грозить, что больше никогда не возьмет его сюда. Да не очень-то и хотелось! Начиная с восьмого класса Нил встречал Новый год только в компании сверстников, а поскольку они обычно отмечали этот праздник в кругу семьи, компания чаще всего получалась случайная...

Но в этом году Ринго с Катей укатили куда-то в другой город, и праздновали они вдвоем. Повариха из Линды была никакая, пировали они при свечах развесными салатами и кулебяками, закупленными в кулинарии на Малой Садовой, но это ровным счетом ничего не меняло. Под бой курантов Нил рискнул даже выпить шампанского, точнее, не шампанского, а красного «Игристого донского» и нашел его совершенно восхитительным и нисколько не опасным для печени. Встретив Новый год, они тут же, как малые дети, полезли под елку и чувствительно соприкоснулись головами. Линда пришла от подарков Нила в восторг и пылко расцеловала его; то же, что преподнесла ему Линда, несколько его озадачило.

— Спасибо за подарок, — сказал он, вертя в руках красивый кожаный футляр, из которого он только что извлек и нацепил на переносицу большие дымчатые очки в тонкой оправе. — И спасибо за деликатность.

— То есть?

— Ты нашла самый необидный способ намекнуть мне, чтобы не выставлял напоказ свои дивные очи.

— А что такое?

Дмитрий Вересов

Ее смущение было настолько естественным, что он не мог не рассмеяться.

— Так ты что, до сих пор не заметила? — с заметным облегчением спросил он.

— Что я должна была заметить?

Он включил верхний свет и приблизил к ней свое лицо.

— Ой! Надо же, а я только сейчас увидела... Слушай, ты ведьмак, да?

Нил ссутулился, подражая позе гориллы, с силой зажмурился и замогильным голосом провещал:

— Поднимите мне веки!

— Нет уж, постой так секундочку... Все, теперь можешь открыть.

Он послушно открыл глаза — и увидел в ее руке два красивых буклета с фотографией улыбающегося лыжника на заснеженном горном склоне.

— Что это?

— Второй подарочек. Путевки. На каникулы в Теберду махнем. Годится?

— Годится. А Теберда — это где?..

В начале второго они вышли на заснеженный, безлюдный и сверкающий праздничными огнями Суворовский, в обнимку дошли до Невского и закружились в вальсе прямо посреди пустой проезжей части. К ним подходили веселые люди, поздравляли, посыпали конфетти, угощали вином. Потом Линда стала доставать из сумки бенгальские огни, хлопушки, петарды, и они устроили фейерверк. Потом они увязались за какой-то особенно веселой компанией и долго шагали неизвестно куда, распевая всякие песни, народные и инородные. Потом катались по ночному городу на сером техническом трамвае, а утро встретили в теплой, тесной дворницкой в обществе растрепанного и очень пьяного бородатого субъекта, уверявшего, что он — знаменитый художник-обструкционист и внучатый племянник выдающегося белогвардейского писателя Мекрежовского.

— Подумаешь, Мекрежовский! — морщила носик подвыпившая Линда. — Зато у меня муж — великий колдун и маг!

— Этот, что ли? — смеялся обструкционист, тыкая пальцем в Нила. — А чем докажешь?

— У-у-у! — завыл, поднимаясь, Нил. — Зри, простец, и дивись деяниям посвященных! Тыгыдым-шыгыдым-быгыдым...

Делая отвлекающие пассы одной рукой, другой он незаметно придвинул к себе сумку, беззвучно расстегнул и достал прихваченную из дома бутылку «Наурского», каковую и продемонстрировал слегка загипнотизированному обструкционисту.

— Вот это я понимаю, вот это магия! — восхищенно бормотал тот. — А закусь тоже могешь?

Такого веселого Нового года у Нила еще не было. Порадовало и то, что его ослабленная гепатитом печень вполне выдерживает умеренные, по российским стандартам, нагрузки (бутылка игристого, стакан десертного и несколько основательных глотков водки прямо из горлышка), и, стало быть, в рекомендованном врачами полном воздержании смысла нет.

Зато скоро открылся основной смысл подаренных Линдой дымчатых очков. Пятого января вернулись Ринго с Катей. Привез их какой-то незнакомый Нилу пижон в клетчатом пальто и роскошной пыжиковой шапке. Нил был отправлен в булочную, Линда с Катей принялись хлопотать на кухне с привезенными деликатесами, а пижон уединился с Ринго в комнате, куда принесли какие-то пакеты. Когда Нил возвратился с двумя буханками теплого хлеба, незнакомца уже не было, а Ринго с довольным видом перебирал толстую пачку денег.

— Нехило, — откомментировал Нил, плюхнувшись на стул перед тарелкой с дымящейся яичницей, приправленной ароматной аджикой. — С пользой прокатились.

— Не без того. Кстати, процентов пять твои.

— Откуда?

— Помнишь диски «леченые»?

— Помню. Продали, что ли?

— Не совсем. Поменяли. Там, на юге, мастера есть, такие джинсы ваяют — от фирменных не отличишь, шовчики грамотные, все лейблы на местах. Взяли оптом по три-ноль, Толяну сдали по шестере, а он их по стольнику загонит. Вот и вся тебе высшая математика.

— Здорово! Так это и был тот самый знаменитый Толян?

— Он самый. Партнер проверенный. Ну что, сейчас свой четвертной примешь или?..

— Подожду, когда подрастет. — Нил усмехнулся.

— И правильно. Может, и сам садовником поработать хочешь?

— Так ведь... это... — Нил смутился и долго подбирал слова. — Это смотря, что делать надо. Покупать-продавать я не умею, мента изображать — тоже.

— Это и не обязательно. Вариантов много, выбирай любой... Красивые у тебя очки.

— Линда подарила, — с гордостью сказал Нил.

— Линда, она девочка умная... Торопишься куда-нибудь?

— Не особенно. К экзаменам вот готовиться надо. А ты что предлагаешь?

— Пулечку расписать не желаешь?

— Да я почти не умею. В больнице чуть-чуть поднатаскался — и все.

— Но правила-то знаешь?

— Правила знаю.

— Это главное. Остальное придет с практикой.

После завтрака Линда умчалась в университет сдавать хвосты, Ринго достал новенькую колоду карт, а Катя принялась расчерчивать пулю на троих. Обговорили условия, сдали карты. В первом же розыгрыше Нил опозорился, наиграв бланкового короля Кате, объявившей шесть пик, и тем самым спасши ее от верного подсада. Во втором он сам объявил шестерик, имея на руках гарантированные восемь взяток.

— Чайник — это страшная сила, — ворчал Ринго. — Запомни хотя бы, что в колоде четыре туза, а в каждой масти по восемь карт. И будь, пожалуйста, повнимательней.

Нил пытался, по мере сил, внять его рекомендациям и вскоре обнаружил странную вещь. На рубашках довольно отчетливо проступали нанесенные тонкой черной линией значения каждой карты. У Ринго, сидящего напротив и державшего веером разложенные по мастям карты, он увидел пять пик с тузом. Катя сидела боком, и ее карт он не видел.

— Шесть пик, — сказал Ринго.

— Пас, — объявила Катя.

Нил посмотрел на прикуп. На верхней карте было кривовато нацарапано «9 треф». Никчемная вроде бы карта, но... Нил еще раз проглядел свою сдачу и ахнул про себя. Семь, девять, валет пик, семь, восемь, десять червей, семь, валет, дама и туз треф. При таких картах девятка...

— Ваше слово, сэр, — улыбаясь, проговорил Ринго.

— Да уж рожай, будь любезен, — подхватила Катя.

— Мизер! — бухнул Нил.

Под девяткой лежал король бубен, благополучно откочевавший в снос.

После этой удачной для себя сдачи Нил напряженно следил за партнерами — неужели они не видят этих знаков? Судя по игре, не видят, и это было странно. Почему-то вспомнилась ясновидящая Роза Кулешова, про которую в свое время много писали и говорили, а потом, как по команде, забыли. Но если бы вдруг такой дар прорезался у него, то он должен был бы видеть сквозь рубашку аверс карты в зеркальном отражении, но уж никак не эти каракули. Стало быть, дело в другом...

Проверить очки он сообразил не сразу. Запасовав на очередной сдаче, снял их, чтобы протереть — и увидел, что нанесенные на рубашку рисунки исчезли. Надел — они появились вновь. Вот такие чудо-очки подарила ему Линда. Ну, хитрюшка! Скоро, если верить народной мудрости, будем жить в Сочи и при этом не работать...

При подсчете Нил оказался в плюсе на тысячу двести тридцать вистов. Если бы вист стоил десять копеек, он выиграл бы сто двадцать три рубля. Три стипендии. За полтора часа. Но поскольку игра была разминочная, по полкопеечки, получил он только лишь шесть рублей, немедленно ему выданных, и глубокое моральное удовлетворение.

— Браво! — заметил Ринго. — Как насчет еще по одной?

— Может, теперь на настоящие деньги? — робко предложил Нил.

— Вот это разговор! — обрадовалась Катя. — Сколько можно без толку стирки трепать.

— И по сколько? — осведомился Ринго. — По две копеечки?

— По гривеннику! — смело заявил Нил.

— А ты готов?

Ринго пристально и серьезно посмотрел на Нила. Тот убежденно кивнул.

Но случилось ужасное, будто взмахнула клюкой злая колдунья. Цифры и знаки мастей вдруг исчезли с рубашек, словно их там никогда и не было. Сгоряча он даже порывался заявить партнерам об этом возмутительном факте, но вовремя прикусил язык: в предыдущей партии он же промолчал, так что время ли теперь?.. А карта шла безобразная. При каждом розыгрыше он либо оставался без двух на шестерной, либо хватал по восемь взяток на распасах. Впрочем, нет — один раз он для разнообразия схлопотал «паровоз» из пяти взяток на мизере, а один раз, заказав вроде бы непробиваемые девять взяток, не учел, что заход чужой, попал под ренонс и оказался без трех. Город Сочи исчезал в тумане...

— Ну ты супер! — высказался Ринго, подсчитав итог. — Вот, прошу убедиться, с тебя двести восемьдесят семь рубликов. Года три назад хватило бы ровно на сто бутылок водочки. Однако водочка нас не интересует, а интересует наличность. Когда можно получить?

— А? — Нил был настолько потрясен результатом, что даже не слышал вопроса.

— Когда расплатишься, спрашиваю. Или будем другие решения искать?

Интонация Ринго не понравилась Нилу. Кровь прилила к лицу, руки задрожали.

— Другие решения — в смысле, в морду? — вызывающе спросил он.

— Ну зачем же сразу в морду? Непродуктивно. Подумай сам, сколько надо твою вывеску метелить, чтоб без малого три сотни отбить? Дашь расписку, возьмешь на себя некоторые обязательства...

— Какие, интересно?

— Ну, так... Всякие небольшие услуги... На мое усмотрение.

Нил сокрушенно вздохнул. В глазах Ринго мелькнул хищный огонек.

— Ты спрашивал, когда можно получить?

— Да.

Такого поворота темы Ринго явно не ожидал.

— Если согласишься взять сертификатами один к пяти, то в течение часа. Иначе — через три дня. Мне понадобится время, чтобы их загнать.

— Один к четырем, — моментально среагировал Ринго.

— Тогда через три дня картавыми. Срок мы не оговаривали, а я и без того в накладе.

— А ты молодец. — Ринго похлопал Нила по плечу. — Другой бы на твоем месте сейчас рыдал или

начал выступать, что его нехорошие люди облапошили. Хотя «нехорошие люди» всего-навсего приняли
меры, чтобы не облапошили их самих.

— Как это понимать?

— А так и понимать. — Ринго подошел к письмен-
ному столу и достал из ящика точно такие же очки,
как те, что украшали переносицу Нила. — Я же сам
Линде поляризующие очки достал. А она тебе переда-
рила. Так что извини, пришлось поменять крапленую
колоду на обычную.

— Так ты с самого начала все знал?

— Конечно.

— И все равно возьмешь с меня деньги?

— Обязательно. Глупость и жадность — слишком
дорогие удовольствия, и если хочешь жить хорошо,
надо от них отказываться... Без обид?

Ринго протянул руку.

Нил вздохнул и ответил на рукопожатие.

— Без обид, — твердо сказал он.

XI
(Ленинград, 1974)

Лицо у матери было злое и растерянное.

— Я ничего не желаю слышать! — гремел ее про-
славленный голос, и в резонанс ему звенела посуда на
обеденном столе. — Тощая авантюристка, кошка дра-
ная из какого-то Мочегонска! Не допущу!

— Во-первых, я уже сутки как совершеннолетний
и вполне могу принимать самостоятельные решения.

— Да? А во-вторых?

— А во-вторых, город называется не Мочегонск, а
Мончегорск. И не пытайся острить, если не умеешь.

— Ах, вот как? Спасибо за критику!.. Может
быть, вы и жить собираетесь в этом благословенном

городишке, в блочном бараке с видом на гипсового Ильича?

— К твоему сведению, никаких гипсовых Ильичей там нет, а на центральной площади стоит роскошный бронзовый лось...

— Лось? Очень уместно. И месяца не пройдет, как она наградит тебя рогами не хуже того лося.

— Не смей оскорблять Линду, слышишь! Она не такая!

— Все они не такие. До свадьбы. А как получат свидетельство о браке и ленинградскую прописку, так и пускаются во все тяжкие. Знаем мы этих провинциальных проныр! Имей в виду, я не намерена спокойно смотреть, как мой сын собственными руками губит свою жизнь!

— Да плевать тебе на мою жизнь и всегда было плевать! Ты в свою жизнь вторжения боишься, боишься неудобств. Не беспокойся, мы ни на что не претендуем и помощи просить не намерены — крыша над головой у нас есть, и себя мы как-нибудь прокормим.

— Себя — может быть. А ребенка?

— Какого ребенка? Детей мы пока не планируем.

— Так она даже не беременна?! Тогда я вообще не понимаю, зачем надо жениться?

— Потому что я люблю ее! Ты хоть понимаешь, что это такое? Хотя да, конечно, понимаешь, ты же каждый вечер поешь о любви!

Мать грохнула об пол пустую тарелку и выбежала в коридор.

— Жестокий ты, внучек, — сказала бабушка...

Ольга Владимировна, и прежде не злоупотреблявшая общением с сыном, теперь и вовсе перестала с ним разговаривать, да и он старался поменьше показываться ей на глаза, проводя все время у невесты. В тех редких случаях, когда они сталкивались — обычно это происходило во второй половине дня, когда Нил после занятий забегал домой принять ванну или забрать что-нибудь нужное, — мать окидывала его пламенным взглядом, в котором он читал: «У меня больше нет сына!» — «Актерка! — думал он: — Тоже мне, мать-перемать! Обойдемся!»

И обходились. Из Теберды компания возвратилась несколько богаче, чем уехала. Помогли и Ниловы волшебные очки, и еще кой-какие фокусы — условные сигналы, рельефные наколки на картах. Имелись и другие схемы, сути которых Нил не знал, только видел, как из комнаты, записанной на девчонок — реально в ней жили Катя с Ринго — выходил какой-то толстый человек и в коридоре дрожащими руками совал Ринго деньги. Нил не вникал: здешний отдых был полноценен и радостен. Утром и днем — походы, головокружительные спуски на горных лыжах, вечерами — карты и легкое музицирование, ночами — Линда. Возвратился он, окрепший физически и за две недели полностью покрывший свой недавний проигрыш.

День свадьбы приближался. Нил совсем перестал бывать дома, но и на Четвертой Советской становилось день ото дня скучнее. Линда, завалившая зимнюю сессию, интенсивно готовилась к пересдачам и целыми днями пропадала в Публичке на Краснопутиловской. Ринго с Катей снова укатили куда-то. «Ниеншанц» находился в стадии реорганизации: Геру Гюгеля с треском вышибли с пятого курса, и он скрывался от весеннего призыва у родственников на Урале, а нового соло-гитариста они пока не нашли. Возвратясь с лекций, Нил маялся бездельем, слонялся из угла в угол, едва ли не каждый час примерял свадебный костюм, закупленный все в том же чековом магазине. Линда приходила поздно, вымотанная до предела, наспех ужинала и бухалась в кровать, а Нил, взяв книжку или гитару, пил чай на кухне, наигрывал что-нибудь тихое и лирическое и идиллически тосковал.

В один из таких вечеров, когда до регистрации оставалась все́о неделя, в квартиру решительным шагом вошел чуть запыхавшийся Ринго.

— Одевайся, поехали, — кинул он Нилу.

— Куда? Зачем?

— Надо у родственника вещички забрать.

— В такое время? Полночь скоро.

— Он завтра утром уезжает.

— А я тебе зачем?

— Нести поможешь. Вещей много.

Они довольно долго ехали на метро, потом еще шли куда-то по унылым улицам, застроенным одинаковыми длинными девятиэтажками. Та, возле которой остановился Ринго, ничем от других не отличалась.

— Жди здесь, — бросил он, показывая на сырую скамейку у крайнего подъезда.

— Так ведь мокро...

— Ну, пройдись. Только недалеко. Я скоро.

Он исчез в подъезде.

В одной умной книжке Нил вычитал, что труднодоступное в теории понятие относительности времени знакомо каждому в обыденной практике. Сколько длятся пять минут, когда вы ждете любимую на назначенном свидании, и сколько — когда вы на это самое свидание опаздываете? И то обстоятельство, что ждал он отнюдь не любимую, бега времени не убыстряло. Нил выкурил три сигареты подряд, начал четвертую, закашлялся и выкинул в лужу. Прохудившаяся правая подметка не хуже насоса закачивала воду с мокрого тротуара. «Простуда обеспечена, — обреченно подумал он. — А может, ну его на фиг, этого Ринго, и без меня справится, на метро бы только успеть».

Нил дошел до соседнего дома, столь же безликого и длинного, и сообразил, что совершенно не представляет себе, где метро. Фонари на широком безымянном проспекте горели через два на третий, прохожих в этот мрачный, поздний час не было, из транспорта — лишь редкие, стремительные автомобили.

— Тьфу! — сказал Нил и двинулся поскорее назад, пока окончательно не потерял ориентировку и мог еще найти подъезд, где расстался с Ринго.

А вот, кстати, и он. Стоит у той самой скамейки, поставив на нее две объемистые сумки.

— Ну, где черти носили? — сердито спросил Ринго, завидев Нила. — Я же сказал: жди здесь. Ладно, бери сумку — и ходу. Последнюю электричку пропустим.

Не пропустили. Ринго развалился на скамейке в пустом вагоне, закурил и с ухмылкой поглядел на Нила.

— Родственничек-то ничего попался, небедный. Реализую, потом и вам с Линдой деньжат подкину. Вроде как приданое.

— Что за родственник? — внезапно насторожившись, спросил Нил.

— Дедушкин двоюродный брат. В Ростове зажмурился, наследство оставил. Я его и не знал совсем.

— А-а. — Нил мгновенно успокоился. — Слушай, но это же твое имущество. Нам чужого не надо.

— Бери, пока дают. Куда мне, солить, что ли? Деньги — грязь. Но без них тускло. А я не хочу, чтобы мои друзья жили тускло.

— Ринго, — прочувствованно сказал Нил. — Будь моим свидетелем на свадьбе.

Ринго прыснул в кулак.

— Ты что?

— Спасибо, конечно, только извини, старик, не могу.

— Почему? — обиженно спросил Нил.

— Я на этот день уже приглашен в свидетели.

— Кем?

— Линдой.

Жених был весь в белом, зато невеста!.. С белокурой, чуть завитой головы эффектно ниспадала черная фата, черный кружевной подол подметал загсовский ковер, на плече, вцепившись коготками в черный газовый шарфик, ошалело таращился крошечный черный котенок. Присутствующих было немного: Ринго с Катей, Джон с Йоко, казавшиеся в этом зеркально-хрустальном зале особенно пыльными, успевшие уже залить глаза Ларин с Пушкаревым, чуть особняком — сияющая, как всегда безупречная, Таня Захаржевская, из чувства высшей симметрии и поэтической справедливости приглашенная Нилом в свидетели*. Родственники представлены бабушкой, сидящей с каменным лицом, и накануне нагрянувшими из Мончегорска родителями Линды — тощей, с грубоватыми чертами мамашей в бесцветном перманенте и блудным папашей — маленьким, щуплым, с редкими волосенками, наискось зачесанными на плешь. Неожиданно для всех они явились во всей красе, да не куда-нибудь, а прямо на квартиру к Ольге Владимировне, знакомиться и брататься с новой — и такой знаменитой! — родственницей. Явились прямо с поезда, с вещами, в девятом часу утра. Рассчитывали, видимо, и остановиться у нее на правах родни. Но с братанием, как и следовало ожидать, не получилось. Примадонна, встретившая гостей в халате, с холодной снисходительностью выслушала заискивающие речи сватьев, не предложила им ни раздеться, ни выпить чая, а прямо из прихожей позвонила администратору и распорядилась снять в приличной гостинице двухместный номер. «На какой срок?.. Трех суток вам достаточно, надеюсь?»

Этой сцены Нил не наблюдал, знал о ней в изложении Линды, которая, в свою очередь, услышала о ней от уязвленной матери. К его приходу из универ-

---

* В тот час мной овладело спокойствие. Полное спокойствие, какое бывает, когда знаешь, что твои действия — в полной гармонии с судьбой. (*Прим. Т. Захаржевской.*)

ситета будущая теща немного отошла от утренней обиды, осыпала его комплиментами, но разглядывала при этом так, будто старалась высмотреть какие-то тайные изъяны и пороки. Он держался спокойно, вежливо отвечал на ее вопросы, при этом в голове у него складывался будущий диалог с такими же, как он, женатиками: «А у моей тещи, братцы, есть одно достоинство, перевешивающее все недостатки». — «И какое же?» — «Тысяча верст, разделяющая нас».

Тесть сидел в углу, ерзал, блудливыми глазками поглядывал на часы, за время смотрин не проронил ни слова, а потом так же молча встал и покорно поплелся за своей дорогой половиной, намеревавшейся совершить тур по ленинградским магазинам...

— Теперь можете поцеловаться! — закончив ритуальную речь о ячейке социалистического общества, милостиво позволила регистраторша, толстая дама в блестящей блузке.

Нил повернул лицо к Линде, наклонил голову. Черный котенок на ее плече вдруг встрепенулся и когтистой лапкой царапнул Нила по носу...

Глава третья
ПРИЗРАК ГИМЕНЕЯ

I
(Ленинград, 1982)

Нил стоял перед витиеватым домом, во всем облике которого запечатлелась борьба ядовитейшего русского модерна с буржуазной прилизанностью, и предавался раздумьям. Что предпочесть — физически утомительное восхождение до собственных дверей или чреватый морально-психологическими издержками маршрут, пролегающий через территорию соседей? Сейчас, пожалуй, общение будет свыше его сил, а вот небольшая нагрузка на ноги и дыхалку пойдет только на пользу. Отвлечет, быть может... Нил вздохнул и двинулся в подворотню, ведущую в третий двор.

Путь его пролегал через проходные парадные, мимо помойки, на черную лестницу, крутым винтом уходящую под самую крышу. Тусклые лампочки на лестнице горели через три на четвертую, некоторые марши приходилось преодолевать на ощупь, задевая ведра с пищевыми отходами и постоянно поскальзываясь на кошачьих каках и гнилых очистках. Пару раз пришлось остановиться, передохнуть, отдышаться. Недолго, несколько секунд — невыразимые лестничные благовония гнали дальше, не позволяя расслабляться.

На последней площадке Нил останавливаться не стал, а поднялся еще на пол-этажа, к железной дверце с навесным амбарным замком. Внушительный вид замка не смутил Нила, он взялся за скобу обеими руками, поднатужился, потянул вверх и на себя. Дверь подалась с ржавым скрежетом, и Нил шагнул в темноту проема. Через несколько шагов он был возле чердачного окошка, настежь распахнутого. Нил влез на это окошко, спрыгнул — и направился по железному навесному мостику, перекинутому через глухой двор-колодец. Миновав мостик, он оказался под круглой, увенчанной черепичным куполом башней, прямо напротив устрашающего вида бойницы. Нил боком протиснулся в узкую бойницу, толкнул тяжелую, снабженную пружиной дверь — и очутился в бетонном боксе, походившем на лестничную площадку современной новостройки, за тем лишь исключением, что лестницы, ведущей вниз, не было вовсе, а наверх вела вмурованная в стену стремянка, упиравшаяся в квадратный дощатый люк, на котором было коричневой краской выведено число 110. Справа от лестницы находилась серая дверь с жестяной табличкой «109». Нил остановился у этой двери и достал ключи. Он пришел домой...

II
(Ленинград, 1974)

Главной переменой в их с Линдой жизни после того, как она стала официально совместной, была перемена адреса. Ольга Владимировна не изменила своего взгляда на брак сына и на невестку, свадьбу принципиально бойкотировала, но именно она сделала молодым царский подарок. Великая певица вовремя сообразила, что, отказав им от дома, обрекает на скитания по съемным квартирам и тем самым приближает тот неизбежный миг, когда они явочным порядком реализуют свои законные права на часть квартирки на Моховой, и придется либо совершать срочный и невыгодный для Ольги Владимировны обмен, либо соглашаться на жизнь под одной крышей с ненавистной невесткой. Во избежание такой перспективы пришлось идти на поклон в дирекцию. Из дирекции позвонили в горком, из горкома в исполком — и в результате образовалась экзотическое жилище на последнем этаже старого доходного дома на Петроградской. Образовалось оно очень своевременно, поскольку в город возвращался земляк Ринго, и нужно было срочно освободить комнату на Четвертой Советской.

Обстановку собирали с бору по сосенке, и тут отдельное спасибо следовало сказать родителям Линды. Недели через две после свадьбы прибыл контейнер с ее приданым — страхолюдной, зато люто дефицитной мебельной стенкой «Тюдор» и пружинным матрасом, громадным во всех измерениях. Стенку они, не собирая, продали с помощью Ринго, а матрас оставили. Именно в тот момент, когда они дружно плюхнулись на эту громадину посреди полупустой, пахнущей вчерашним ремонтом комнаты, Нила будто стрелой пронзило новое самоощущение — муж. Объелся груш... Он прижал к себе жену, та принялась стягивать с него тренировочные брюки.

— Напрасно мы не предохраняемся, — сказал он. — Не залететь бы раньше времени.

Линда резко повернула голову и выстрелила в него вмиг посерьезневшими глазами.

— Раньше времени — это как?

— Ну, наверное, сначала надо университет закончить...

— А потом что?

— Потом заводить бэби. Или двух. Ты сколько хочешь?

Она отвернулась и уставилась в телевизор, стоящий прямо на полу. Там беззвучно шевелил губами и руками солидного вида дядечка, а вокруг него сияла улыбками и с энтузиазмом кивала головами толпа в спецовках.

— Что ли интересно? — озадаченно спросил Нил. — Может, звук врубить?

— Не надо, и так все понятно. Они опять выполнили пятилетку за три недели... Запомни, Баренцев, если хочешь плодить рабов — это не ко мне!

— Погоди, почему рабов? Мы ведь совсем не такие, как они... Мы ведь понимаем... — залепетал вконец обескураженный Нил.

— А раз понимаешь — что пристаешь со всякими глупостями?

Она повернулась к нему спиной и затихла. Он полежал немного, потом робко дотронулся до ее плеча.

— Линда...

— Что тебе?

— Я... я не решался тебе сказать...

— Говори.

— В общем... понимаешь, я думал, что всякая женщина мечтает, и ты тоже... И только ради тебя я готов был уступить, но только не теперь... А теперь я...

— Ничего не понимаю. Ты не мог бы толком?..

Нил сделал глубокий вдох и произнес уже членораздельно:

— Я боялся сказать тебе, что вообще не хочу детей. Ни сейчас, ни через пять лет. Не желаю множить страдания...

Линда накрыла его ладонь своей и крепко сжала...

Спустя полчаса он читал ей из «Двенадцати стульев» размышления о роли матраса в семейной жизни, а она болтала ногами и заливалась смехом.

На безденежье жаловаться было грешно, и скоро гнездышко приобрело вид жилой и благоустроенный. Первонаперво обзавелись мощной электроплиткой и подержанным, зато приемистым холодильником «ЗИЛ».

— С роду не терплю коммунальных кухонь, — объяснила Линда.

— Яблонские цапают?

— Пока нет, но без мыла в попу лезут. Вот-вот сорвусь — и начнется битва при скалке...

Соседи — это была отдельная тема. По ордеру сто девятая квартира, занимаемая юной четой Баренцевых, числилась отдельной. Но фактически дело обстояло несколько иначе. Во-первых, была еще и квартира сто десятая, прямо над ними, в башне. До революции и потом, вплоть до начала шестидесятых, в башне традиционно жил трубочист, но когда в доме провели центральное отопление и должность трубочиста была упразднена, ЖЭК начал селить в башне своих работников — дворников и сантехников. В ту пору там жила дворничиха Маруся — существо круглолицее, тихое и деликатное. Башня была оборудована раковиной и газовой плитой, но ни ванной, ни туалета в ней не было, поэтому Марусе всякий раз приходилось спускаться к Баренцевым, и у нее были свои ключи от их квартиры. У них, в свою очередь, помимо комнаты в двадцать пять метров, была и ванная, и уборная, зато не было кухни, поэтому чайник они кипятили на электроплитке, там же жарили яичницу и разогревали консервы, а когда возникала надобность сготовить что-нибудь более капитальное, пользовались кухней квартиры номер тридцать четыре. Туда можно было попасть через длинный балкон, куда выходили двери их комнаты и этой самой кухни. Балкон круглый год держали открытым, и хоть зимой это было не очень приятно, но все же удобнее, чем по отвесной чердачной лестнице лазать к Марусе.

Нормально, по-человечески попасть в собственное жилище они могли только через ту же тридцать четвертую квартиру. Сначала надо было войти в роскошный старинный подъезд с витыми беломраморными лестницами, высоченными зеркалами в бронзовых рамах и хрустальными светильниками в форме ромашек и тюльпанов. Подставками для этих светильников служили опять же бронзовые, позеленевшие от времени наяды и фавны. Цветочные мотивы светильников повторялись в бронзовой решетке лифтовой шахты, а грозди фруктов, вкрапленные в цветочные орнаменты решетки, эхом отдавались в лепном бордюре, протянутом по верху стен. Темный, вместительный лифт неспешно, с благородным скрипом возносил на шестой, последний этаж. Там, на площадку, выложенную мозаикой на античные темы, выходило две монументальных дубовых двери. Одна из них была намертво заколочена еще в незапамятные времена, так что даже старожилы затруднялись припомнить, что, собственно, за ней находилось. Из-за второй, несмотря на отличную звукоизоляцию, круглые сутки доносился гвалт, ругань, взрывы слез или смеха, песни или звон разбиваемой посуды, несло квашеной капустой, жареной рыбой, постоянно примешивались и другие запахи, неопределенные, но сильные.

Это была квартира номер тридцать четыре, где проживало большое, на редкость шумное и бестолковое семейство Яблонских — пожилая пара, Рувим Аркадьевич и Пятилетка Абрамовна, незамужняя сестра кого-то из них, откликавшаяся на имя «тетя Фира», их старший сын Оскар с женой Оксаной Григорьевной и тремя тощими, горластыми мальчишками — двое задир и один плакса, — и холостой младший сын Гоша, полная противоположность остальным членам семейства. Если все прочие Яблонские были малы ростом, взбалмошны, суетливы, подвижны, как обезьяны, и, за исключением толстушки тети Фиры, дистрофически худы, то Гоша был громадный, толстый, медлительный и спокойный, как танк. И еще была бабушка, высохшая, как мумия, девяностолетняя старушка, лысая и без единого зуба, зато сохранившая прекрасную память и живой ум. Имя и отчество бабушки все позабыли, если вообще знали, она сама себя называла «бабушка», так и представлялась гостям, протягивая тоненькую и корявую, как прутик, лапку: «Бабушка... Бабушка... Бабушка, очень приятно...»

250

Молодые супруги, хоть и имели право на беспрепятственный проход через квартиру Яблонских, пользоваться им старались как можно реже. Иначе они рисковали оказаться в эпицентре очередной семейной разборки. При виде Линды Яблонские дружно замолкали, сопровождали ее многозначительными взглядами, а вот Нила норовили привлечь в качестве третейского судьи, дергая за рукав, тыча в грудь, крича в ухо.

Помимо коллективных наскоков бывали и индивидуальные, поскольку у каждого из Яблонских существовал в общении с Нилом свой конек.

Рувим Аркадьевич любил порассуждать о текущем моменте в политике, пройтись насчет бездарности нынешнего руководства и невыгодно сравнить теперешние времена с золотой эрой Сталина и Кагановича, когда был порядок, обилие продуктов на прилавках и чуть не ежемесячное снижение цен.

Пятилетка Абрамовна налегала на медицинскую тематику и могла часами рассказывать о своих и чужих болячках, о новейших лекарствах и методах традиционной и нетрадиционной медицины.

Сферой тети Фиры было искусство, в особенности оперное — от этого Нил, выработавший за последние десять лет стойкую аллергию на подобные разговоры, зверел окончательно и попросту удирал через балкон после первых же фраз. День-другой тетя Фира дулась на него за это, но потом забывала, и все начиналось сызнова.

Хуже всех была Оксана, вертлявая, преждевременно морщинистая крашеная блондинка с потугами на интеллигентность. Работала она в сугубо женском коллективе какого-то проектного института и все норовила выхвалить перед Нилом какую-нибудь из своих молодых сослуживиц — культурных, высоконравственных, домовитых, способных создать крепкую семью. «Вы не подумайте, я не хочу сказать ничего плохого…» — всякий раз начинала она, закатывая глазки. Нил убегал, не дослушав.

Оскар налетал на него в самых неожиданных местах, теребил за пуговицу, взахлеб рассказывал о своих изобретениях — например, музыкальном унитазе: когда садишься, играет военный марш, а когда дергаешь за ручку, то перестает — и о блистательных коммерческих гешефтах, которые в ближайшем будущем принесут ему и его семье баснословные дивиденды. Он беспрестанно покупал и продавал какой-то сомнительный антиквариат, выстраивал всех желающих в безумно сложные цепочки обмена жилплощади, разрабатывал безошибочные системы выигрыша в «Спортлото», выращивал на продажу кактусы и попугаев. В эти предприятия, как в черные дыры, ухала вся его скромная инженерская зарплата, а бо́льшая часть жалованья жены и пенсии родителей уходила на покрытие долгов. Практически всю семью кормил и одевал Гоша — телевизионный мастер высочайшего класса, способный, помимо этого, отремонтировать что угодно — от автомобиля до утюга. Собственно, из всего семейства с ним одним и можно было общаться. Случалось, они и сами зазывали его, то на чашечку кофе, а то и на стаканчик портвейна.

Кофе и быстрые супы из пакетиков варили на электроплитке, на ней же жарили яичницу и разогревали готовые продукты из кулинарии. В холодильнике не переводилось заливное в блестящих жестяных формочках и любимое Линдой «Мартовское» пиво. Когда же такая «домашняя» пища надоедала, они одевались и шли перекусить куда поближе — в «Мушкеты», к «Чванову» или в недавно открывшуюся стеклянно-бетонную «Орбиту».

Потом настал черед стиральной машины, кресел, секретера. Они пускали корни — и прорастали друг в друга тысячей мелких черточек, привычек, особенностей. Подчас такие мелочи в одном из супругов были другому милы и приятны, иногда раздражали, даже выводили из себя — но со временем становились или забавны, или переставали замечаться, или осознанно изживались, будучи замеченными. Так Линда приучилась чистить зубы только своей щеткой, а Нил отучился громко зевать и без крайней надобности почесывать интимные места.

Приближалось лето, а с ним — сезонная трудовая повинность, официально именуемая третьим трудовым семестром. На бумаге студенческие строительные отряды признавались делом добровольным, и действительно истории известны личности, рискнувшие проигнорировать это мероприятие, не имея серьезной отмазки, но дальнейшая судьба таких личностей была, как правило, незавидна. Юная чета Баренцевых решила тянуть до последнего и, если ничего за это время не образуется, явочным порядком вписаться в один специфический отрядик, называемый в народе «мебельным» или «мичуринским». Первое название отражало тот факт, что отряд существовал исключительно для мебели, вернее сказать, для звонкого отчета, а реальный его народнохозяйственный КПД представлял собой устойчиво отрицательную величину — явление, невозможное в теории, но сплошь и рядом встречающееся в повседневной практике. «Мичуринским» же отряд стал благодаря единственному виду трудовой деятельности, осуществляемой бойцами, а именно — детородными органами груши околачивать. Это, конечно, следовало понимать в переносном смысле, потому что в прямом смысле упомянутые органы использовались исключительно по своему природному назначению — и с повышенной интенсивностью. О последнем, кстати, свидетельствовала табличка на входе в отрядный барак, определенно рассчитанная на знатоков мужской консонансной рифмы: ОТРЯД «БОРЕЙ» — 48 ЕДОКОВ!

Самое удивительное, что за попадание в «Борей» даже не брали вступительного взноса. Правда, пребывание в нем требовало немалых денег — в торговле алкогольными напитками наступления коммунизма пока не предвиделось.

Такая халява была, конечно, предпочтительней, чем по двенадцать часов в сутки месить бетон на строительстве КамАЗа или катать асфальт на болотах Полесья в надежде привезти с этой двухмесячной каторги, в самом лучшем случае, столько, сколько можно было взять за один скромненький «разгон» на Галере или за удачную карточную партию с применением Ниловой оптики. Но перспектива провести лето в сельском нечерноземном захолустье и в тесном принудительном общении с полусотней пьяных рыл, успевших обрыднуть за учебный год, радости не внушала. У Нила, правда, была пуленепробиваемая маза — перенесенный менее года назад гепатит. Но у Линды ничего подобного не имелось, а бросать жену на произвол судьбы он не собирался.

Помог случай. На последнем экзамене Нил отстрелялся быстро, удачно, и в праздничном настроении заглянул в комитет комсомола, намереваясь сгоношить кого-нибудь на распитие бутылочки-другой пива. Но там он застал только Карину Амирджанян из факультетского бюро. Вид у комсомольской богини был озабоченный.

— Спихнул? — спросила Карина.

— А как же! Четыре шара по общему языкознанию — это вам не хухры-мухры!

— Поздравляю... Слушай, Баренцев, ты-то мне и нужен!

— А что такое?

— Новая разнарядка прямо из горкома. Агитколлектив при городском штабе ССО. Позарез нужны классные музыканты в молодежном стиле. Пуша я уже подписала, дело за тобой. Заработков не обещают, зато поездишь за бесплатно, страну посмотришь, с новыми людьми пообщаешься. Ты, конечно, имеешь право отказаться, у тебя освобождение... Только ты ведь не хочешь испортить отношения с комитетом? А я в долгу не останусь. Ну как, согласен?

Нил улыбнулся.

— Как говорил некто Мечников, согласие есть продукт при полном непротивлении сторон.

Карина ответила недоуменным взглядом.

— Утром деньги — вечером стулья, — подсказал он цитату из классиков.

— Баренцев, ты же умный парень. Это же *официально* заработков не будет, а в принципе...

Она многозначительно замолчала.

— Так ничего нет, а в принципе есть все, да? — Карина хихикнула. Этот анекдот она знала. — Давай поторгуемся, принципиальная моя. Мне нужна не денежная халтура, а чтобы вместе со мной взяли и Линду. Если нет — мы оба подаемся в «мичуринцы». Устроишь?

— Кем, интересно?

— Допустим, солисткой.

— Издеваешься?! Я ж говорю — заявка пришла на *классных* музыкантов. Городской уровень, будет профессиональное прослушивание. А твоя Линда, извини...

— Я все сказал. Будешь у нас в «Борее» — заходи в гости.

Карина позвонила на другое утро. Линду берут в секретариат городского штаба. В паузах между выездами агитбригады они смогут быть вместе, к тому же твердо обещано, что в некоторые поездки он сможет брать ее с собой. Вопрос был решен.

III
(Ильинка — Ленинград — Новгород, 1974)

— Ну что, комиссар, ужин у вас в семь, концерт в половину восьмого. Получается, у нас есть... — Вова Слонов, представитель горкома ВЛКСМ, посмотрел на свои японские часы в хромированном корпусе, — еще шесть часов. Колись давай, какая в вашей глуши развлекуха имеется, окромя самогона?

— Самогон, Вова, предлагаю отложить на после выступления, — вмешался Олег Иванович, директор студенческого клуба, ныне исполняющий обязанности художественного руководителя агитбригады. — Неровен час, нажрутся господа актеры, сорвут мероприятие, кто отвечать будет?

— Пожалуй, — степенно согласился Вова. — Тогда, может, что-нибудь пасторальное? Рыбалка там, грибочки-ягодки...

— С рыбалкой напряженка, — сказал комиссар. — Снастей нет, озеро далеко. Грибы еще не пошли.

— У Ильинки малины завались, — вмешалась санинструктор отряда. — С дороги видно.

— До поворота на Ильинку километров восемь, не меньше, — проговорил комиссар задумчиво. — Обернуться не успеете.

— А мы автобус организуем. Мне так и так в Хвойное заглянуть надо, — сказал Вова. — Это ведь в ту же сторону?

— Ну да! От поворота еще километров тридцать — и Хвойное, — сказала санинструктор.

— Так и постановили. Тебе, Надюша, места эти известны, пойдешь с народом, чтобы никто не заблудился, часам к пяти обратно на дорогу выведешь. Мы с Вовой будем из райкома возвращаться — подберем вас. Годится?

Комиссар вопросительно посмотрел на Слонова и Олега Ивановича.

— Годится! — решил Вова. — Ну что, народ, кто по малинку желает?

Желающих набралось двенадцать человек — две трети агитбригады. В их числе и Линда с Нилом...

— Ау, я тут!

Нил поднял голову и невольно застонал — Линда стояла на крутом склоне у самой вершины холма, а за ее спиной виднелся острый обломок кирпичной стены.

— Зигги, ну же, иди сюда!

Это прозвище она подарила мужу за день до поездки вместе с альбомом прежде неизвестного ему английского музыканта Дэвида Боуи «Ziggy Stardust and the Spiders from Mars». Развернув бумагу, в которую была завернута пластинка, Нил обомлел: с обложки на него глядело лицо, конечно, изрядно отретушированное и подгримированное, дополненное сверкающим психоделическим нарядом и диким желтым хайром, но — его собственное! «Наконец-то я увидела твой истинный фейс, Давид Робертович, — сказала тогда Линда, утирая слезы, выступившие от безудержного смеха. — Отныне быть тебе Додиком». — «Помилосердствуй! — воскликнул Нил. — У нас и так за стенкой полна хата Додиков!» — «Тогда будешь Зигги-Звездная Пыль...»

— Да хватит уже! — крикнул Нил, задрав голову. — И так полное ведро набрали. Пойдем лучше назад!

— Ой, ну пожалуйста, пожалуйста! Тут такая красота!

Нил вздохнул, переложил потяжелевшее за какой-то час ведро в отдохнувшую руку и начал подъем.

Поравнявшись с Линдой, он поставил ведро, уселся на замшелый камень и достал погнувшуюся сигарету. Линда отошла на несколько шагов и застыла, глядя куда-то вниз. Он докурил сигарету, а она все не двигалась. Нил подошел к ней, тихо положил руку на плечо.

— Что с тобой?

— Ильинка...

Деревня под холмом опустела давно. Это было понятно и по отсутствию столбов с электропроводами, и по высоте деревьев, проросших на крышах и сквозь крыши. От деревянных домов остались закопченные трубы, сиротливо выглядывающие из буйной дикой зелени, от кирпичных — осыпающиеся красные стены с пустыми черными глазницами окошек. Дом, стоящий несколько на особицу и обнесенный чудом сохранившейся чугунной оградой, обращал на себя внимание. Это было длинное двухэтажное сооружение, на стенах которого кое-где сохранилась желтая штукатурка, с об-лупившимся прямоугольным фронтоном и высоким каменным крыльцом с монументальной дверью, крест-накрест заколоченной почерневшими досками. Над дверью косо свисали остатки черепичного козырька. Один столб под козырьком упал и теперь лежал поперек крыльца, расколотый на три части. Сбоку от входа Нил разглядел круглую, дырявую крышу беседки.

— Там была усадьба помещиков Ильинских, — прошептала Линда.

— Откуда ты знаешь? — спросил потрясенный Нил.

— Я не знаю. Я так думаю. Пошли.

Не пройдя и пяти шагов, они наткнулись на удивительный малиновый куст, сплошь облепленный громадными, прозрачными, сочными ягодами. В лучах солнца, клонившегося к закату, ягоды отливали золотом изнутри. Мгновенно повеселевшая Линда принялась горстями сгребать золотистые ягоды и запихивать Нилу в рот. Он не долго думая последовал ее примеру. За считанные минуты они наелись до отвала, почти до тошноты, но остановиться никак не могли — нежная, ароматная, тающая сладость чудо-ягод была непреодолима...

— Ай! — вдруг воскликнул Нил, его голова нырнула под руку Линде и исчезла в густой поросли, следом посыпался сладкий малиновый дождь.

— Эй, ты что там делаешь?

— Лежу. Навернулся обо что-то.

— Так вставай, если можешь.

— Сейчас, зажигалку обронил...

— Давай помогу.

Линда раздвинула зеленые прутики, и взгляду ее открылась ровно обтесанная поверхность. На гладком розовом камне проступала глубоко и четко высеченная изогнутая роза, а в полукруге стебля — православный крест.

— Зигги, ползи сюда! Гляди, чего я откопала.

В полуметре от камня вынырнула взъерошенная голова Нила.

— Вот он-то мне под ногу и попался... — Он вгляделся в изображение. — Э, да мы, мать, похоже, на старое кладбище попали. То-то малина такая нажористая...

— Тьфу на тебя!

— Успокойся, здешние бренные останки давно уже биологически пассивны. Даже косточки истлели задолго до нашего рождения.

— Гляди, а тут еще один камень. И крест поваленный...

Они дружно присели на мягкую траву.

— Зажигалку нашел? — шепотом спросила Линда.

— Ага. Вот она.

— А сигарета есть?

— Держи.

Они замолчали, глядя друг на друга и пуская дым в чистое небо.

— Знаешь, мне вдруг в голову пришло... Если бы эти камни могли говорить, сколько всего они нам рассказали бы...

— Камни не говорят, — отозвалась Линда.

— Само собой...

— ...но думают.

— Что-что?

— Думают. Лежат и думают. У них, видишь ли, много времени на раздумья...

— И о чем, интересно, они думают?

— Они думают о том, что люди, наверное, открыли секрет бессмертия и перестали умирать. Погост стоит, а никого не хоронят.

— Странно все это...

— Зигги, ты можешь пообещать мне одну вещь?

— Какую?

— Если я... если я уйду первой, ты постарайся сделать так, чтобы меня закопали под тем камнем, с розой. Буду выращивать солнечную малину...

— Линда, прекрати, что ты несешь!

— Нет, не надо. Земля тяжела... Лучше отдай меня чистому огню, а пепел отпусти на волю, развей по ветру...

— Какая чушь!

— Без воли и ветра душа не живет... Зигги, сделаешь?

— Ты перегрелась...

Линда тряхнула головой и, резко качнувшись, встала.

— Извини, сама не понимаю, что на меня нашло, не придавай значения... Ой, побежали, наши, наверное, уже на дорогу вышли...

В конце августа все стройотряды вернулись в город, а второго сентября начались занятия в университете, однако городской штаб работу не свернул. Линда, официально освобожденная от учебы еще на месяц, с утра до позднего вечера корпела над разного рода отчетностью и домой возвращалась усталая, голодная и злая. Она пулей пролетала через владения Яблонских, сразу за балконной дверью скидывала кроссовки или босоножки и переоблачалась в розовый халат, красноречиво вывешенный на дверях ванной комнаты. На столе ее ожидали бутылка пива, только что из холодильника, и что-нибудь вкусненькое на укрытой полотенцем сковородке. И лишь когда она, утолив первые голод и жажду, закуривала сигарету, начинала звучать негромкая восточная музыка, и словно джинн из кувшина материализовался Нил, прятавшийся доселе за высоким матрасом. На этот же матрас они обычно и заваливались после ужина, оставив мытье посуды на утро.

— Зигги, ты меня балуешь, — говорила Линда, целуя мужа.

— Не-а, проявляю элементарный эгоизм. Хочу приучить тебя к мысли, что и тебе придется именно так встречать с работы меня. Каждый вечер, много-много лет подряд. Даже когда я буду заслуженным старым пердуном, а ты...

— Заслуженной старой пердуньей, — докончила она.

— Отнюдь. Элегантной старой дамой с голубой челкой и ястребиным шнобелем.

Она выхватила из-под головы подушку и принялась охаживать ею Нила. Он уворачивался, хохоча во все горло...

— В Новгород, на четыре дня. Зональный смотр агитбригад, — пояснил он, перехватив ее удивленный взгляд. Взгляд был направлен на упакованный под завязку рюкзачок, стоящий возле матраса. — Поезд завтра утром. Наших полвагона, так что, если хочешь, могу и тебя вписать.

— Хочу. — Линда вздохнула. — Но не могу. Никто не отпустит. Отчет сдаем послезавтра.

— Жаль... Ладно, вернусь — тогда и погуляем. Имеем право. А пока что ты отдохни от меня.

— Хочешь, открою страшную тайну?

— Ну?

— От тебя-то я как раз и не устала... Ладно, смотри там, веди себя, ешь с аппетитом, пей с перерывами, с кем попало не трахайся...

— И вам, гражданка Баренцева, настоятельно рекомендуется воздерживаться от случайных связей, — с важным видом изрек Нил, но не удержал тона и фыркнул в кулак.

Некультурная программа началась уже в поезде, но Нила не тянуло ни на портвейн, ни на хоровое исполнение популярных песен, и как только позволили приличия, он удалился в тамбур спокойного соседнего вагона, где и провел бо́льшую часть пятичасовой поездки, общаясь преимущественно с мятой пачкой «БТ». За окном было тоскливо и пасмурно, и смутные дурные предчувствия бередили душу.

Тревога не покидала его весь этот день и следующий тоже. Все было как в тумане. Их куда-то везли, что-то они там устанавливали, что-то играли и пели, потом их чем-то кормили, потом везли обратно, потом опять кормили, а потом они где-то спали. То есть, вообще-то он знал, что иногородних участников слета с шиком разместили в гостинице «Садко», в двухместных номерах, что соседом его по комнате числился лиаповец Скрипка, во многом благодаря своей фамилии ставший классным барабанщиком. В номере Скрипка появился дважды — один раз, когда заносили вещи, а вторично в первом часу, возбужденный и крепко поддатый. Нил не спал и слышал, как тот, громко сопя, возится с сумкой и достает из нее что-то булькающее и что-то шуршащее.

От экскурсии по городу и окрестностям, устроенной наутро, у Нила остались смутные впечатления, запомнились только синие, в золотых звездах, купола Юрьева монастыря да всеобщее оживление, когда Олег Иванович, решивший сфотографировать группу на фоне Кремля со стороны Волхова, слишком энергично попятился и с высокого причала плюхнулся в реку вместе с фотоаппаратом, импортным плащом и фетровой шляпой. Но Нила даже это не позабавило. Меланхолию его не сбили ни выступление на послеобеденном конкурсном концерте, где сводный вокально-инструментальный ансамбль с его участием удостоился похвалы авторитетного жюри, в составе которого заседал какой-то хрен из ЦК ВЛКСМ, ни последовавший за концертом роскошный ужин с обильными возлияниями. Под высокими темными сводами детинца средневековые братины и ендовы соседствовали на длинных столах с современными салатницами, графинчиками, литровками и поллитровками, а среди многочисленных блюд предлагались и вовсе невероятные: типа стерляжьей ухи из судака и картофеля по-древнерусски. Их-то Нил из мрачного любопытства и заказал. Как известно, на халяву и уксус сладок. Но оказалось действительно вкусно, а черный квас, которым он запивал трапезу, отдавал медом, луговыми цветами и чуть-чуть мятой. Хотелось бы, конечно, чего-нибудь покрепче, тем более что выбор был богат. Но Нил предпочел не рисковать — нынешнее сумеречное состояние пугало его своей интенсивностью и полной беспричинностью, и алкоголь мог подействовать самым непредсказуемым образом.

Между тем физиономии набившихся в банкетный зал молодых талантов с каждым новым стаканом делались все румяней и веселей, вместе с несвязностью речей нарастала их развязность, от гама, дыма и недосыпа разболелась голова. Когда же с противоположного конца стола покатилась, множась и крепчая на ходу, сильная идея всей гурьбой двинуть в общий зал, шугануть с площадки местных музыкантов и врезать несколько зажигательных комсомольско-стройотрядовских номеров, Нил окончательно понял, что отсюда пора делать ноги, иначе и его вытянут на сцену на чужом инструменте шибать идейно выдержанной романтикой по подгулявшим душенькам.

Стараясь не привлекать к себе внимания, он поднялся, медленно вышел и по крутой лестнице спустился в общий зал, на ходу полюбовался на эстраду, откуда облезлые молодцы в розовых пиджаках пропитыми голосами призывали город Одессу цвести и процветать, глянул на самозабвенно выплясывающую потную публику и поспешил дальше — звуки из мерзко хрипящих динамиков молоточками долбили мозг.

Дорогу сюда Нил не запомнил, поэтому дороги отсюда не знал. Вывернув из короткого коридора в узкое помещение, где вдоль одной стены тянулась деревянная стойка бара с высокими табуретками, а вдоль другой расположились столики на двоих, отделенные друг от друга невысокими барьерами, он решил, что забрел не туда, и хотел уже вернуться в коридор...

— Нил?

Растерянно щурясь, Нил завертел головой, но свет в узком зальчике был тусклым, и он не сразу разобрал, что за женщина машет ему рукой с дальнего столика, а, разобрав, обрадовался несказанно.

— Катя! Как ты здесь оказалась?

— На работе путевки в Новгород были. В «Детинец» поужинать зашла. А тебя каким ветром? Да ты садись...

И интерьер, и меню, и публика здесь были попроще, чем наверху. На тарелке перед Катей лежали три бутерброда — один с килькой и яйцом, два с «докторской» колбасой, — рядом стоял стеклянный кувшин с чем-то темным и пенным.

— Пиво? — поинтересовался Нил, присаживаясь.

— Круче. Медовуха. Попробуй, зашибенная вещь.

— А вот зашибать мне сегодня не хочется. И так башка болит.

— Как раз и пройдет. Ты не бойся, она мяконькая, почти квас.

Не слушая его возражений, Катя направилась к стойке и вернулась оттуда с чистым стаканом для Нила. Честно говоря, возражал он несильно. Катя была частицей того мира, в котором ему было хорошо, весело, уютно. Мира Линды. Тревожная тоска отступила, и теперь можно было слегка расслабиться не опасаясь за последствия.

— Вкусно, — сказал он, осушив первый стакан. — Мы же с самой весны не виделись. Куда вы запропали?

— Соскучился? Сами вы запропали. После свадьбы к нам вообще не заглядывали, будто дорожку забыли. А потом пошли дела всякие, командировки. Ты же знаешь Ринго, он всегда найдет занятие... Лучше расскажи, как вы с Линдой лето провели.

И он начал рассказывать. Сначала сдержанно, больше отвечая на Катины вопросы, потом все обстоятельнее, откровеннее. Катя несколько раз поднималась, приносила новые кувшины, разливала, чокалась с ним, смеялась своим неподражаемым смехом, на который невольно оборачивались едва ли не все посетители. А Нил этого уже не замечал...

Первое, что он ощутил, еще не разлепив глаз, — трусы. Сползшие на колени, совершенно мокрые трусы.

— Это что же, это я же... — пролепетал он, чувствуя при этом, что пересохли и потрескались губы, а вместо языка во рту — кусок разогретого наждака.

На всякий случай он пощупал голову. И не совсем напрасно — волосы оказались не суше трусов, стало быть, не осрамился, а всего-то искупался где-то, а вытереться забыл. Интересно, кстати, что еще забыл? А вот все забыл! Между встречей с Катей и мокрым пробуждением у себя в номере (а номер точно его — голубые занавески, на стене «Жнецы» кисти Венецианова) зияет черный провал. Как наркоз...

— Который, однако, час? — вслух произнес он, радуясь членораздельности собственной речи. — Какое, милые, у нас тысячелетье на дворе?

Не дослушав себя, Нил рывком поднялся и даже сделал два четких шага.

— Тысячелетье не из лучших, а времени десятый час... Гляди-ка, тоже почти стихи получились. Здравствуй, Нил.

— При... Я сейчас!

Нил едва успел добежать до туалета. Вышел он оттуда не скоро, но с приятной улыбкой на зеленоватом лице.

— Извини, я вчера...

— Знаю. Медовуха коварна, как сердце женщины. А пиво, как верный друг, никогда не подведет и никогда не обманет.

Стол был уставлен бутылками пива. Их было не меньше десяти. И две немаленьких воблины.

— Садись, — сказал Ринго. — Будем тебя лечить...

— Эт-то я тебе только как др-ругу... Я гор-ржусь, что у меня есть такой друг, как ты, — втолковывал Нил полчаса спустя. — Ты ведь мне др-руг? Я тебя уважаю, я тебе как другу говорю...

— Ты лучше мне вот что как другу скажи — как оно с Катькой, хорошо было?

— Хорошо... То есть в каком смысле?

— В самом прямом. Хорошо ее иметь?

— Иметь? Хорошо, наверное, я не знаю...

Ринго хмыкнул и произнес устало:

— У тебя вся шея в засосах. Твоя подушка перемазана ее помадой, в ванной на твоей расческе ее крашеные волосы. Но главное — запах. У каждой женщины свой интимный запах... Ты не знал?

Нил закрыл глаза, надавил на них пальцами. В ослепительных оранжевых кругах, как в фотографических вспышках, осветилась картинка: обнаженная Катя в пластикатовой шапочке стоит под душем, его руки касаются ее плеча. Она оборачивается, проводит губкой по его лицу, легонько отталкивает его. «Нилка, отзынь! Иди спать! Я опаздываю. Повеселились — и будет...»

Повеселились — и будет.

Нил сполз со стула на колени, уткнулся лицом в желтый утепленный линолеум.

— Ринго, я... Бес попутал, понимаешь. Я ничего не соображал...

— Ты сам встанешь, или помочь?

— Прости, если можешь, я подлец, мерзавец...

Ринго расхохотался. Это было так неожиданно, что Нил оторвал лицо от пола, перекатился на бок и ошалело уставился на Ринго.

— Тебя бы сейчас сфотографировать — и на обложку «Крокодила»... Нарочно не придумаешь, или из жизни чайников... Поднимайся, попей пивка, расслабься.

— Ты... — недоверчиво начал Нил. — Так ты не сердишься, не обижаешься?

— На сердитых воду возят, а обиженных ставят раком. — Ринго разлил пиво и поднял стакан. — За разнообразие, которое украшает жизнь, и за ту силу, которая позволяет нам этим разнообразием пользоваться... Вот так, молодец... Пора, старик, уяснить некоторые вещи. Катюша — женщина совершеннолетняя и половой вопрос вправе решать самостоятельно. Честно говоря, я даже рад, что она трахнулась именно с тобой, — так я хотя бы могу рассчитывать, что в ближайшее время не буду вознагражден какой-нибудь неприличной инфекцией. Жалко, конечно, что ты был в отрубе и ничегошеньки не помнишь. А то бы сравнили впечатления...

— Жалко, — поддакнул Нил, окрыленный тем, что все так удачно разрешилось.

— Ты много потерял, — продолжал Ринго. — Катя по этому делу большая умелица. Самую чуточку не дотягивает до Линды, та вообще профи... На-ка, пососи.

— Что? Что ты сказал?!

— Икру, говорю, пососи. Икра в вобле — самый смак.

— Нет, до того! Про Линду!

— Про Линду?.. Ну, можно и про Линду...*

---

* Хотите верьте, хотите — нет, но я здесь была не при чем. Не имелось никаких резонов форсировать события. Расставание Нила и Линды было делом времени — ни он, ни она не были созданы для семейных идиллий... Ринго заложил Линду исключительно по собственной инициативе — должно быть, «сутику» стало кисло без своей дойной коровушки, и он решил вернуть ее. За что вскоре жестоко поплатился. (*Прим. Т. Захаржевской.*)

IV
(Ленинград, 1974)

Зеленые прутики черемши и красные лодочки перца на голубой тарелке. В белой пиале — толченые грецкие орехи, приправленные сметаной и специями, одновременно гарнир и соус. Высокий бокал, на три четверти заполненный темным вином. Сковорода плотно прикрыта крышкой, но по запаху совершенно ясно, что в ней — цыпленок табака, купленный в придворной кулинарии и подогретый на электроплите. Дежурное парадное блюдо дома Баренцевых. В воздухе, напоенным тлеющим сандалом, тихо парит «Magic Woman»* Карлоса Сантаны.

Он не стал садиться за стол. Взял с него откупоренную бутылку «Мукузани», хлебнул из горлышка, отошел с бутылкой к окну, закурил, выжидая.

Она появилась не из-за матраса, а из прихожей, в любимой им голубой кружевной комбинации, лишь обнаженные плечи прикрыты пестрой шалью. Дошла до середины комнаты и остановилась.

— Зигги!.. У тебя фингал. Откуда?

Он отвернулся и буркнул неприязненно:

— Оттуда.

— Ты не поел. Не хочется?

— Отчего же. — Он усмехнулся. — Хочется. Только не этого.

— А чего? — с удивлением спросила Линда.

— Сырого фарша.

— Странные фантазии. Но у нас нет сырого фарша.

— И не просто сырого фарша, а отжатого через марлю и поданного на простыне. Или такое блюдо ты, Magic Woman, могла для меня изготовить только один раз?

---

* «Волшебная женщина» (или «колдунья») (англ.).

Больше не взглянув на нее, он вышел на балкон, несколько секунд постоял, не заходя на кухню Яблонских. Но она не бросилась вслед за ним. Тогда и он не стал возвращаться.

Ржавчина давно стекла, и в дно ванны била теплая, прозрачная струя. Воронкой покружившись над черной дырой стока, вода бесполезно уходила в трубу. Линда сидела на краю ванны и невидящим взглядом смотрела на струю...

Она далеко отсюда. Ей четырнадцать лет, и голодные юные зубки с наслаждением терзают подогретую рубленую начинку слоеного пирожка.

— Не погуби, пацанка... — Над тарелкой, где лежат еще два пирожка, хрипит и извивается тяжелое, похмельное лицо. Из крупных пор сальными червяками ползут короткие белесые волоски. — Ну, выпивши был... Я ж не знал, что у тебя батя...

— А если бы не батя, тогда что? — высокомерно спрашивает она. Лицо моргает, выжав из нечистого уголка глаза микроскопическую слезинку. — На конвейер бы поставили? Сперва ты, потом начальник твой, потом в спецприемнике воспитатель в погонах, потом еще какой-нибудь гражданин начальник... Нет, не люди вы, менты, а псы позорные.

— Но-но, ты полегче... — прикрикнуло было лицо, но рык сполз на фальцет.

— Батя приедет, мы первым делом в поликлинику... — Она откладывает недоеденный пирожок и сладко потягивается. — Потом к прокурору. Суши сухари, Бузинов.

Его заскорузлые толстые пальцы нервно разглаживают мятые купюры на краю стола.

— Вот... Возьми... Только бате не закладывай, Христом Богом...

— Поезда тут долго стоят, — задумчиво говорит она, не глядя на деньги. — Бабульки мно-ого чего продать успевают. И рыбку, и морошку, и огурчики. Торговля бойкая... А с каждой бабульки-то по полтинничку... Или по рублику, а, Бузинов? — В ответ слышится только громкое сопение. — На «Москвича» набрал уже или еще копишь?

— Коплю...

— И сберкнижка есть?

— Есть...

— Бате еще часа два ехать... Давай, Бузинов, поспешай, успеешь еще две сотни положить — твое счастье...

— Ах ты...

Мерзкое лицо наливается краской.

— На передачи больше уйдет. Если, конечно, женка их тебе носить не побрезгует, педофилу сраному.

— Я тебе не пидор... — хрипит вконец униженный Бузинов.

— Будешь, если бабки не принесешь. В две секунды опетушат...

Принес. Пыхтя, вывалил перед ней на стол. Вид красных червонцев и сиреневых четвертных не согревает. Греет другое: мысль о том, что в следующий раз она слиняет из родительского дома не бродяжкой беспаспортной на товарняках, легкой добычей любого самца, наделенного властью или просто силой, а законнейшей пассажиркой мягкого вагона, при деньгах и документах...

— Все теперь? — сипит Бузинов.

— Почти. — Она не спеша прячет деньги во внутренний карман курточки. — Наклонись-ка.

И остывшим какао — в рожу.

— Умойся, Бузинов. А то вот-вот начальство нагрянет...

Ей пятнадцать лет...

— Позор! — визжит мать, заткнув уши, чтобы не слышать никаких возражений. — Дочь начальника милиции города!..

— И директора универмага... — послушно вторит папаша, а на пропитой физиономии выражение тихой радости, что не его, горемычного, сегодня ефантулит дорогая супруга.

— Шлюха помоечная! С последней шпаной, по подвалам!..

— Ключи бы от дачи не прятала, так было б не по подвалам...

— Что! Отец, ремня! В колонию! Валидолу мне!..

Мать в изнеможении валится в кресло. Отец, кряхтя, шарит по полкам в поисках лекарства. Секунда передышки...

— И как нам теперь людям в глаза смотреть прикажешь?!

— А вы меня с этих самых глаз сплавьте куда подальше. В Москву, на худой конец, в Ленинград. В торговый техникум...

Ей шестнадцать...

— Это все? Да на один наркоз как минимум тридцатник нужен.

— Я и так шапку продал... — В глазах Сережки недоумение, упрек, обида. — И вообще, не надо из меня негодяя делать, а! Сама напросилась, а теперь...

— Сама, говоришь?.. А не пошел бы ты, Жибоедов...

Ей семнадцать...

— Чего ревешь-то, подруга, радоваться надо. Теперь гуляй сколько хошь — и подзалететь не страшно! Да и кому они нужны, спиногрызы-то, при такой нашей жизни?.. А что из техникума поперли — так у нас на химическом лаборанткам лимитную прописку дают и общежитие... Да, на восемьдесят рэ, конечно, не разбежишься, ну, ничего, я тебя подрабатывать научу — не фиг на фиг! Значит, вечерком одевайся пофасонистей, подмажься... В ресторан пойдем!

Восемнадцать...
— Где это я? Что было?
— Было, родная... Правило у меня такое, для подобных случаев жизни — бокальчиками обменяться, быстро и незаметно для дамы. Если бы помыслы твои были чисты, гуляла бы сейчас с честно заработанной двадцаткой, а не валялась здесь, бледная, как спирохета... Так что, гражданочка Ильинская Ольга Владимировна, выходит, ты теперь моя со всеми потрохами.
— Паспорт отдай...
— Это же за какие такие заслуги?
— Я тебе денег дам...
— Сколько мне надо, у тебя нет.
— В менты сдашь?
— А что я с этого буду иметь? Нет уж, я тебя, Ольга Владимировна, намерен использовать с максимальной выгодой... Кофейку хлебнешь? Бодрит.
— Ты что задумал?
— Не бойся, родное сердце, не расчлененку... Топорно работаешь, Ольга Владимировна. Клофелинчик твой — штука иногда нужная, но примитивная и, как видишь, небезопасная. Пора, дорогая, разнообразить арсенал, повышать квалификацию.
— Учить будешь?
— Чем иронизировать, лучше скажи — насчет хипеса как мыслишь? Никак. В картишки не интересуешься? Тоже нет. Где и на чем солидного клиента брать знаешь? Не знаешь. Почем сейчас доллар стоит? Тоже не знаешь. Знакомства в гостиницах есть? А в комиссионках?.. Учиться тебе и учиться, дорогая Ольга Владимировна, как завещал великий Ленин.
— Меня Линда кличут...
— А меня Ринго. Говорят, похож.
— Похож. А на самом деле как зовут?
— Виктор. Виктор Васютинский. Правда, родился под другой фамилией. Знаешь, какой?
— Ну?

— Штольц. Так что, наша встреча — знак судьбы.
— Штольц и Ильинская? Как в «Обломове»?
— Неужели читала?
— Я много чего читала...

Девятнадцать...

— Слушай, а как там твои папахен с мамахеном? Может, проведаем, устроим, так сказать, возвращение блудной дочурки?
— С чего это вдруг? Совсем крыша протекает?
— Не скажи. Недельку комедию поломаем, обаяем старичков, подарочками ублажим, глядишь, папашка твой мне рекомендацию по всей форме нарисует.
— Куда рекомендацию? В страну Лимонию тайгу валить? Это он быстро.
— Ой, помягше к людя́м надо, Линда Батьковна, помягше, а вот мыслить — ширше и переспективнее... Мне, душа моя, не на лесоповал надобно, а наоборот, на юридический факультет университета...
— Ну точно, тронулся...
— Не скажи. Умным людям даже верхнее образование не помеха. Если, допустим, и нет у нас с тобой в жизни амбиций, кроме как потрошить жирных карасей всеми известными способами, так ведь диплом в кармане и должность соответствующая этому делу могут очень даже поспособствовать. Я и тебя, лапушка, всерьез к наукам приобщить намерен. Ты у меня через годик на филологический поступишь.
— Мило. А почему именно филологический?
— Официальная маза для контактов с фирмо́й. Сама ведь замечаешь, как они к нам зачастили. Америкашки, япошки, не говоря уж про турмалаев и прочих шведов. Разрядка, душечка... Плюс факультет невест. Там со всего города чудо-охламончики пасутся — пухленькие, богатенькие, глупенькие. Только сачок подставляй.
— Я тебе остохренела? Мерси!

— Зачем так ставить вопрос? Надо же нам в этом чудном городе легализоваться. А то, о чем я говорю, — способ испытанный, нехитрый, недорогой и надежный. Охмурить какого-нибудь маменькиного сыночка из приличной семьи, выскочить за него замуж, быстренько развестись и отсудить квартирку с имуществом. Учти при этом, что и я со своей стороны буду делать ровно то же самое. И тогда, через пару-тройку лет...

Самое смешное в авантюре с университетом было то, что все получилось. С блеском! Родичи, увидев доченьку ласковой, гладкой и благоустроенной, вмиг оттаяли до соплей, а ее обходительный и завидно состоятельный друг — Ринго назвался работником портовой таможни — и вовсе их очаровал. Мамаша от них не отходила, кормила от пуза и все нарывалась к детям в гости. Пришлось сослаться на текущий ремонт и предстоящий переезд и обещать непременно пригласить на новоселье. Папаша в лепешку расшибся, но добыл для него нужную рекомендацию с присовокуплением красивой грамоты победителю областного смотра общественных рыбоинспекторов. Потом, уже дома, Ринго немного похимичил с трудовой книжкой и характеристиками, и совокупности предъявленных бумажек с лихвой хватило на то, чтобы обеспечить режим наибольшего благоприятствования на вступительных экзаменах и последующее триумфальное зачисление на юридический факультет. Еще бы — по документам он получился потомственный стопроцентный пролетарий, отличник боевой и политической подготовки, обладатель трехлетнего трудового стажа по специальности.

Линду он метил на финское отделение, но трезво сопоставив конкурс и проходной балл со своими возможностями, она предпочла более доступное албанское, куда и поступила — тоже без особых проблем.

Приехав в Житково с опозданием — неделю провалялась с ангиной, — она почему-то не застала там

Ринго, но первые дни даже и не вспоминала о нем, потому что случилось нечто, не подлежащее предвидению и перспективному планированию.

В ее жизнь ворвался Нил Баренцев.

Первый же взгляд на него отозвался внезапной слабостью в ногах и головокружением и только потом оформился мыслью: «Какой красивый мальчик!».

Красивые мальчики были ей, конечно, не в новинку, но в каждом из них, встречавшихся ей доселе, сквозило природное, неподавляемое никакими манерами и воспитанием и дико раздражающее ее самоощущение элитного жеребца. Непробиваемая убежденность в собственной неотразимости, пресыщенно-снисходительные улыбочки — дескать, погарцуй передо мной, кобылка, изобрази что-нибудь этакое, тогда я, так и быть, тебя покрою. Может быть... Для таких она даже придумала хитрое словечко — «засимплексованные», то есть, полная противоположность закомплексованным... Томлением по подобным экземплярам она не маялась, к тому же патентованные красавцы сплошь и рядом оказывались весьма хреновы в общении — особенно в горизонтальной его разновидности.

Но этот был иной. Она сразу определила эту «инаковость» по глазам — большим, неправдоподобно синим, не по возрасту печальным. И еще, прочитала она в этих глазах ответный зов, напугавший ее своей робостью... Дурея от сладкой вибрации во всем теле, она последним усилием воли прикрылась улыбчивой, чуть грубоватой личиной «своего парня» и в этой стилистике выдержала всю сцену на чердаке, куда они поднялись после импровизированной экскурсии по бараку. Малыш, кажется, ничего не заметил...

Боже, каким облегчением было появление Стефанюка — манерного, приторного, изломанного, по внешности своей и повадкам показавшегося ей злобной пародией на грациозного, неосознанно пластичного Нила, каждое движение которого сводило ее с ума! А голос! А длинные музыкальные пальцы, так проворно и сноровисто бегающие по гитарному грифу!.. Потом, когда под навес столовки стянулся народ, она развеселилась, стряхнула с себя наваждение, забыла о нем... А зря — ибо оно нахлынуло с удесятеренной силой, когда Линда вдруг обнаружила себя наедине с Нилом на безлюдной деревенской улице, ощутила на своих плечах тепло его рук, почувствовала, обмирая, как он рывком поднял ее с земли и понес куда-то, не разбирая дороги...

В те минуты он мог сделать с ней все. Не сделал.

Потом была одинокая бессонная ночь на темном продувном чердаке, искусанная подушка... «Хороша! — шипела она, подавляя слезы. — На самой клейма ставить негде, а туда же, влюбилась, как гимназистка! В сопляка! В малолетку!»

И весь следующий день, превозмогая отвращение, напропалую кокетничала с четырьмя прочими представителями сильного пола — как на подбор, один другого гаже. Это такую казнь себе устроила, за проявленную слабость. Заодно надеялась отвлечься.

Получилось только до вечера, а когда увидела Нила, вышедшего к полю встречать ее, так и стукнул в головушку невероятный, багрово-фиолетовый сентябрьский закат...

Уже на берегу, извиваясь в его жарких объятиях, стремительно погружаясь в золотистое безумие, последними остатками воли и рассудка, как в последнюю соломинку, вцепилась в жалкий, насквозь лживый лепет. Про покинутую мать, про несуществующую сестру. Подействовало... И от нахлынувшей победной пустоты хотелось выть волчицей.

Ну не могла она позволить себе потрафить чувству, внезапному и мощному, как селевый поток. Понимала, что легкого, необременительного романчика здесь не получится. Толкового гешефта, как замыслили они с

Ринго, — тем паче. И так прикинь, и эдак — ничего, кроме тяжелейших проблем, эта связь не сулила.

Когда на другой день он внезапно заболел и уехал в город, стало легко и пусто.

О том, что случилось с Ринго, она узнала в правлении совхоза, куда скоренько пристроилась, не горя желанием ишачить в поле. Там только об этом и судачили. А через недельку он и сам все рассказал ей, когда побитой собакой притащился из Выборга, отощавший, небритый, провонявший «обезьянником». Рассказал откровенно, с прежде ему не свойственными подвываниями и придыханиями.

Приехал в знакомые места и чуть не сразу расслабился с аборигенами, у которых в бытность свою ефрейтором взрывпакеты на самогонку выменивал. Подписался на дебильную пьяную кражу, опомнился, когда уже в его полуторку дизель загружали, и свалил по-тихому, предоставив остальным самим разбираться. Тем только и уберегся от тюрьмы, а скорее всего, и от чего похуже, поскольку оба его подельника разбились насмерть, вывозя добычу. Но из университета выперли без малейших шансов на восстановление, о чем уведомили в приказе, копию которого ему предъявили в выборгской ментовке. Сволочи, такие перспективы обломали!

Он изнемогал от жалости к себе и явно нарывался на сочувствие, но удостоился лишь холодного презрения. Прокололся по собственной дурости, а теперь плачется в жилетку! В ее глазах он моментально утратил всякое право не только на лидерство, но и на партнерство. Она прекрасно сумеет устроить свои дела самостоятельно...

В Ленинград она возвращалась, полная всевозможных планов. И в этих планах не было места Нилу Баренцеву. Линда упорно внушала себе, что в разыгрываемой ею партии он — фигура лишняя, отвлекающая, вносящая ненужный сумбур в мысли и чувства.

Но бороться с этим сумбуром было свыше ее сил, хотя, видит Бог, она старалась. С головой погружалась в учебу, в рамках программы жизнеустройства легко добилась индивидуального приглашения в гости от двух перспективных мальчиков, но дальнейшего развития отношения не получили — один слишком уж нахраписто распустил ручонки, а второй, мгновенно выжрав все спиртное, заготовленное на случай затяжного интима, безнадежно вырубился. А между прочим, квартирки у обоих несостоявшихся кавалеров были вполне барские...

От этих визитов на душе остался грязный осадок. Одно дело эксплуатировать людские пороки, заставляя расплачиваться за жадность, тупость, похоть, но провоцировать любовь с тем, чтобы потом наказывать за нее?.. Линда злилась, ругала себя сентиментальной дурой, но ничего с собой поделать не могла. И тем неудержимее влекло ее к Нилу...

Поход в больницу принес ей и облегчение, и растерянность. Малыш очень обрадовался ее появлению, принесенным подаркам, — но в дивных его глазах больше не было того тихого зова, который вмиг перевернул все ее существо там, в деревне. «Ты отличный парень, Линда!» — говорили теперь эти глаза...

Перегорело у него. «Все к лучшему!» — решила она. И когда он пришел на факультет, действительно стала для него отличным парнем. Курили на лекциях и на переменках, пили кофе, бегали в киношку. Украдкой, внушая себе, что ее это нисколько не задевает, она следила за его неуклюжими, щенячьими потугами снискать благосклонность надменной рыжей красотки Захаржевской с английского и тихо радовалась, понимая, что там ему вряд ли что обломится. И это правильно — не такая ему нужна подруга... Ей было весело оттого, что удалось пролететь над пламенем, не опалив крылышек.

Щас! Как увидела его, растерянно озирающегося в вестибюле общежития, так будто повторилось роковое двенадцатое сентября. Пришлось спрятаться за колонну и отдышаться, прежде чём шагнуть ему навстречу. А не шагнуть было свыше ее сил.

Может быть, ничего этого и не случилось бы, если бы, как на грех, днем в общагу не заявился Ринго. Снова на коне — веселый, напористый, распираемый прожектами. Угощением, крайне притягательным для студенческого желудка, складным разговором быстро расположил к себе недалеких Йоко с Джоном, внедрился, так сказать, с большим знаком плюс, так что выгнать его теперь было неловко. А потом состоялась первая подкурочка, и зачем-то потянуло проветриться на первый этаж...

Туман в мозгах рассеялся уже за полночь, когда обнаружила себя развалившейся в кресле, Джона с Йоко — храпящими в двух койках, а Ринго — восседающим на третьей и лукаво на нее щурящимся.

— Где Нил? — хрипло спросила она.

Ринго молча ткнул пальцем вниз.

Нил лежал на холодном линолеуме, раскинув руки, похожий на распятого ангела.

— Надо бы его на кровать, замерзнет ведь, — сказала она.

Вдвоем кое-как переложили. Он был безмятежен и прекрасен в свете догорающих свечей.

— Хочешь его? — неожиданно прошептал Ринго.

Соврать не получилось, а правда не выговаривалась. Она молча кивнула.

— Повязать бы мальчонку. Для верности, — сказал Ринго.

— Как повязать? — не поняла Линда.

— Кровью... Ладно, не испепеляй меня взглядом. Сама ведь понимаешь, что я имею в виду...

Помог стащить с беспамятного Нила штаны, принес из холодильника чей-то фарш, возвращенный после того, как его отжали через марлечку и окропили простыню в районе оголившихся чресл.

А дальше было то, что было...

Теперь прошлое беспощадным потоком хлынуло на нее, накрыв с головой, сбив с ног. И не требовалось большого ума, чтобы понять, чья злая воля разрушила плотину, любовно возводимую ею...

Решительными движениями Линда ополоснула лицо и быстро вышла из ванной*.

---

* Почтенный автор очень красиво изобразил чувства своей *Lovely Linda*, однако сильно погрешил против фактов. Впрочем, откуда ему было знать, что с Линдой мы были знакомы несколько раньше, чем с Нилом... Я тогда училась в десятом классе и зимние каникулы проводила на ранчо у шефа — он называл это «стажировкой». Входила в курс многогранной деятельности его конторы, осваивала вождение, делопроизводство, восточные единоборства и хорошие манеры, по мере сил развлекала «дорогих гостей» и отбивалась от их ухаживаний. Как-то вечером очередной гость явился из города изрядно под мухой и в обнимку с дамой. Под утро дама испарилась, прихватив с собой толстый бумажник гостя и несколько безделушек. Огорченный гость никак не мог вспомнить ни имени этой особы, ни места, где он с ней познакомился. Через пару недель я встретила ее в одном ресторанчике и провела небольшую разъяснительную беседу. Она клятвенно пообещала больше так не делать, а убытки возместить. Потом расплакалась, разоткровенничалась. Чем-то эта блядушка мне глянулась, и я решила заняться устройством ее судьбы... На следующую нашу встречу она явилась в лохматом рыжем парике и в трогательной самопальной подделке под мой парижский костюмчик. Я поняла, что в ее лице обрела «уоннаби» — фанатку-подражалку, вроде нынешних силиконовых дурочек а-ля Памела Андерсон. Это было чертовски глупо, но самолюбию льстило. Линда так и загорелась идеей поступать в университет вслед за мной и тоже непременно на филологический. «Будь реалисткой, мать, — сказала я, — конкурс на факультет безумный, а у тебя ни подготовки, ни связей». — «Значит, надо кому-то сунуть на лапу, только не знаю, кому и сколько... Ты только устрой мне это дело, а я буду век благодарна и верна... Что хочешь для тебя сделаю...» Я обещала подумать и назначила встречу через неделю. Она пришла вместе с Ринго, которому вдруг приспичило податься на юрфак. Я определила для них программу действий и назвала сумму предполагаемой взятки, довольно приличную... К лету они смогли набрать только половину. Вторую половину я великодушно предложила им взаймы. На определенных условиях. Надо ли уточнять, что условия были довольно жесткие, а их поступление обошлось мне ровно в один телефонный звонок? (*Прим. Т. Захаржевской.*)

V
(Ленинград, 1974)

— Все ваше существо, всякое ваше движение приобретали для меня сверхчеловеческий смысл! Когда вы шли мимо, мое сердце поднималось, словно пыль, вслед вам. Вы были для меня как лунный луч в летнюю ночь, когда всюду благоухания, мягкие тени, белые блики, неизъяснимая прелесть, и все блаженства плоти и души заключались для меня в вашем имени, которое я повторял про себя, стараясь поцеловать его. Выше этого я ничего не мог себе представить. Я любил госпожу Арну именно такой, как она была, — нежную, серьезную, ослепительно прекрасную и такую добрую! Этот образ затмевал все другие. Да и мог ли я даже думать о чем-нибудь другом? Ведь в глубине моей души всегда звучала музыка вашего голоса и сиял блеск ваших глаз... Что, ба?

Нил отложил книгу и склонился над кроватью.

— Довольно...

Он не столько расслышал эти слова, сколько догадался по движению пересохших губ.

— Устала? Может быть, водички?

— Нет... Поправь подушку, хочу сесть... В комоде, в верхнем ящике... Там ключи... Нашел? Давай сюда.

Трясущимися руками бабушка отобрала из связки старых ключей самый маленький.

— Вот... Это от сундука... Открой.

Нил снял отрезок красной ковровой дорожки со стоящего в углу старого сундука, вставил ключик в замок, подернутый патиной времени и чуть тронутый ржавчиной, повернул... Из-под крышки пахнуло древней пылью и немножко нафталином.

— Тут рухлядь какая-то, — пробормотал он. — Тряпки, ноты. Афиша старая...

Нил бережно развернул древнюю желтую афишу. На плохой бумаге — красные буквы характерного пролеткультовского начертания.

— «Артист Владимир Грушин, — прочел Нил. — Чудеса без чудес. Разоблачение церковной магии». Владимир Грушин — это мой дед?

— Евангелие... Там должно быть Евангелие...

— Сейчас. — Нил выпрямился, держа в руках небольшую книгу в красном сафьяновом переплете, с тускло-золотым крестом на обложке. — Оно?

— Да... Дай мне...

— А помнишь, как мне в детстве от тебя влетело за этот сундук? Это из-за Святого Писания? Или из-за деда? Там, в альбоме — тоже он? Почему ты о нем никогда не рассказывала?

— Были резоны. Сядь-ка...

VI
(Самара, 1927—1942)

С артистом Владимиром Грушиным бабушка познакомилась, когда он был еще Вальтером Бирнбаумом, в середине двадцатых заброшенным судьбой в паршивенькую гостиницу города Самары. Плут-импресарио дал деру со всеми наличными, и изголодавшийся Бирнбаум на свой страх и риск устроил бесплатный сеанс магии в местном синематографе, но был неправильно понят и сдан в областную ЧК. Все это могло бы кончиться для него плачевно, но Вальтер сообразил продемонстрировать свои способности на первом допросе, чем немало заинтересовал тогдашнего председателя ЧК Мотю Кацнельсона. Грозный Мотя имел мужскую проблему интимного свойства, которую Вальтер успешно снял посредством лечебного гипноза, наладив пациенту и эрекцию, и эякуляцию. Малограмотный Мотя попросил записать ему эти красивые иностранные слова и с тех пор щеголял ими, к месту и не к месту. В благодарность Мотя не только обеспечил Вальтеру покровительство своего всесильного учреждения, но и пристроил в штат областной филармонии, где как раз начинала трудовой путь молодая пианистка Шурочка Елецкая.

Помимо прочего, поводом для их сближения послужило наличие общих воспоминаний и даже общей родни. Оказалось, что Вальтер — блудный сын Франца Бирнбаума, старшего мастера у прославленных братьев Карла и Агафона Фаберже. Шурочка же была с дядей Францем прекрасно знакома — в двадцатом году пожилой швейцарец неожиданно женился на Женечке, ее старшей сестре. Большой любви там не было, просто добряк-ювелир спасал молодую, талантливую художницу, увозя ее на свою гемютную родину из кровавой и нищей России. Семью же Евгении вывезти не получилось, и вскоре юная Шурочка с матерью оказались у дальней родни в Самаре-городке. Вальтер же расстался с отцом намного раньше, еще до революции, и при обстоятельствах весьма скандальных.

Не имея охоты и призвания к отцовскому ремеслу, он с юных лет обнаружил в себе небывалую ловкость рук и мощный дар внушения. Но этими дарами он воспользовался не во благо: будучи по протекции отца принят в торговый дом Фаберже, он начал в общении с покупателями производить кое-какие лишние *пассы*, благодаря которым в скорейшем времени обзавелся капиталами и привычками, неприличными для начинающего приказчика и вчерашнего гимназиста. К счастью, он не успел утратить чувства меры до того, как был разоблачен, — и к двойному счастью, разоблачен не взбешенными клиентами, а собственными сослуживцами. Дело, как сугубо внутреннее, не стали придавать огласке, однако же Бирнбаум-младший со службы вылетел и в короткое время примкнул к бродячей музыкальной антрепризе, где его сырой талант постепенно обрел профессиональную огранку и — прочную закалку в горниле революционных катаклизмов.

В начале тридцатых покровитель Мотя бесследно исчез, а вскоре за Вальтером в первый раз *приехали*. В хорошо знакомом ему кабинете в начальственном кресле сидел тщедушный субъект со злобно прищуренными глазками. Закончился визит благополучно — у Гриши, старшего уполномоченного ОГПУ, вследствие перегрузок и хронического недосыпа развилась та же проблема, что и у его предшественника. Исправили и ее, а вскоре молодая чета Бирнбаумов переехала в роскошную квартиру расстрелянного за вредительство инженера, где и родилась дочка, названная Ольгой.

Следующий хозяин сакраментального кабинета, Петр Степанович, попавший в начальники самарского НКВД прямо из Бутырок, где надзирательствовали еще его деды и прадеды, в укреплении мужской силы не нуждался, ибо был здоров и крепок, как медведь. Его Бирнбаум пользовал от тяжелых запоев. Перед вторым сеансом хмельной Петр Степанович, заведя беседу о внешнеполитическом моменте, невольно натолкнул Бирнбаума на мысль, доказавшую впоследствии свою ценность. Мировая революция захлебнулась, вещал Петр Степанович, французские социалисты свой рабочий класс предали, в Англии Чемберлен лютует, в Италии — Муссолини, в Испании поднимает голову гидра реакции, на Востоке японцы шкодят, в Германии ускоренно вооружается Гитлер, а Коминтерн вот-вот прикажет долго жить. СССР все более становится похож на остров, со всех сторон осаждаемый врагами. В связи со сложной международной обстановкой идеологический переход первого в мире социалистического государства на национально-патриотические рельсы — лишь вопрос времени, причем скорейшего. И тогда, в числе прочих, ох как поплачут всякие Карлы, Клары и Фридрихи, а заодно те Ваньки и Егорки, которые легкомысленно променяли исконные свои имена на заграничных Джонов и Жоржей... На другой же день артист пошел в комиссариат и из Вальтера Францевича Бирнбаума стал Владимиром Федоровичем Грушиным.

В самом скором времени это неброское имя прославилось на весь СССР. Гипноз, чтение мыслей, передвижение предметов на расстоянии, разоблачение религиозных «чудес». На его сеансах разговаривали картины и статуи, поднимались и парили над сценой столы, стулья, тяжелые вазы с цветами, а люди вытворяли такое, о чем мгновение назад и помыслить не могли: пели голосами Карузо и Неждановой, крутили двойные сальто, в уме перемножали четырехзначные числа. «Чудес нет, — комментировал сам Грушин свой уникальный дар. — Я просто сосредотачиваюсь и переношусь мыслью в другого человека, в неодушевленный предмет, и он начинает жить, подчиняясь моей воле и делясь со мной всеми своими тайнами. На время мы становимся как бы единым целым». — «Вам бы с вашим талантом, да в столицу», — говорили ему знакомые и малознакомые почитатели. «А зачем? — улыбался в ответ Владимир Федорович. — Столица сама ко мне придет».

Так и вышло.

Осенью сорок первого немцы были на подступах к Москве. Все посольства и многие правительственные учреждения, включая и наиглавнейшие, были эвакуированы в Куйбышев. Это обстоятельство не прибавляло спокойствия в доме Грушиных. Каждый день ждали ареста, депортации, а то и чего похуже, вздрагивали при скрипе тормозов за окнами — глава семьи слишком хорошо знал нравы бдительных *органов,* чтобы надеяться на то, что его немецкое происхождение останется без внимания. Но на протяжении нескольких месяцев никто их не обеспокоил, и постепенно напряжение улеглось.

Однако суровым февралем сорок второго к подъезду Грушиных подъехал длинный черный автомобиль.

В сопровождении двух мрачных мордоворотов явился вежливый лысый очкарик с ромбиками старшего политрука в петлицах и предложил отдыхавшему Владимиру Федоровичу срочно проследовать за ним. Александра Павловна, простоволосая, в накинутой прямо на ночную рубашку шубейке, выбежала следом за отъезжающим автомобилем, но споткнулась, упала в заледенелый сугроб и несколько минут пролежала так, без движения, не выпуская из рук авоську с наспех собранным теплым бельишком для мужа. Потом поднялась, подобрала авоську, зашла в дом и, не проронив ни слезинки, стала лихорадочно прикидывать, как бы половчее переправить мать и семилетнюю Оленьку к тетке в Казахстан. О себе и о муже она старалась не думать.

Через два дня Грушин вернулся. Веселый, в белом генеральском полушубке без знаков различия, в каракулевой папахе. От него приятно припахивало легким кахетинским вином. Расцеловав жену и дочку, он с достоинством прошел в комнату, уселся за стол, достал из кармана бордовую с золотом пачку довоенной «Тройки», неспешно затянулся толстой сигаретой с золотым обрезом и сообщил жене, что выступал с сольным концертом ни больше ни меньше как в Ставке Верховного Главнокомандующего. Гвоздем программы стал сеанс внушения. Два командарма, обнажившись по пояс, продемонстрировали рукопашную схватку по правилам греко-римской борьбы, товарищ Микоян самозабвенно и без малейшего акцента прочитал главу из «Евгения Онегина», а молодой нарком вооружений товарищ Устинов сплясал зажигательную лезгинку к полному восторгу присутствовавшего там же товарища Берия. Грушина накормили царским, по тем временам, ужином, а потом к нему тихо подошел Поскребышев и сообщил, что его желает видеть Сам. На негнущихся от волнения ногах артист долго шел за личным секретарем товарища Сталина извилистыми переходами, пока не оказался у сплошной дубовой двери без всякой таблички — единственной на весь коридор.

Вождь и учитель оказался очень похож на многочисленные свои портреты, только выглядел бледным и усталым. Тихим, глуховатым голосом он предложил Грушину садиться и, выпустив кольцо дыма из знаменитой трубочки, задал несколько общих вопросов. Тот принялся отвечать — дрожащим голосом, несколько более многословно, чем того требовала ситуация. Иосиф Виссарионович слушал, не перебивая, и чертил что-то левой рукой на листке бумаги. В конце недолгой аудиенции товарищ Сталин сложил листок и без слов вручил артисту. Уже в коридоре Грушин развернул бесценную бумажку. Там лаконично, неровными буквами — но без ошибок! — было сформулировано личное задание вождя, которое надлежало выполнить в течение суток.

Утром в местное отделение Госбанка СССР вошел человек в сером пальто с ничем не примечательным коричневым чемоданчиком в руках. Он прошел прямо к окошку кассира, протянул сложенный вчетверо листок, раскрыл чемоданчик и начал укладывать в него тугие пачки пятисотрублевок, услужливо протягиваемые кассиром. Так и не сказав ни слова, человек вышел из банка и через час, миновав несколько военных патрулей, приблизился к тщательно охраняемому комплексу зданий, где временно расположилось руководство страны. Беспрепятственно войдя в здание, человек безошибочно направился по извилистым переходам и коридорам. На усиленных постах охраны, расположенных едва ли не на каждом повороте и укомплектованных отборными бойцами НКВД, либо вовсе не замечали человека в сером пальто, либо замирали, отдавая честь, после чего бросались отпирать перед посетителем охраняемые воротца и двери. В очередной раз поднявшись по лестнице, человек остановился перед единственной на этаже сплошной дубовой дверью без таблички, миновал первую комнату — двое находящихся в ней людей не обратили на него ни малейшего внимания, — вошел во вторую и молча поставил чемодан перед сидящим за письменным столом усатым пожилым человеком.

— Принесли, Владимир Федорович? — тихо, с легким кавказским акцентом спросил усатый.

— Ровно сто пятьдесят тысяч, Иосиф Виссарионович, — ответил Грушин. — Желаете пересчитать?

Впервые с начала войны Сталин засмеялся.

На следующий день кассир, выдавший сто пятьдесят тысяч рублей в обмен на вырванную из учебника географии страницу с описанием рек Франции, заведующий отделением Госбанка и начальник правительственной охраны были расстреляны, а Грушина включили в состав особой творческой группы, возглавляемой известным советским драматургом Меркуловым.

Скороговоркой пересказав жене эту историю, Владимир Федорович умчался в заснеженную даль на казенном авто, оставив после себя сумку со сказочным богатством — три буханки горячего белого хлеба, десяток банок американской тушенки, мешочек гречневой крупы, огромный ломоть копченого сала, хозяйственное мыло и, специально для Оленьки, круглую прозрачную дыньку.

В течение еще двух месяцев такие же сумки трижды привозил молчаливый капитан, один взгляд на каменные скулы которого отбивал всякую охоту задавать вопросы. А в начале апреля Владимир Федорович приехал сам.

— В тот вечер я видела его в последний раз, — тихо, с хриплыми придыханиями продолжила бабушка. — Вальтер был нежен, внимателен и в то же время выглядел растерянным...

«Знаешь, моя родная, завтра, очень рано, я отбываю в длительную командировку. Писать тебе вряд ли смогу, условия будут специфические, но ты не волнуйся, все будет хорошо, — сказал он. — Я оставляю тебе офицерский аттестат, но не только. Вот». И он протянул ей продолговатый сафьяновый футляр. Она открыла и не поверила своим глазам — на белом атласном ложе покоилось редкостной красоты ожерелье, крупные синие сапфиры, обрамленные бриллиантами, в оправе из белого золота. «Это работа моего отца, — сказал Вальтер. — Его руку я узнаю без всякого клейма. А это ожерелье помню особо — ведь отец изготовил его не на продажу, это был его подарок на свадьбу сестры, моей покойной тети Эльзы. Можно только гадать, какими путями оно оказалось в личном сейфе всесоюзного ста...» Он резко замолчал, но она уже поняла, о ком речь. «Ты ограбил самого Калинина?!» — прошептала в ужасе. Он улыбнулся. «Еще вопрос, кто кого ограбил. Я возвратил семейную собственность. К тому же старик сам с радостью отдал мне ожерелье. Впрочем, теперь он едва ли об этом вспомнит... Если вдруг со мной что-то случится и я не вернусь, — продолжил он совсем другим тоном, от которого ей стало не по себе, — ты сможешь поддержать себя и Олю, потихоньку продавая камушек за камушком надежным людям. Но, умоляю, ни в коем случае не пытайся продать все сразу — это очень опасно. А сейчас давай-ка мы его хорошенько припрячем. Кажется, я знаю подходящее местечко...»

VII
(Ленинград, 1974)

Бабушка дрожащей рукой показала на сундук.

— Да, — сказала она, проследив за взглядом Нила. — Мы выгребли оттуда все барахло прямо на пол, Вальтер взял стамеску и молоток и начал, стараясь не шуметь, вырезать нишу в стенке сундука. Я быстренько сварила клейстер, набрала газет. Вальтер еще возился с сундуком, и я взяла футляр в руки, вновь раскрыла его. Момент был не самый подходящий, но я не удержалась, застегнула ожерелье на шее и подошла к зеркалу. Боже мой! Мне захотелось сбросить с себя омерзительное тряпье, уложить волосы, надеть открытое платье, сделать маникюр, почувствовать себя женщиной!..

Она начала задыхаться. Нил поспешно налил воды из графина, дал ей напиться. Несколько минут бабушка лежала молча, потом вновь приподнялась на подушке.

— Я очнулась оттого, что Вальтер вдруг нежно обнял меня за плечи, я даже не заметила, как он подошел сзади, глядя на мое отражение в зеркале, тихо произнес: «Как ты, однако, хороша...» И мы с ним тихо заплакали — от безысходности, от невозможности выбрать для себя другую жизнь, от неизбежной, может быть, окончательной разлуки...

VIII
(Самара, 1945)

Кончилась война, а от Вальтера не было никаких известий. Однажды вечером, в июне сорок пятого раздался звонок, и она открыла дверь. Перед ней стоял средних лет мужчина в хорошем темно-сером костюме. «Александра Павловна Грушина?» — спросил он. «Да, это я». — «Полковник Серов, Иван Николаевич. Позвольте войти?»

Сердце у нее заныло от дурных предчувствий. «Мне трудно говорить, — с грустью произнес Серов, — но я должен... В течение трех лет ваш супруг, Владимир Федорович Грушин, успешно выполнял труднейшую разведывательную работу на территории Германии и сопредельных стран. Ему удалось внедриться в ближайшее окружение Геринга и наладить передачу исключительно ценной информации, благодаря которой наше командование имело возможность соответствующим образом упредить события и тем самым сохранить многие тысячи жизней. Полковник Грушин работал в условиях глубочайшей конспирации и связаться с вами не мог. Последнее сообщение от него мы получили в конце апреля сорок пятого года, во время берлинской операции. Он находился в Берлине до самого последнего дня и, по свидетельству надежных источников, погиб при налете авиации союзников. Сейчас весь Берлин лежит в развалинах, и его тела, к сожалению, найти не удалось. Если бы он был жив, то обязательно дал бы о себе знать. Это был честный советский патриот... Полковник Грушин Владимир Федорович награжден двумя орденами Ленина и посмертно удостоен звания Героя Советского Союза. Награды я передаю вам вместе с наградной книжкой и личным посланием нашего шефа».

Она развернула плотную бумажку, там было две строки: «Горжусь Вашим мужем. Глубоко сочувствую. Лаврентий Берия». Эта бумажка очень пригодилась через год, когда она затеяла вернуться в Ленинград, чтобы Ольга могла получить лучшее музыкальное образование. И еще Серов оставил документы на пожизненную персональную пенсию...

IX
(Ленинград, 1974)

— Почему же ты до сих пор молчала? Почему я только сейчас узнаю, что у меня, оказывается, дед был герой-разведчик, настоящий, невыдуманный Штирлиц? — с горечью спросил Нил.

— Твоя мать не знает об этом до сих пор, ей известно лишь, что ее отец погиб в самом конце войны, — с трудом произнесла бабушка. — На прощание Серов взял с меня слово, что этот разговор останется между нами, а летом пятьдесят третьего меня вызвали в Большой дом и заставили подписать бумагу о неразглашении... Так что теперь, рассказывая тебе о деде, я совершаю государственное преступление. Только мне уже все равно, *их* суд мне уже не страшен...

Бабушка отвернулась, поднесла платок к глазам. Нил застыл, как громом пораженный, — он и не подозревал, что она способна плакать. Он робко подошел к ней, положил руку на неожиданно хрупкое, будто птичье, плечо.

— Не надо, ба...

— Не надо чего? — Она подняла на него молодые, насмешливые глаза. — Что-то разболталась я... Дедовы ордена и документы к ним лежат в сундуке, на самом дне. Погляди, коли любопытно, назад положи и сундук запри. И смотри, язык-то не распускай, тебе еще жить тут да жить. Опять же охотников нынче много, украдут, как ожерелье украли... Эх, чуяло мое сердце, что не ко времени Оленьке его показала...

Бабушка опустила голову на подушку и отвернулась к стене. Нил на цыпочках подошел к сундуку, стал тихо вынимать из него вещи, разглядывать по очереди и складывать на пол. Несколько афиш, высокая шляпная картонка, из которой он вынул твердый шелковый цилиндр, из цилиндра выпала черная маска, тоже обтянутая шелком. Пахнущая нафталином старинная черная крылатка. Альбом в темно-синем бархатном окладе. Плоская коробочка алой кожи с золотой застежкой, еще одна. В правой боковой стенке, оклеенной газетой военных времен, рядом с карикатурой — плачущий Гитлер играет на гармошке, а из раскрытого рта ленточкой вылетают слова: «Последний нонешний денечек» — зияла прямоугольная дыра. Нил ощупал ее неровные края пальцами, чувствуя, как краска заливает лицо...

С фамильным ожерельем у него была связана своя тайна, которая, в отличие от бабушкиной, не содержала в себе ничего героического, романтического или хотя бы достойного...

X
(Ленинград, 1966)

Впервые он увидел эту красивую штучку на шее матери в тот день, когда в театр нагрянула весть, что ей присвоено звание народной артистки РСФСР. Ольга Владимировна не отходила от зеркала, принимая всякие вычурные позы. Нилу это показалось нелепым, скоро наскучило, и он не выказал никакой реакции по поводу очередной маминой побрякушки. Назавтра Ольга Владимировна отбыла в Москву, в Министерство культуры, а вечером ее показали по телевизору. В большом красивом зале она лобызалась с представительным седовласым мужчиной в черном костюме, который вручил ей большой диплом и роскошный букет цветов. Еще через день мама приехала и привезла с собой несколько фотографий, сделанных на торжественном банкете. На одной из них с ней танцевал человек, вручивший ей награду, — мама с гордостью сказала, что это сам министр. На открытой шее было отчетливо видно ожерелье. Увидев его, бабушка словно окаменела и строгим голосом велела маме выйти с ней в ее комнату. Они долго не возвращались, а потом мама появилась с красными, заплаканными глазами, держа в руке сафьяновый футляр...

Минуло несколько месяцев. Нил сидел на скамеечке и угрюмо ковырял палкой землю под ногами. Домой он попасть не мог — бабушка, наверное, отправилась по магазинам, а ключи он оставил в кармане зимнего пальто, из которого только вчера перелез в весеннюю шуршащую курточку, привезенную мамой из-за границы. Во дворе было скучно и пусто, возле лужи дрались за хлебную корку воробьи, и в песочнице копошилась малышня, сооружая куличики.

— А ты чего не играешь? — спросил прямо над ухом кто-то незнакомый.

Нил поднял голову и увидел мужчину лет тридцати пяти, хорошо одетого, с холодными серыми глазами.

— Это с ними, что ли? — Нил указал на песочницу.

Незнакомец опустился на скамейку рядом с ним и поддакнул:

— Мелюзга сопливая. А ты в каком классе учишься?

— В третьем.

— Большой уже. А хочешь, научу в ножички играть?

Незнакомец достал из кармана узкий складной ножик с красной ручкой, открыл и принялся ловко кидать в землю. Ножик проделывал в воздухе самые замысловатые вращения, но всегда втыкался острием. Затем незнакомец принялся кидать с каждого пальца по очереди, с ладони, с локтя, с колена — но острие постоянно входило в землю. Нил восхищенно наблюдал.

— Теперь ты попробуй.

Незнакомец протянул ножик Нилу. Тот взялся двумя пальцами за лезвие и кинул в землю, но ножик плюхнулся плашмя. Нил повторил еще и еще раз, все равно ничего не получалось. Губы непроизвольно растянулись, еще чуть-чуть — и расплачется.

— Ну ничего, еще натренируешься, — утешил незнакомец и протянул нож Нилу. — Дарю.

Нил даже порозовел от радости. Сколько ни просил маму, бабушку купить ему нож — те не соглашались ни в какую.

— Как зовут-то тебя?

— Нил Баренцев.

— Баренцев? Слушай, а певица, народная артистка Баренцева — это не твоя мать?

— Моя, — с гордостью кивнул Нил.

Незнакомец достал из кармана фотографию. Мама на приеме в министерстве, в декольтированном платье, с роскошным ожерельем на шее.

— Красивая у тебя мать и певица замечательная. Она мне очень нравится, — продолжал незнакомец. — Какое у нее красивое ожерелье — это, наверное, папа подарил?

— Нет, папа у меня летчик, на Украине работает, а раньше в Китае. Он маме веер подарил и халат с драконами. А ожерелье бабушкино — она его в сундуке прятала, а мама взяла потихонечку и надела, тогда бабушка ее отругала, только мама все равно его не отдала и заперла в свою шкатулку, — разоткровенничался Нил.

— Так ты только с бабушкой живешь и с мамой?

— Еще с бабуленькой — это бабушкина мама, — только она совсем старая, глухая и не соображает ничего.

Незнакомец поднялся и протянул Нилу руку.

— Ну давай, Нил Баренцев, тренируйся, а если тебя про ножик спросят — скажи, что нашел, а то еще отругают, что подарок взял.

Недели через две случилось то, что должно было случиться. Мать открыла шкатулку — и не нашла в ней коробочку с ожерельем. Скандал был неописуемый, бабушка слегла на неделю, мать была в отчаянии. Специально приглашенный по этому поводу знакомый адвокат, выслушав сбивчивые объяснения матери, сказал, что раскрыть это дело — дохлый номер.

— Слишком уж информирован был вор. Действовал точно, быстро, явно по наводке. Уж кто из вас проболтался — разбирайтесь сами, но засветила ожерелье ты, — сказал он матери. — В милицию заявлять я не стал бы — мороки много, а толку все равно не дождетесь.

Мать выспрашивала бабушку, Нила, но тот только ревел — ревел от злости и досады, потому что понял все. Лицо маминого «почитателя» он запомнил на всю жизнь...

XI
(Ленинград, 1974)

Не прожив без Линды и трех дней, Нил остро почувствовал, что значит «не находить себе места». Где бы он ни был — в университетской аудитории, в квартире на Моховой, вновь приютившей его, на осенней улице, пробивающей до костей холодом или промозглой сыростью, на площадке очередной дискотеки или в очередных пьяных гостях, — казалось, что сам воздух выдавливает его отсюда, указывая на его, Нила Баренцева, несовместимость именно с этим кусочком пространства. Бежать было некуда, иногда удавалось на время забыться, но надолго спрятаться в учебу, в музыку, в вино, в уход за бабушкой, отлеживающейся дома после срочной и тяжелой операции на сердце, не получалось. Все чаще, задумавшись о чем-то, садился не в тот троллейбус или отклонялся от намеченного пешего курса, и неизменно опоминался на Петроградской, в виду знакомого грязно-голубого дома с вычурными башенками и высоким гнутым фонарем в центральном дворе. Всякий раз он поворачивал обратно — еще не чувствовал себя готовым зайти.

Решительность явилась вместе с морозами, внезапно грянувшими в конце ноября. Объяснялась она до банальности просто — в старенькой болонье и легких полуботинках ходить стало нестерпимо холодно, а весь его гардероб, в том числе и зимний, остался там, в комнате, которую он еще два месяца назад делил с Линдой.

— Я даже не посмотрю в ее сторону, — шептал он, поднимаясь в антикварном лифте. — Отвернусь и скажу так: «Все, что ты хотела получить от меня, ты получила, и пусть оно у тебя остается, мне ничего не нужно. С твоего позволения, я заберу только свою одежду, тебе она никак не пригодится. Если захочешь оформить прекращение наших отношений, ты знаешь, где меня найти...» Главное — не глядеть на нее, только не глядеть...

Отворачиваться не пришлось, и не понадобилось ничего говорить. В безупречно прибранной комнате пахло давним безлюдьем, оставленная на столе и прижатая вазой записка успела чуточку пожелтеть и скрутиться по краешкам: «Я забрала только свою одежду, тебе она никак не пригодится. Больше мне ничего не нужно. Если хочешь оформить развод, ты знаешь, где меня найти...» Он скомкал записку, положил в карман, лег на широкий матрас и лежал там, пока давление пустоты не сделалось нестерпимым.

Чемодан и сумку Линда унесла, но так было даже лучше — сама мысль о сосредоточенном, методичном сборе вещей была сейчас омерзительной. Нил распахнул полупустой шкаф, выгреб оттуда дубленку, меховую шапку, теплый шарф, наскоро оделся, переобулся и устремился на балкон, как ныряльщик из морских глубин на поверхность.

На длинной кухне было сравнительно малолюдно. У плиты возилась тетя Фира, Мишенька с воем бегал от Гришеньки или, наоборот, Гришенька от Мишеньки, а Гоша меланхолично поедал кильку в томате прямо из банки.

— Это очень хорошо, что я вас застала! — Тетя Фира выросла перед Нилом, уперев руки в толстые бока. — Вы который раз пропускаете очередь по уборке мест общего пользования. Ладно, сортир у вас свой, мы не претендуем, но коридор или хотя бы кухня...

— Гоша, — устало сказал Нил, отодвинув оторопевшую тетю Фиру, — завтра утром я заеду за остальными вещами, а вечером, будь другом, позвони в одно место, номер я скажу, и передай Линде, что ее квартиру я освободил и она может возвращаться.

— А сам? — спросил Гоша с набитым ртом.

— А сам не могу. Голос ее слышать не могу.

— Да я не про то. Сам-то где теперь обретаешься?

— К матери вернулся.

— Понятно... Я позвоню, конечно.

— Нил, у вас все так серьезно? — с интересом встряла тетя Фира. — Вы знаете, я не хотела вам говорить, но летом, в ваше отсутствие она принимала у себя мужчину...

— Спасибо, мне это уже неинтересно.

Оказавшись на Большом проспекте, он зашел в «Пингвин» и взял двойной кофе и рюмку коньяку.

С соседнего столика ему призывно улыбнулась симпатичная румяная девушка в белой пушистой шапочке и расстегнутом белом полушубке. Нил ответил ей рассеянной полуулыбкой и поднес рюмку к губам.

— Опять не узнал меня? — кокетливо спросила девушка, пересев к нему.

— Нет, — честно признался он, хотя голос показался ему знакомым.

— Я же Линда.

Нил замер с раскрытым ртом. Девушка сняла шапку, и по ее плечам рассыпались золотистые волосы. Нил облегченно выдохнул:

— Зарецкая.

— Задонская! — топнув ножкой, поправила она. — Ты вообще на редкость внимательный джентльмен. Летом к нам в «Борей» приезжал, так даже поздороваться не подошел.

— Извини...

— Извиню, если сто мороженого купишь. С сиропом.

— Слушай, Задонская, а может, чего-нибудь посущественней? Шампанское будешь?

— А вот буду! — Она состроила капризную гримаску. — Только сладкого. И пирожное...

Они пили теплое, сладкое шампанское, вспоминали лето, смеялись, перемывали косточки общим знакомым.

— Что-то твоя благоверная на фак носа не кажет, — заметила Задонская.

— Академический взяла.

— Вот как? А-а, в семействе Баренцевых ожидается прибавление.

— Сомневаюсь. Скорее, наоборот, убавление.

— Как понимать твои странные слова?

— Никак. Я сам ее давно не видел, а про академический мне в деканате сказали.

— Давно не видел? Ничего, Баренцев, не грусти, жена — не перчатки.

— А твои странные слова как понимать?

— Перчатки если купил — так уж до самой весны таскать приходится, а жена... Не знаю, как ты, а я что-то проголодалась.

— В чем проблема? Тут совсем недалеко есть несколько вполне пристойных точек. Пойдем, я угощаю.

— Смеешься? Мой желудок не воспринимает наш общепит даже в ресторанном варианте. Как ты относишься к телятине, запеченной в швейцарском сыре с шампиньонами?

— Сгораю от желания познакомиться.

— В таком случае я тебя приглашаю. Только по дороге заедем в гастроном. Телятину полагается запивать легким вином...

Марина Задонская жила в монументальном «сталинском» доме, вогнутым фасадом выходящем на Светлановскую площадь. Путь с Петроградки неблизкий, но они домчали за несколько минут на лихо остановленной ею черной «Волге». В дороге они продолжили легкий, ни к чему не обязывающий треп. Нил не без интереса изучал собеседницу. Прежде он видел Задонскую размалеванной хипушкой в драных джинсах и серенькой отличницей в строгом платьице, мало чем отличающемся от школьной униформы. Теперь она представала перед ним в новом обличье — раскованной, уверенной в себе светской девицы, и он пока не определил, симпатично ему это обличье или не очень.

Квартира произвела на Нила двойственное впечатление. Просторная, обставленная добротной импортной мебелью, оклеенная рельефными импортными обоями под рогожку, на кухне изразцовый сине-белый кафель («Голландский», — небрежно бросила Марина, уловив его заинтересованный взгляд), в ванной множество флакончиков и баночек с иностранными этикетками, белая плоская стиральная машина с металлической плашкой «Electrolux». Однако во всем этом благоустройстве Нил ощутил некоторый несимпатичный подтекст: оно призвано было не столько создать комфорт, сколько напомнить обитателям квартиры об их избранности, а посетителю указать его истинное место, прочертить границу между ним и хозяевами. Мол, сколько ты, дорогой совок, ни вкалывай, ни воруй, ни ловчи, ни выслуживайся, все равно не сравняться тебе с ними, с номенклатурно-выездными, рылом не вышел. Такая спесь неодушевленных вещей была Нилу немного досадна, но больше смешна. Он весело плюхнулся прямо в уличных ботинках на обитый желтым плюшем длинный диван, потом решил, что это будет уже слишком, и быстренько, пока Задонская еще прихорашивалась в своей комнате, скинул ботинки и остался в одних носках. Марина выплыла в обличье тоже весьма неформальном — на ней было надето нечто пенное, волнистое, на громадных перламутровых пуговицах, не то торжественно-интимный халат, не то парадно-будуарный пеньюар. Во всяком случае, Нил оценил это, хотя постарался виду не подать.

Для разгона перед телятиной был подан копченый угорь. Прихлебывая шабли молдавского разлива, Нил с улыбкой наблюдал, как старательно Марина орудует серебряным ножом и вилкой, отсекая от змееподобной тушки микроскопические кусочки, обмакивает в розовый хрен, деликатно подносит к напомаженному ротику. Ее движения были столь же откровенно чувственны, как и ее наряд.

«Однако! — подумал Нил. — Да ты нарасхват, Баренцев. С одной Линдой разобраться не успел, а тут как тут другая, похоже, на все готовая... А что, имеет ли смысл тушеваться?»

Мысль была чужая и неуютная.

— Предки когда явятся? — поинтересовался он.

— Примерно через полгодика. В отпуск. А что? — Она одарила его лукавым взглядом.

— В таком случае, я покурю прямо здесь. Можно?

— Кури. — Она вздохнула, красиво колыхнув грудью. — А я покамест телятину поставлю разогреть...

После горячего они танцевали под «Аббу», и она прижималась к нему, пыталась снизу заглянуть в глаза, но он плотно их зажмуривал. Потом пили чай с тортом, а потом рассматривали изданный во Франции альбом Сальвадора Дали. От перевернутых радуг, ржавых рыцарей, разжиженных циферблатов, любовно вырисованных какашек и жаркого дыхания Задонской у Нила заболела голова, и очень захотелось домой. Он потянулся и встал.

— Мариночка, у тебя было очень мило. И вкусно. Даже не знаю, как тебя благодарить.

Она молчала.

— Давай хоть посуду помою, что ли?

— Как хочешь... — умирающим голосом проговорила Задонская.

В этом доме не было проблем ни с моющими средствами, ни с горячей водой, так что с посудой Нил справился оперативно, попутно приговорив недопитую бутылку сухого. Больше здесь делать было нечего, однако приличия требовали попрощаться с хозяйкой, и Нил заглянул в гостиную. Но там было пусто.

— Марина! — громко позвал он. — Марина, я ухожу.

Из ее комнаты донесся жалобный стон.

— Марина, что с тобой?

— Мне плохо...

Он вбежал в комнату и увидел ее разметавшейся на кровати. Глаза ее были закрыты, халат-пеньюар некрасиво задрался, дыхание было прерывистым, судорожным.

— Марина, что с тобой?

— Не знаю... Все горит внутри...

— Желудок? У вас фестал есть? Или уголь активированный?

— Ниже...

— Печень? Тогда надо аллахол или но-шпу...

— Еще ниже. — Она раскрыла глаза и подмигнула ему. — Прямо так и пылает.

Он рассмеялся.

— Диагноз ясен. Это неизлечимо. Но есть средство, способное принести временное облегчение.

— Какое же?

— Суппозиторий доктора Баренцева. Глубинный массаж.

Он вздохнул и принялся расстегивать штаны.

С раздвинутыми ногами она походила на лягушку, подготовленную к препарации...

— Теперь действительно пора...

Нил раздавил окурок в пепельнице.

Она обняла его сзади, прижавшись теплой грудью к его голой спине. Он вздрогнул.

— А то остался бы. Утром вместе бы в универ поехали. Трамваи все равно не ходят.

— Частника поймаю... Я бы с радостью, только дома беспокоиться будут...

— Понятно... Кофе на дорожку сварить?

— Будь добра. Кстати, чья это мужественная образина на той фотографии?

— Где? А, это Саша Александров, мой жених. Старший лейтенант, учится в Военно-дипломатической академии. Заканчивает через два года.

— А сейчас вроде как наблюдает за нами и оценивает твои успехи?

— Не хами... Если хочешь знать, я люблю смотреть на его лицо, когда трахаюсь.

И она удалилась варить кофе, а Нил не спеша натянул штаны, вышел в гостиную, раскрыл стоящее у окна пианино, рассеянно нажал несколько клавиш.

— Сыграл бы что-нибудь, — крикнула из кухни Задонская.

— Изволь. — Он придвинул обитую кожей круглую табуретку, сел. — Прощальный романс.

Что спрашивать — меж нами
Все беспредельно ясно,
Тщету любовной драмы
Мы поняли давно.

К чему теперь терзаться
Томлением напрасным,
Не лучше ль улыбаться
И молча пить вино?

Любовь была красива,
Познали мы немало
И пламенных порывов
Вкусили сладкий тлен.
И я не знал сомнений,
Но ты сама порвала
Взаимных упоений
Ажурный гобелен.

— Сволочь ты, Баренцев, — восхищенно сказала Марина, разливая по чашечкам крепкий ароматный кофе. — Другой бы на твоем месте «спасибо» сказал...

— А это и есть спасибо. Хочешь, я исполню этот номер на Дне филолога со специальным посвящением Марине Задонской, второй курс, сербохорватское отделение?

— Кхе-кхе... Пожалуй, тебе действительно пора...

Он не стал ловить частника, а двинулся пешком. Падал крупный теплый снег, обманчиво пахло весной, и с каждым шагом Нилу дышалось все свободнее... Чужие руки, обвивающие шею, чужие ногти, впивающиеся в спину, чужой тембр придыханий, трение чужих волос, жестких, будто проволока, несильный, но навязчивый запах разогретой женщины... *Не той* женщины...

«Хочу под горячий душ и в койку...» — бормотал он, топая по свежему снегу...

За следующие три недели они обменялись едва ли двумя десятками слов, главным образом приветами при неизбежных встречах — учились все-таки на одном факультете, а то бы и вообще... И тем удивительнее было, когда Задонская на перемене подошла к нему, при всех взяла за руку и довольно громко спросила:

— Где встречаешь Новый год?

— Пока не знаю.

— Есть предложение. — Она отвела его в уголок и понизила голос: — Ты Лялю Александрову с французского знаешь?

— В общих чертах. Мы не представлены.

— Лялька приглашает нас к себе на дачу.

— Нас с тобой?

— Да... То есть будем мы с Сашей...

— С каким еще Сашей?

— Ну, ты его знаешь... по фотографии.

— Замечательно, только при чем здесь я?

— Понимаешь, мы будем праздновать в узком кругу. Я, Саша и Ляля. Она давно хотела пригласить тебя, только стеснялась, а когда узнала, что мы знакомы, попросила меня...

— А она знает... меру нашего знакомства?

— Ну что ты, нет, конечно, она же Сашина родная сестра!.. Ты соглашайся, не пожалеешь. У них дача — ты таких и не видел, наверное.

— На уровне твоей квартиры?

— Ну что ты, круче! Ее папа знаешь кто?!

— Твой будущий свекор, полагаю.

— Да, и еще...

— От души поздравляю тебя!

— Так придешь?

— Подумаю.

Честно говоря, он сказал так, чтобы отвязаться. Не было у него желания оттягиваться в кругу детишек чиновничьей элиты, в обществе случайной постельной подруги, ее едва ли приятного жениха и знакомой только в лицо Ляли Александровой, более всего напоминавшей ему белобрысого окосевшего воробушка. Смешно даже и думать, что там он сумел бы хоть на мгновение, хоть чем-то заполнить черную дыру, пробитую в душе уходом... Нет, в такой тональности он это имя не произнесет даже про себя. Отрезанный ломоть... А Новый год будет встречать дома, у постели бабушки, будет читать ей Флобера или Библию, посмотрит с ней «Голубой огонек» и ляжет спать в половине второго. За день до этого купит на базаре маленькую, но пушистую елочку и положит под нее толстые шерстяные носки, чтобы у бабушки не так мерзли ноги...

Однако вышло совсем не так, как он планировал. Двадцать первого декабря у Александры Павловны случился повторный приступ, и «скорая» не успела... Отпевали бабушку в Спасо-Преображенском соборе, хоронили на Серафимовском. Явилось множество людей, большинство из которых было Нилу незнакомо, из речей и разговоров на кладбище, а потом и дома, на поминках, он узнал, каким, оказывается, добрым и чутким человеком была его бабушка, скольким замечательным музыкантам дала путевку в жизнь. Нил, нахохлившись, сидел в черном костюме среди цветов, сжимал в руке забытый поминальный пирожок и думал о том, что вот теперь-то он точно остался один, даже горшка не за кем вынести. Когда все ушли, он позвонил Марине и сказал: «Я буду».

XII
(Солнечное, 1975)

Саша Александров оказался именно таким, каким Нил представлял его — суперменистый дядечка с квадратным подбородком, лет под тридцать, демонстрирующий отменное владение застольной беседой на пяти языках, знание вин и манер, танцующий с отточенным автоматизмом. Нил ни капли не сомневался, что Александров способен с такой же легкостью проехать на мотоцикле по канату, натянутому над пропастью, с беглого взгляда запомнить список из шестисот фамилий, со ста шагов попасть из пистолета вороне в глаз, лишить человека жизни посредством сложенной газеты. В общем, за интересы родины на международной арене можно было не переживать, а склонность Марины иметь перед глазами фотографию жениха во время совокупления с другими стала для Нила вполне объяснимой и оправданной. Единственное, чем Александров не дотягивал до джеймс-бондовского идеала, был росточек — макушкой едва доставал долговязому Нилу до мочки уха.

А вот сестра супермена, косоглазая воробьишка, оказалась на удивление шустра и щебетлива. Язычок ее трещал со скоростью четырехсот слов в минуту, а темы менялись со скоростью воистину головокружительной — от перипетий брака Джекки Кеннеди и Аристотеля Онассиса до дешевых отечественных париков, которые таскает Федорова с третьего курса, от детских хворей Карлетино Понти до строительства новой линии метро, от творчества Бориса Виана до тройки за семестровую контрольную по грамматике... По койкам отвалились в пятом часу утра, уболтанные, наетые и затанцованные настолько, что все ночные грехи пришлось отложить на завтра. Нил целомудренно закемарил на кожаном диванчике и проснулся далеко за полдень от неподражаемых запахов жареного бекона и кофе. Это супермен, успевший уже совершить пятнадцатикилометровый лыжный марш-бросок и принять водные процедуры, занимался приготовлением завтрака. Нил тоже занялся процедурами — то есть тщательно промыл заспанные глаза в одной из трех ванных комнат, — после чего вышел к столу.

— Девочки, вы не забыли, что нам сегодня к Казаковым? — спросил Александров, отодвигая пустую тарелку.

— У-у-у! — разочарованно заголосили обе. — Такая скукотища!

— Надеюсь, мне не нужно объяснять, насколько важно для нас сохранение хороших отношений с этой семьей, — с металлом в голосе проговорил супермен. — Дискуссии неуместны. Я сказал, что мы с невестой прибудем в семнадцать тридцать... — Тут Нил сделал вид, что закашлялся. — Значит, мы прибудем ровно к обозначенному времени. Собирайтесь.

— А про меня, между прочим, ты не договаривался! — Ляля показала брату розовый язычок. — Так что катитесь к своим старым занудам, а мы с Нилом останемся и будем веселиться вовсю! Верно, Нил? — Она накрыла его ладонь своей и посмотрела в глаза щенячьим взглядом. Устоять было невозможно. — Музон врубим, Павла с Елкой позовем...

— У Черновых нет никого, — сообщил Александров. — И дорожка заметена.

— Тогда в пансионат на дискотеку смотаемся. Все веселее.

Будущий атташе вздохнул.

— Имеешь право... Марина, а ты собирайся.

Задонская жалобно глянула на Лялю.

— Счастливчики! Хоть до станции проводите.

— Это всегда пожалуйста! Нил, ты готов?..

Прогулка по свежему, морозному воздуху изрядно взбодрила, они кидались снежками, пересмеиваясь, помогли детишкам из санатория лепить бабу. На дачу возвратились румяные, изгвазданные в снегу, веселые и голодные. Остатки вчерашнего пиршества пришлись очень кстати, шампанское тоже нашло себе применение, так что от стола Нил отвалился сытым удавом.

— Надо бы протрястись, — заметил он, затянувшись Лялиным «Мальборо». — Отдышимся минут двадцать и двинем в пансионат на плясы.

— Еще чего! — Ляля надула губки. — Растрястись можно и по-другому.

— Как именно? — с усмешкой поинтересовался он.

— Пойдем наверх — покажу...

Ляля Александрова поостереглась вписывать своего нового бойфренда на родительскую дачу на все зимние каникулы — лишние сплетни были ей ни к чему, во всем нужна мера. С другой стороны, государство подарило студенчеству почти три недели законного безделья, и не использовать их по максимуму было глупо. Над этой проблемой она думала недолго, и за интересную сумму в пять рублей восемьдесят копеек Нил получил в полное свое распоряжение двухместный номер в непростом пансионате, расположенном в десяти минутах ленивой ходьбы от казенной дачи Александровых.

Однако обстоятельства оказываются сильнее самых хитроумных планов. Ни на первый, ни на второй, ни на третий день Ляля в окрестностях пансионата не появилась. По три-четыре раза на дню Нил проходил мимо дачи, но окна ее были темны, а тропка, ведущая к воротцам, занесена снегом. Городского же Лялиного телефона Нил не знал — как-то не удосужился спросить.

Между тем вокруг бурлила молодая каникулярная жизнь с ее увеселительными прогулками, танцульками, попойками и мимолетными романами. Оными последними Нил был сыт по горло и предпочитал коротать время в сугубо мужской компании, за картишками или бильярдом. Но и там все разговоры крутились вокруг баб. Оценивали стати, хвастали победами, делились наблюдениями, заключали пари. Нил отмалчивался, отмечая про себя, что практический опыт его прыщавых собеседников едва ли превосходит их осведомленность в тонкостях китайской каллиграфии. А девы, будто сговорившись, выделяли из круга молодых людей именно Нила, и взгляды их были весьма недвусмысленны...

У нее было редкое, мифологическое имя — Мойра. Ее густые кудри отливали ненатуральным фиолетовым цветом, зубы и ноги отличались неправдоподобной длиной, величина выкаченных зеленых глазищ раза в два с половиной превышала среднестатистическую, а амплитуда и тембр голосовых модуляций были вовсе нечеловеческими. Возможно, ничего бы между ними и не случилось, если бы у Нила не закончились вечером сигареты, а дорога в буфет не лежала бы через холл, где разворачивалось очередное цветому-зыкальное действо и как раз объявили белый танец. Первой к вжавшемуся в стенку Нилу подлетело это двухметровое чудо в обтягивающем брючном костюме, алом и пупырчатом. Дама была настолько экзотична, что Нил проникся, протанцевал с ней четыре танца подряд, потом увел в буфет и угостил мороженым. Потом был его номер, шампанское при свечах и ночка, в течение которой пылкая Мойра умудрилась сломать кровать, уронить тумбочку, разбить головой стакан, визгом перебудить весь этаж и довести Нила до судо-рожного смеха с икотой.

Завтрак они благополучно проспали и еле-еле про-будились к обеду. В столовой Мойра всячески демон-стрировала близость к Нилу — заправляла салфетку ему за воротник, дула на обжигающий рассольник, перекладывала на его тарелку свой салат и куриный шницель. Нил забавлялся, глядя на нее, а когда она уронила на себя кусок кремового торта и посадила на брюки заметное пятно, галантно сопроводил Мойру до туалета, а сам остался поджидать ее в вестибюле, су-нув в рот сигарету. Но тут из женской комнаты до-несся такой истошный визг, что зажженная спичка выпала у него из рук. Он едва успел развернуться и поймать в свои объятия растрепанную Лялю, сжимав-шую в руке туфлю на толстой платформе. За ней с искаженным лицом мчалась Мойра, выставив вперед острые фиолетовые коготки и свободной рукой при-крывая глаз. Нил закрыл дрожащую Лялю своим те-лом. Когти замерли в сантиметре от его лица.

— Опомнись! — гаркнул Нил.

— А она первая начала! — плаксиво, как детса-довка, прогундосила Мойра. — Я захожу, а она меня туфлей в глаз! Как только дотянулась, сучка мелкая!

— Сама ты сучка, дылда! — задорно выкрикнула Ляля из-за плеча Нила. — Я тебя отучу мужиков чу-жих уводить!

— Так это ты из-за меня, что ли? Это я виноват, не она. Ждал тебя почти неделю, вот и решил, что ты нашла новое увлечение...

— И полез на эту каланчу лупоглазую!

— Заткнись, насекомое! — взвизгнула Мойра и через голову Нила попыталась схватить Лялю за волосы.

— Тихо, тихо, девочки... — миролюбиво начал Нил.

— Или я, или она! — в унисон крикнули обе и сконфуженно замолчали.

— Ну я прямо не знаю... — Нил задумался. — Ситуация, однако. Не втроем же нам отдыхать, в самом деле.

Ляля и Мойра дружно сделали по шагу в сторону и смерили друг друга долгим, изучающим взглядом.

— А что? — медленно проговорила Ляля. — Такого я еще не пробовала.

— Я тоже, — призналась Мойра. — Может, прямо сейчас и начнем?

Нил вздохнул.

— Сначала надо бы тебе лед к глазу приложить. А то будешь Мойра бланшированная...

Она же первая и спеклась, не сдюжив комбинации мандаринового ликера и взрывного эротизма, а Ляля Александрова, накидывая потом на плечи халат, предложила Нилу:

— Пойдем, кофейку тяпнем, мне все равно сваливать через час, с первой электричкой.

— Зачем так рано?

— Надо было еще вчера. Я ведь попрощаться заезжала. Отца на замминистра двинули, мы переезжаем в Москву.

— Грустно, — сказал Нил, не кривя душой.

— Не надо песен. Уж ты-то безутешным не останешься.

— А как же с учебой?

— По документам я уже студентка МГУ. Жить буду рядом. Университетский, шесть.

— В гости хоть заезжать позволишь?

— А зачем, как ты думаешь, я тебе адрес оставляю?

XIII
(Ленинград, 1975)

Каникулы закончились. Мойра укатила в свой Днепропетровск, тоже оставив Нилу адресок, который он тут же потерял. Из своей конурки он выбирался теперь только в университет и по хозяйству — по негласному соглашению с матерью все домашние дела он взял на себя, а она зарабатывала на жизнь. В остальном же они существовали вполне автономно. Нил был крайне удивлен и недоволен, когда как-то в выходной Ольга Владимировна вошла к нему в комнату и с тяжким вздохом опустилась на тахту.

— За картошкой я уже сходил, мусор вынес, — сказал он, не глядя на нее.

Она молчала.

— Мама, мне завтра на семинаре выступать, так что...

— Нил, нам надо поговорить.

«Хорошая школа, — с неприятным трепетом в груди подумал он. — Скажет слово — прямо в дрожь бросает».

— Нил, ты уже взрослый, и не можешь не понять меня... Конечно, в твоих глазах я старуха...

— Ну что ты, мама, какая ты старуха...

— Но когда-нибудь ты поймешь, что сорок лет... сорок пять — это далеко не старость, что женщина в этом возрасте хочет и может любить и быть любимой...

— Так у тебя кто-то есть? Поздравляю! Давно пора!

— Пока была жива мама, я не решалась привести его к нам домой...

— Но почему? При всех своих странностях бабушка была человеком умным, понимающим...

— Не в этом дело... Понимаешь, он... Он женат, но жена его, бедняжка, вынуждена по десять месяцев в году проводить в туберкулезном санатории. А бабушка прекрасно знала их обоих... Кстати, ты тоже его знаешь.

— Вот как? И кто же это?

— Профессор Донгаузер... Куда ты?

— Ты пойми, мне трижды плевать, с кем она живет, хоть с чертом лысым, хоть с пнем самоходным! Но я-то не обязан жить под одной крышей с этим немчурой-колбасником! Такой орднунг завел, что хоть волком вой, честное слово! Чихнуть нельзя. Курить на лестницу выставляет, ты подумай! «Каждая вещь должна знать свое место...» А главное, он даже в подштанниках до дрожи напоминает парадный портрет великого реформатора Сперанского. Представь — сидишь ты на кухне, пьешь чаек, и тут входит парадный портрет...

— Я понимаю, — грустно сказал Гоша. — Возвращайся, конечно, о чем разговор, в конце концов, это твоя комната. Я тут, пока обитал, кое-что в порядок привел...

— Ты извини, — сказал Нил. — Линда так и не давала о себе знать?

— Ни слова. Может, у родителей своих живет. Ты бы связался как-нибудь...

— Не могу. И не хочу... Наливай еще, что ли...

В доме на Четвертой Советской незнакомая тетка, толстая и неопрятная, через цепочку сообщила ему, что такие здесь больше не живут, а куда съехали — неизвестно. В справочной будке кудрявая девица, кокетливо улыбаясь, вручила ему бумажку с его собственным адресом — официальным местом проживания Ольги Владимировны Баренцевой — и больше ничем помочь не могла. Он и сам не понимал, что скажет Линде, когда наконец увидит ее, но все чаще ловил себя на мысли, что без этих поисков жизнь его теряет последний смысл... Оставалась еще надежда — подать в милицию заявление о пропаже жены и ждать результатов. Выяснив по телефонной книге адрес районного отдела, он после университета отправился на Чкаловский проспект. Поднялся по щербатым ступенькам, толкнул тяжелую дверь и нос к носу столкнулся с Катей.

— Нил! Ты-то тут что делаешь?

— А ты?

— Я теперь здесь секретарем работаю. В паспортном столе.

— А я как раз человечка одного разыскиваю.

— Кого же, если не секрет?

— Линду. Не знаешь, где она?

Глаза у Кати сузились, пальцы сжались в кулак.

— Не знаешь? — повторил он.

— А ты? Тебя, что ли, еще не вызывали?

— Куда вызывали? Где Линда?

— В тюрьме твоя Линда! — выкрикнула Катя. — Она Ринго прирезала!

«Таня! — отчего-то пронеслось в ошеломленном мозгу Нила. — Надо срочно связаться с Таней. Она подскажет выход».

— Честно говоря, молодой человек, изначально мне очень не хотелось брать это дело. Бытовая поножовщина не совсем, знаете, по моей части, и если бы не просьбы моей любимой падчерицы и огромное уважение, испытываемое мною к таланту вашей матушки...

Николай Николаевич Переяславлев, седовласый импозантный мужчина в дорогом сером костюме в мелкий рубчик, сделал многозначительную паузу. Нил кивнул, показывая, что полностью разделяет отношение знаменитого адвоката к искусству Ольги Владимировны.

— Но в ходе работы моя позиция претерпела существенные изменения, да-с, я бы даже сказал, кардинальные, — продолжил адвокат, красиво модулируя своим мягким баритоном. — Следствием допущены грубейшие процессуальные нарушения, мириться с которыми я не собираюсь. Единственные фигурирующие в деле показания вашей жены были сняты с нее в отделении милиции при явке с повинной, никакого хода не получило письменное заявление потерпевшего Васютинского, практически снимающее всю вину с подозреваемой... Знаете, что он написал? Будто бы в ходе совместного чаепития потерял равновесие и неудачно упал животом на нож, который она держала в руке. Силен! Самое же интересное, что через двое суток после перевода из реанимации в общую палату из больницы Васютинский попросту сбежал, а эта халда Щеголькова не только не принимает никаких мер по его разысканию, но даже узнает о его исчезновении только от меня. Что уж говорить об опросе свидетелей, анализе вещественных доказательств! По существу, за четыре с лишним месяца не было проведено никаких следственных действий. И когда я указал на это Щегольковой, то получил потрясающий ответ: «Что вы хотите, у меня десятки таких мелких дел, до всего руки не доходят. Вот если бы она его убила!..» Одно слово — органы! Если у этой чувырлы достанет глупости предъявить такую тухлятину на суд, мы обеспечим ей такое частное определение, что потом никакой ЖЭК в юрисконсульты не возьмет, это я вам обещаю!

— Извините, Николай Николаевич, но Линда... то есть жена. Как ее вытащить?

— Не спешите, молодой человек. Сейчас у нашего малоуважаемого оппонента одна забота — изыскать благовидный предлог, чтобы прекратить дело. Не стоит ей мешать, это существо мстительное, злобное и может сильно напакостить.

— И сколько времени она будет изыскивать предлог?

— Полагаю, неделю-две. Самое большее — месяц.

— Месяц! Еще целый месяц невиновный человек...

— Про невиновность вы, положим, загнули. Тыкать в знакомых ножичками — такое занятие наш Уголовный кодекс все-таки не поощряет.

— Ну хотя бы что-нибудь, Николай Николаевич, прошу вас! Может быть, свидание...

— Вполне реально. Только вот что я вам скажу, юноша: законное свидание в казенном доме — процедура малоприятная, морально тяжелая. С вашего позволения, мы поступим иначе... Обычно мадам Щеголькова за подобную услугу берет от пятидесяти до двухсот рублей, но в данных обстоятельствах мы вправе рассчитывать на некоторую скидку. Думаю, коробки шоколадных конфет будет достаточно...

Серый воздух, отблеск жирной слизи на всех поверхностях, пятнистый кафельный пол, весь в выбоинах, гулкое эхо каждого шага. И какая-то особенная, тотальная вонь, исходящая не от чего-то конкретного, а от всего в совокупности. Место нечеловеческое, несовместимое с человеком. Железная дверь, лоснящаяся зеленой краской, а за ней — куб пространства, пустота которого нарушена лишь длинным столом с сырыми темными пятнами, въевшимися в деревянную поверхность, и низкими скамьями, намертво привинченными к бетонному полу. Микроскопическое мутное окошко под потолком, бурые стены в унылых подтеках. Не пробыв в этих стенах и нескольких минут, он был болен, подавлен, разбит...

— Громче! — сварливо просипела растрепанная пожилая женщина с простуженным красным носом и нечистой кожей.

— Баренцев Нил Романович.

— Дата и место рождения, пол, социальное происхождение, национальность, семейное положение, должность и место работы, домашний адрес?..

Нил громко, монотонно отвечал на вопросы, неопрятная тетка остервенело скрипела пером и раз в несколько секунд звучно сморкалась в грязный платок.

— Знаете ли вы находящуюся здесь гражданку?

— Да...

— Громче!

— Да, знаю. Это Баренцева Ольга Владимировна, моя жена.

В центре зеленой двери, лязгнув, опустилось окошко, и хриплый голос сказал:

— Нина Наумовна, вас ждут в шестом.

Следователь Щеголькова захлопнула папку, положила в потертый портфель и встала.

— Полчаса, — тихо сказала она.

Они остались вдвоем, и Нил впервые поднял на Линду глаза. Она не походила на узницу нацистского концлагеря из кинофильма «Обыкновенный фашизм», но изменения, происшедшие с ней, были ужасны. Потухший взгляд, потемневшие, набрякшие веки, нездоровая, мучнистая бледность расплывшегося лица, свисающие патлами отросшие волосы. Из-под нелепого серого халата выглядывал воротник красно-синей ковбойки, которой он раньше не видел.

— Как ты?

— Нормально...

— Ты... ты прости меня, пожалуйста... Мне не сообщили, я только недавно узнал. — Он всхлипнул и торопливо засунул руку в карман. — Вот... Бутерброд с сыром, шоколадка. Извини, что мятые, в карманах нес, сумку пришлось сдать...

— Давай сюда, бабам отнесу.

— А ты?

— Мне хватает. Кормят здесь сносно. Рыба, каша, чай с сахаром... Если хочешь, можешь курева переслать и витаминчиков, а то зубы шатаются.

— Да, да, разумеется.

Нил дрожащей рукой достал сигареты, спички, придвинул к ней.

— Бери всю пачку. Я еще куплю.

— Отберут. С фильтром нельзя. — Она жадно затянулась и тут же закашлялась. — Отвыкла.

— Теперь я вытащу тебя отсюда, адвокат говорит — дело нескольких дней...

— Да ладно, дыши ровно. Ты ни в чем не виноват и ничем мне не обязан.

— Я не могу дышать ровно, пока ты остаешься в этом аду!

— Брось, Баренцев, ты просто не знаешь, о чем говоришь. Есть дружок, такие местечки, по сравнению с которыми здесь санаторий-«люкс». Четырехместные номера с умывальником и персональными шконками, постельное белье, радио, шахматы, библиотека, трехразовое питание, часовые прогулки, баня по пятницам. Не хватает только бильярда, танцплощадки и бара с коктейлями... Эй, ты что, пусти! От меня же парашей несет, трусы застиранные...

— Я люблю тебя! — рычал он сквозь стиснутые зубы, пригибая ее к столу.

Серый халат полетел на пол...

— Что вы себе позволяете, а? Ну и молодежь пошла, ни стыда ни совести, один разврат на уме, — возмущенно причитала Щеголькова. — Дома этим заниматься будете!

— Дома... — смущенно повторил Нил, застегивая «молнию» на брюках. — То есть как это — дома? .

— Ознакомьтесь, Баренцева, и распишитесь!

Следователь швырнула на стол плотный листок бумаги. Линда подхватила бумагу, поднесла к глазам — и, опустив голову на стол, зарыдала.

Нил рванулся к ней, заглянул через содрогающееся плечо, разглядел самый верхний краешек листа:

«В связи с амнистией, проводимой в соответствии с постановлением Верховного Совета РСФСР от...»

XIV
(Ленинград, 1975—1976)

— На ём погоны золотые. И яркий орден на груди...
— По какому поводу гуляете, тетки? Не иначе премию получили.

— Нилус! — взвизгнула толстуха Нелли из поликлиники. — Стакашок примешь?..

— Зачем, зачем я повстречала его на жизненном пути?! — допела Линда прямо в лицо Нилу, обдав его ароматом свежевыпитой водки. — Девки, не вздумайте ему наливать. Не заслужил!

Нил обиженно отвернулся, а Линда доверительно склонилась к продавщице Любе.

— Представляешь, я тут с зарплаты дала моему идолу денег, чтобы сходил в ломбард, кольца обручальные выкупил. Так этот гад приходит вечером домой и вместо наших колец приносит какие-то кривые гайки самоварной пробы. Подменили, паразиты, будто знали, что этот олух ушастый ничего не заметит. Где глаза были, спрашиваю?

За первой бутылкой «Столичной» последовала вторая, из холодильника были извлечены соленые огурчики, покрытые сплошной плесенью, и подозрительно заветренная колбаса. Огурцы помыли, колбасу прожарили, однако Нил не стал ни закусывать, ни выпивать, ни засиживаться с пьяными бабами, увеселяя их песнями и плясками, а, сославшись на загруженность, тихо собрал тетрадки и забился в свою берлогу. Берлогу эту он постепенно оборудовал на глухой лестничной площадке, вытащив под дверь с номером 109 сначала стул и пепельницу, потом старый стол и диванчик, потом лампу и тумбочку под книги. За сохранность имущества можно было не беспокоиться, никто сюда не сунется, кроме него, Линды и еще — дворничихи Маруси, обитающей в башне. А вот потребность в уединении, даже необходимость, возникала все чаще...

За неполный год, прошедший со дня их драматического воссоединения, их с Линдой отношения подернулись ржавью унылой бытовой обыденности, с хроническими сквозняками, простудами, тараканами, пустыми бутылками, убогим неуютом и постоянным безденежьем. Короткий визит в следственный изолятор перетряхнул сознание Нила, он понял, что теперь может строить жизнь только на основе полного, безоговорочного соблюдения всех законов и правил. В первый же вечер после освобождения Линды он демонстративно, почти ритуально сжег обе крапленые колоды, каблуком раздавил поляризующие очки и торжественно вручил жене единый проездной билет, чтобы, не дай Бог, не вздумала ездить зайцем. Отмытая, распаренная после долгой, пенной ванны, опьяневшая от вкусной и обильной еды Линда с ленивым любопытством следила за его манипуляциями и, наконец, не выдержала:

— Дурачок ты, Зигги. В нашем родном государстве соблюдение законов еще никого от кичи не спасало. Лотерея в чистом виде.

— Скажешь тоже!

— А то! К тебе никогда гопота пьяная не вязалась?

— Было. А с кем не было?

— Вот именно. И что ты делал?

— Ну, отбрехивался, убегал...

— А в махаловку влезать не случалось?

— Случалось.

— Вот и девке одной случилось. Сумкой. А в сумке — коньки. Одному прямо в висок. Двенадцать лет лагерей.

— Но как же?..

— А вот так же. Усопший оказался сынком знатного токаря, Героя Труда и члена обкома.

— Ну, это случай исключительный. У нас не так много членов обкома.

— Хорошо, вот тебе другой случай, все действующие лица — люди самые простые, нетитулованные. Неделю назад прямо на пальме помер один мужик...

— Погоди, где помер?

— Пальма, милый мой — это третий или четвертый ярус нар, под самым потолком, где ни вздохнуть, ни разогнуться. А угодил он туда за то, что вывез с собственной дачки на курьих ножках продавленный диван, два стула и кастрюлю.

— Не может быть!

— Представь себе. Развелся, ушел из дому гол как сокол, снял где-то конуру, но без всякой обстановки. Что прикажешь — спать на полу, кушать из консервной банки? А мужик, повторяю, простой, очень небогатый, даже наоборот. Ну и решил обставиться за счет бывшего совместного имущества. Женушка в позу, заявление накатала, в тот же день за мужичком пришли крепкие ребята... Эта дура потом и заявление свое отозвала, и по всем начальникам прошлась — только все зря. Что вы, говорят, гражданочка, беспокоитесь, максимальный срок по своей статье супружник ваш бывший давно уже отмотал, в зале суда его всяко освободят, так что идите отсюда и не мешайте блюсти социалистическую законность. А мужичонка тем временем проявил несознательность и, суда не дождавшись, ласты склеил. И трех годочков не высидел, доходяга.

— Так долго сидел?!. Но, кстати, эта история подтверждает, что закон надо соблюдать и в мелочах.

— Тогда позволь рассказать тебе еще про одного страдальца. В транспортную милицию заявление поступило от одного гражданина — дескать, в пустой электричке дали по башке, портфель отобрали, приметный, крокодиловой кожи, с большими ценностями. Транспортники заявление в угрозыск передали, те постарались, нашли свидетелей, видевших на такой-то станции подозрительного мужчину с тем самым портфельчиком крокодиловой кожи. По показаниям фоторобот составили, а по этому фотороботу вскорости мужичка, пьяного в сосиску, без документов прихватили, на скорую руку чистосердечное состряпали — и в трюм. Он сидит неделю, сидит другую, все ждет, когда вызовут, объяснят наконец, что он там такое по пьяни натворил. А его все не вызывают, есть, видишь ли, дела поважнее. Короче, до сих пор бы в каталажке парился, если бы жена шум не подняла. Кинулась искать пропавшего мужа и так на ментов насела, что им ничего не оставалось, как розысками заняться. Нашли — у себя же, на Каляева. Вызвали жену, говорят, так и так, ночей, мол, не спали, не допивали, не доедали, но законный ваш Иванов Сергей Петрович нами изыскан. Жаль, что вручить его вам не можем, поскольку в данный момент он содержится под стражей. Жена в обморок, а когда очухалась, спрашивает: «В чем его обвиняют?» А в ответ слышит: «В том, что такого-то числа такого-то месяца в пригородном поезде такого-то маршрута он совершил разбойное нападение на гражданина Иванова Сергея Петровича и похитил портфель крокодиловой кожи с большими ценностями». Та в крик: «Так потерпевший Иванов Сергей Петрович и муж мой Иванов Сергей Петрович — это одно и то же лицо. По-вашему он сам себя ограбил и сам же на себя заявил?» И что ты думаешь, перед ним хотя бы извинились?

Линда не делала попыток подкрепить свою противоправную агитацию действием. И все у них было хорошо, пока не кончились деньги.

Остроту этой проблемы они ощутили не сразу. До лета кое-как дотянули, а потом Нил вновь записался в сводную агитбригаду, стал ездить с концертами, тем кормиться и немного зарабатывать. Пристроить же Линду, как в прошлом году, ему не удалось, зато она с неожиданной готовностью выразила желание поехать в самый тяжелый, самый дальний и, в перспективе, самый денежный стройотряд — в Набережные Челны, на строительство Камского автозавода. Возвратилась она, в противоположность бледному, пропитому и грустному Нилу, загорелой, веселой и поздоровевшей, привезла кучу новых песенок типа: «А завтра опять, ровно в пять тридцать пять, на работу вставать, ох едрит твою мать!» Бодростью своей она заразила мужа, но сама быстро ее утратила. Выяснилось, что восстановиться на втором курсе она не сможет, поскольку албанской группы в прошлом году вообще не набирали, и теперь придется ждать целый год, и то без гарантии восстановления. А с летним заработком их всех изрядно накололи, выплатив вместо обещанных полутора тысяч всего по двести — двести пятьдесят рублей.

Нила, сгоряча заявившего, что его музыка прокормит обоих, тоже ждал серьезный облом. Оказывается, вышел особый циркуляр Министерства культуры, запрещающий концертную деятельность молодежным вокально-инструментальным ансамблям (ВИА), не прошедшим регистрацию при идеологическом отделе обкома ВЛКСМ. Для регистрации требовалось, во-первых, поименное утверждение каждого номера репертуара (с приложением официально заверенного подстрочного перевода песен, исполняемых на иностранных языках), а во-вторых, включение в коллектив не менее двух духовых инструментов. Пуш рвал и метал, заявляя, что скорее удавится, но не потерпит в «Ниеншанце» ни одного «хобота», а Нил с тоской думал о том, с какими лицами серьезные комсомольские работники будут читать подстрочники типа «Кончим оба, прямо сейчас, и на меня!» * или «Я есть он, как ты есть он, как ты есть я, и все мы вместе» **. Впрочем, скоро Пуш успокоился и по секрету шепнул Нилу, что самые идиотские постановления на то и существуют, чтобы грамотно их обходить, и что ему уже поступило несколько предложений насчет выгодных «левых» мероприятий, где играть будут они, в ведомости расписываться другие, легальные, а навар делить фифти-фифти.

Нил прикинул и отказался — такая схема едва ли грозила уголовным преследованием ему лично, но создавала прецедент, лишивший бы его морального права на запрет возможных Лининых «леваков», куда менее безобидных. Вскоре поступило предложение и

* «Come together, right now, over me» («Битлз», альбом «Abbey Road»).
** «I am he, as you are he, as you are me, and we are all together» («Битлз», альбом «Magical Mystery Tour»).

от самих «легальных» — комсомольско-музыкальной команды с недвусмысленным названием «Наш бронепоезд». Это предложение было приемлемо только с материальной стороны, и его Нил тоже отверг — не хотелось ни участвовать в агрессивных наездах «Бронепоезда» на публику, ни переводиться ради этого сомнительного занятия на заочное отделение.

В общем, сентябрь они прожили на Нилову стипендию и доход с продажи трех пластинок из его коллекции, причем выручили за них вдвое меньше, чем могли бы взять непосредственно на Галере. Но такой вариант даже не обсуждался — они ведь дали друг другу слово никогда больше туда не соваться.

А в начале октября Линда устроилась кассиршей в магазин хозтоваров на Большом, и к сорока рублям его стипендии прибавилась ее зарплата, восемьдесят два рубля семьдесят копеек на руки. Вот и пригодились два курса торгового техникума. Конечно, и этих денег на жизнь катастрофически не хватало, тем более что Линда, мягко говоря, рачительностью не отличалась. Тучные дни — с вином, фруктами, дорогими полуфабрикатами — чередовались с тощими неделями. Желудок Нила познакомился с такими выдающимися изделиями, как красный зельц (девяносто копеек кило), ливерная колбаса третьего сорта (шестьдесят девять копеек кило), плавленый сырок «Городской» (десять копеек за штуку), и знакомство это радости не доставило. Пальцы, привыкшие к струнам и клавишам, привыкали теперь к иголке и наперстку — приходилось самому штопать носки, латать прохудившиеся рубашки, ставить заплаты на штаны. Линда совестилась, вырывала у мужа шитье, но у нее получалось и того хуже.

Нынешние переживания накладывались на переживания прошлого, притупляли их остроту. Плавно и скромненько, сообразно чину, Линда встроилась в систему перепродажи дефицита, который иногда подбрасывали в магазин для выполнения плана; свой рублик приносили и мелкие погрешности в расчетах с покупателями. С работы она приходила взвинченная, иногда срывая накопившееся раздражение то на Ниле, а то и на Яблонских. Те в долгу не оставались, и начинались те самые коммунальные баталии, над которыми они оба когда-то так потешались.

— У-у, сволочная жизнь, сволочная работа! — плакала Линда потом, прижимаясь к Нилу. — Зигги, Зигги, в кого мы превращаемся?

— Тебе нужно уйти из магазина, — внушал он, лаская ее. — Найдем какую-нибудь тихую контору. Или библиотеку. А может быть, театр? Хочешь работать в театре? Я переговорю с матерью...

— И что я там буду делать? — горько улыбалась она. — Программки продавать?

— Зачем же обязательно программки? Там много всякой работы. Да и чем плохи программки?

— «И патетическим батманом Красная Шапочка выносит подлеца Волка...» Что ж, все лучше, чем «Девушка, пробейте мне мочалку».

Но все ограничивалось разговорами. Линда по-прежнему пробивала мочалки, а Нил в свободное от учебы время подрабатывал в университетской типографии, где таскал тяжеленные бумажные бобины, и, эпизодически забегая к матери, потихонечку подтибривал книги из заднего ряда бабушкиной библиотеки. На Моховой он никогда подолгу не задерживался — общество доктора музыковедения ни в малейшей степени не привлекало его. Красный зельц и маргарин «Солнечный» ушли из их рациона, но довольства в жизни не прибавилось. Все чаще Нил с тоской вспоминал веселые деньки своего жениховства, все чаще ловил себя на мысли, что напрасно уничтожил карты и очки, и даже на желании вновь встретиться с Ринго.

Но того словно корова языком слизнула.

А Линда все чаще замыкалась в себе, зажигала свечу и подолгу сидела, не шелохнувшись, смотрела на колеблющееся пламя. Или притаскивала в дом неприятных, вульгарных теток — новых своих подружек, — выпивала с ними, горланила популярные в народе песни. Снимала, так сказать, напряжение... Жалко.

— Зигги?

Линда стояла в раскрытой двери, привалившись к косяку.

— Пойдем, Зигги. Я их выставила.

— Линда, зачем, ну зачем они тебе, скажи на милость?

— Сегодня это было в последний раз. Честно. И не надо об этом. Я устала...

Она первой вошла в комнату и тут же упала на матрас...

Он курил, завернувшись в простыню, и задумчиво смотрел на нее.

— Какая-то ты сегодня странная. Тебя что-то гложет, я чувствую...

— Не выдумывай. Я устала, а завтра трудный день. Конец квартала, нам «Веритасы» немецкие завезли, давка будет фантастическая. Давай спать.

У Нила тоже выдался денек не из легких. Сложнейшая контрольная по языкознанию, политэкономический семинар под руководством самого профессора Либерзона, за почтенный возраст прозванного Либерфатером. Семинары были по-своему интересны, но и утомительны. Оба этих качества обуславливались своеобразием профессорского слога: начав фразу с изложения одной мысли, Фатер завершал ее изложением другой, с первой никак не связанной. Получалось, например, такое: «Выдающиеся успехи социалистической экономики позволили нашим ученым запустить в сторону Луны Тунгусский метеорит». Это шоу приедалось, но пропускать занятия было крайне неразумно — память на лица и фамилии была у старика отменной и злой. Не успел Нил стряхнуть с себя управляемые метеориты и пятилетку стратегического назначения, а его уже чуть не за шиворот повели перетаскивать ящики с противогазами со склада на склад. И куда прикажете пойти после такого трудового дня? Естественно, в пивную. «А там друзья, ведь я же, Зин...»

Долго ли, коротко ли, подсел к ним веселый бородатый дедок полупомоечного вида. Подгадал в самый раз: кружкой раньше они бы его послали подальше, кружкой позже — вообще не врубились бы, чего ему надо. А так пива ему поставили, водочки плеснули, уж больно забавный дедок попался. Домой Нил не торопился, знал, что после аврального дня в магазине Линда будет, мягко говоря, некоммуникабельна, и так уж вышло, что к закрытию пивной их осталось только трое — Нил, дедуля и Ванька Ларин, факультетский поэт и пьяница. Вышли на улицу, понукаемые сердитой уборщицей, побрели на остановку... И тут выяснилось, что угощали они весь вечер вовсе не компанейского фуцина, а законспирированного халифа Гарун аль-Рашида из «Тысячи и одной ночи». Дед затащил их в ресторан «Мишень» и принялся потчевать шампанским и телячьим филеем со сложным гарниром, а когда подступило время закрытия, и их начали выпирать, пригласил в компанию швейцара с официантом, читал мутные стихи про каких-то верблюдов, они в ответ хором пели строевые песни, а Нил еще и подыгрывал на раздолбанном рояле. В качестве финального аккорда бодрый старичок запихал всю команду в такси, и они до утра колесили по городу, несколько раз останавливаясь, чтобы выпить водки и закусить прямо на капоте...

Проснулся он на чем-то жестком. Пахло застарелой мочой и перегаром. Нил со стоном сел, протер глаза, пытаясь разобраться, где он. Тусклая лампочка высоко над головой не позволяла разглядеть помещение во всех подробностях, но общий вид был таков, что отбивал всякий интерес к подробностям. Длинная, невероятно узкая комната без окна, с голыми бетонными стенами. И вмазанная прямо в бетон крашеная скамья, тоже очень узкая. Подвал какой-нибудь?..

Нил осторожно ощупал лицо, пошуровал в карманах. Нет, вроде бы ничего не разбито и ничего не пропало, одежда, похоже, тоже цела, хотя, наверное, и не в лучшем виде после того, как он провалялся в ней черт знает сколько, черт знает где. И спросить не у кого... Слушайте, а может, это вытрезвитель? Все, приехали... Хотя нет, не похоже. Сам-то он, слава Богу, в подобные заведения пока не залетал, но более опытные товарищи рассказывали, что там обязательно раздевают до трусов и бросают на матрас, покрытый клеенкой, в гущу аналогичных грешников... Нил поднялся, на нетвердых ногах прошел в противоположный конец комнаты, где увидел железную дверь, подергал безуспешно, потом постучал. Сначала было тихо, потом кто-то грубо прикрикнул: «Чего тебе?!», а кто-то другой сказал:

— Погоди-ка, это, похоже, тот, утрешний, денисенковский.

— Ну так и веди его к Денисенко в таком разе.

Громыхнул засов, и в прямоугольнике резкого света Нил с ужасом увидел фигуру милиционера. Замели! Внутри все оборвалось. Господи, уж лучше бы вытрезвитель!

Потрясение было настолько велико, что похмельные сумерки в голове моментально прояснились. Покорно топая по длинному коридору вслед за широкой милицейской спиной, Нил быстро перебирал в голове возможные причины своего задержания и тут же отбрасывал. Вчерашняя пьянка? Но она закончилась без эксцессов. Веселый старичок довез его до дому, он прекрасно помнит, как поднимался на лифте, как с третьей попытки попал в замочную скважину... Значит, отключился он уже в квартире. Так что же, выходит, он дома выкинул что-то такое, что соседи вызвали «хмелеуборочную» и сдали его? Крайне сомнительно, чтобы он, никогда не отличавшийся буйством во хмелю, мог довести Яблонских до таких мер, и уж совершенно исключено, чтобы на это пошла Линда. В крайнем случае усмирила бы его сковородой по темечку, но сдавать в менты?..

В гудящей голове проносились жуткие истории, рассказанные Линдой. У них тут тоже планы, графики, отчеты, соцсоревнование. И ради цифири им ничего не стоит захомутать любого, кто под руку попадется, подшить к глухому делу в качестве обвиняемого, выколотить нужные им показания. Настоящее-то раскрытие преступлений — дело долгое, муторное, подчас бесперспективное и страшно невыгодное: показатели падают, начальство бодает, премии летят мимо кармана, а звездочки мимо погон. Вот и стараются. И ничего ты супротив них не вякнешь, потому что они — Государство, а ты — никто, ноль без палочки, и когда Государство назначает тебя преступником, обратного хода уже нет. Но возможно, назначение еще не состоялось... Главное — держаться спокойно, уверенно, но не вызывающе, ничем не проявить ни свою ненависть, ни свой страх...

— Заходите, заходите, Нил Романович, присаживайтесь.

В занюханном кабинете на три стола сидели двое: молодой блондинистый усач в клетчатом пиджаке и невыразительный мужчина средних лет, в очках и с аккуратно зачесанными на лысину реденькими волосами. Этот-то к нему и обратился.

— Передохнули маленько? Продолжим?

— Извините, я... — Нил замолчал, ничего не понимая.

— Хорош! — фыркнул усатый.

— Да ладно, Василь Василич, с кем не бывает. Ты лучше своими делами занимайся, а мы своими.

Усатый что-то буркнул и уткнулся в лежащую перед ним папку.

— Итак, Нил Романович, давайте-ка еще раз, во всех подробностях — как вы провели вчерашний день? Где были, когда, что делали?

— Я... А вы кто?

Человек, похожий на заслуженного счетовода, усмехнулся.

— Да, вы явно не в лучшей форме. Но, не обессудьте, отложить нашу беседу никак не могу. Фамилия моя Денисенко, старший следователь отдела борьбы с хищениями социалистической собственности.

«Это еще откуда?.. Спокойно! Ясно, что здесь какое-то недоразумение, однако сразу заявлять об этом не стоит, это заведомо проигрышная позиция... Уж по их-то ведомству за мной ничего реального нет и быть не может. Тем более вчера. Разве только кто-нибудь упер противогазы, что мы перегружали, или тот щедрый старикашка оказался переодетым расхитителем... Как хорошо, что вчера я весь день был на людях, и что бы они мне ни предъявили, найдутся свидетели, которые подтвердят мое алиби...»

Медленно, четко, внушая себе, что он находится не в кабинете следователя, а на занятиях по разговорной практике, он начал рассказывать. Про Либерфатера, про противогазы, про пивную и присоседившегося к их компании чудного деда. На этом месте Денисенко прервал его:

— Дальше мне все понятно. Значит, в течение дня домой вы не заходили?

Нил кивнул.

— И с женой не виделись?

Линда! Что-то случилось с Линдой?! Но почему ОБХСС?..

— Только рано утром, перед уходом в университет, — сдавленно сказал он.

— И вы ничего необычного в ее поведении не заметили? Она не показалась вам взволнованной или излишне рассеянной?

— Она спала. Мне надо было к первой паре, а ей на работу только к десяти...

— А накануне?

— Да нет вроде... Сидела с подружками, песни пела. Потом легла спать.

— И ничего не рассказывала, никакими планами не делилась?

— Нет...

Нил смолк. Вопросы сидящего напротив казенного человека били в точку. Ну, была она какая-то не такая, ну, говорила про какие-то «Веритасы», предвидела большой ажиотаж... Ну и что! Они явно под нее роют, и любые его слова...

— Вы бы лучше у нее спросили... — осторожно посоветовал он.

— И спросим, — с неожиданной резкостью сказал Денисенко. — Обязательно спросим. По всей строгости. Когда поймаем.

— Да что такое?! Я ничего не понимаю.

В коридоре шумно хлопнула дверь, и высокий, чуть дрожащий голос произнес:

— Примите наши извинения, Ольга Владимировна...

— Имейте в виду, я этого так не оставлю! — громыхнуло в ответ, и Нил вздрогнул, вновь окунаясь в марево лютого бреда. Откуда здесь взялась его матушка?

— В своих сапожищах врываются прямо в репетиционный зал, хамят так, будто перед ними не народная артистка, а какая-нибудь шушера со свалки, — патетически вещала примадонна, — на глазах у всего коллектива запихивают в автомобиль с решетками...

— Но, поймите правильно, уважаемая Ольга Владимировна, они всего лишь выполняли полученное предписание, в котором сказано — принять меры к розыску и задержанию гражданки Баренцевой Ольги Владимировны, тысяча девятьсот пятьдесят третьего года рождения...

— Мне, конечно, льстит, что меня принимают за особу пятьдесят третьего года рождения, но это еще не дает вашим подчиненным основания...

Послышался скрип закрываемой двери, и голоса стихли.

— Вот вам и ответ, Нил Романович, — блестя очками, проговорил Денисенко. — Вчера ваша жена, Баренцева Ольга Владимировна, после обеденного перерыва не вернулась на рабочее место. Когда вскрыли кассу, там обнаружили десять рублей семьдесят восемь копеек мелочью. А контрольная лента зафиксировала сумму в шесть тысяч сто девятнадцать рублей. Арифметика несложная. А жену вашу в последний раз видели в четырнадцать ноль три на троллейбусной остановке. Естественно, мы приняли все меры к задержанию, двух сотрудников отправили на вашу квартиру. Она там не появилась, зато в восемь сорок пять появились вы. К сожалению, наши работники неправильно оценили ваше состояние и доставили сюда для беседы. Вы с порога заявили... — Денисенко перевернул несколько бумажек и, глядя в последнюю, зачитал: — «Все мы вышли из гофмановской шинели». На нашу просьбу пояснить ваше загадочное высказывание, вы ответили: «Я буду говорить только в присутствии моего адвоката». После этих слов ваша, как бы выразиться... ваша неадекватность стала очевидна всем, и пришлось вас отправить немного освежиться. Вот, собственно, и все... Распишитесь вот здесь. Ваши показания мы проверим и, полагаю, побеседуем еще раз. А пока — вы свободны. И, разумеется, держите нас в курсе, если что...

— Да, конечно... А если что — это что?

— Ну, если вы будете располагать какими-либо сведениями о местонахождении вашей, извините за выражение, жены...

Нил поднялся и в упор глянул в оловянные глаза Денисенко.

— На это не надейтесь*.

---

* Ситуация была создана мною практически из ничего. За неделю до всей этой детективной истории, после многомесячного перерыва я встретила Нила. Его вид вверг меня в состояние шока — передо мной стоял пыльный мужик, типичный совок, затраханный убогим бытом. В его тусклых глазах проступала вся безрадостная жизненная перспек-

XV
(Ленинград, 1976)

— О, на ловца и зверь! Рванули в «Петрополь»? Сегодня я обязан надраться в говно... Хотя нет, прикид у тебя явно не для пивнухи. Тогда, может, в «Погребок»? Я проставляюсь — денег как грязи! Стипуху за лето авансом выдали.

Нил выразительно похлопал по карману. Глаза Ванечки Ларина загорелись, но он пересилил себя и ответил со вздохом:

— Пока не могу. Велено хранить трезвость до восемнадцати ноль-ноль.

— А что такое?

— Домашний банкет по случаю защиты диплома.

— Погоди, чьей защиты?

— Моей, чьей же еще?!

Нил посмотрел на Ларина повнимательней — отутюженный парадный костюм, новая белая рубашка, полосатый галстук, выбритые щечки благоухают польским «Варсом».

— Отстрелялся уже? — Ларин кивнул с важным видом. — Поздравляю! И что дали?

тива — подержанный «Запорожец», шесть соток в Бабино, нагрузки по профсоюзной линии, быстрые сто граммов после работы, трешка до зарплаты, гастрит, переходящий в язву, бесконечные склоки с пьющей, некрасиво стареющей женой, уход на пенсию с должности младшего специалиста... Такой судьбы не пожелаешь никому, а уж Нилу — с его-то даром... В тот же вечер, к концу рабочего дня, я заглянула в хозяйственный, где трудилась Линда, изобразила радостное удивление от встречи с ней и тут же, не дав времени зайти домой и переодеться, потащила в ресторан — разумеется, в самый лучший и безумно дорогой. На фоне тамошней лощеной публики она смотрелась сущим огородным пугалом, но после второй рюмки «Мартеля» это перестало ее смущать. Я же все подливала ей и шептала на ухо бередящие душу истории про жизнь красивую и рисковую. Потом довезла ее до дому, но подниматься не стала... *(Прим. Т. Захаржевской.)*

— Пять шаров, естественно... Ну, с минусом, если честно, так ведь минус в диплом не пишется.

— Ну ты просто ундервуд! Такое дело грех не отметить. Давай хотя бы чисто символически.

— И рад бы, но... Ты ж меня знаешь, я на полдороге не останавливаюсь... Лучше вечерком подгребай ко мне, гарантирую расслабон по высшему разряду. Адресок запиши.

— Ох, не дотерплю! — Нил переступил с ноги на ногу.

— А что так? — Ларин смотрел с удивлением.

В проштудированных им научных трактатах про алкоголизм такое состояние называется «интенционный тремор», и ему было крайне странно наблюдать этот клинический симптом у приятеля, которого он, в сопоставлении с самим собой, держал чуть ли не за трезвенника.

— Тоже отмечаю... — Нил опустил глаза. — Четвертый месяц праздную вновь обретенную свободу.

Дни свободы были безрадостными и долгими. Ежеминутно, почти физически, Нил ощущал, как леденеет душа, покрываясь инеем бесчувствия. Ощущение было мучительным, он боролся с ним, боролся, боролся, судорожно хватаясь за все, что могло хоть немного замедлить неумолимое приближение черной, холодной бездны — музыка, скоротечные романы, вино...

— Мальчики, привет!

Мимо них, чуть замедлив грациозный ход, ангельским видением проплывала Таня Захаржевская.

— Привет! — воскликнули они дуэтом.

Она послала им воздушный поцелуй — один на двоих — и через десяток легких шагов скрылась за кирпичным углом кафедры физкультуры. И только тогда Нил вновь перевел взгляд на Ларина.

— Без шансов, портвайнгеноссе. Это, знаешь ли, создание из иного мира, не нам, смертным, предназначенное, — философски заметил Ларин. — Знаешь, а я, пожалуй, рискну остаканиться с тобой за компанию. Вперед?

Против обыкновения, общество друг друга оказало на каждого сдерживающее влияние и, чинно приняв по сто пятьдесят «бурого медведя» в приличной забегаловке на Первой линии, Нил и Ванечка столь же чинно распрощались, договорившись, что вечером непременно встретятся у Ларина дома.

В многоэтажную семейную общагу на улице Беринга Нил явился, выставив в качестве живого щита Веру Хауке, истерично-припадочную полубогемную дамочку, которую он подцепил по пьянке на каком-то вернисаже и теперь не знал, как отцепить. Войдя, Нил был приятно удивлен тем, насколько уютной оказалась крохотная квартирка, насколько хорош, хоть и непритязателен, был стол. Но более всего его потрясла хозяйка, жена Ивана, поразительной красоты брюнетка с огромными зелеными глазами, гитарным станом и чарующим низким голосом. Нил не собирался петь в этот день, но... У соседей добыли раздолбанную гитару, которую он настроил только при помощи плоскогубцев, а потом выдал самый звездный репертуар. Почему-то он не сомневался, что Ванькина жена должна великолепно петь, и очень рассчитывал, что своими песнями сумеет завести и ее. Так и вышло. Ее пение превзошло все его ожидания...

Вера Хауке весь вечер демонстративно молчала, а дома закатила истерику по высшему разряду.

— Ты весь вечер только и делал, что пялился на эту шлюху! — самозабвенно визжала она, не желая слышать его объяснений и оправданий.

Войдя в раж, Вера, должно быть, не заметила Нилов предупреждающий оскал или же приняла за улыбку и подпустила его слишком близко. Последовал страшной силы короткий удар в живот. Вера сложилась пополам и рухнула на пол, извергнув из себя весь праздничный ужин.

— Никогда, — медленно выговорил Нил, нависая над ней, — никогда не называй женщину шлюхой только за то, что она красивее, умнее и чище тебя.

334

Вера моргала в пространство, боясь взглянуть на него.

— А теперь убирайся. Вот тебе червонец на такси. За вещами приедешь завтра. Если через пять минут ты все еще будешь здесь, я убью тебя.

Когда Нил вышел из ванной, Веры и след простыл. Он взял тряпку, подтер блевотину, надел куртку и вышел. До утра мотался по теплому городу, бессвязно шевеля губами: «Татьяна Ларина... Татьяна Ларина... Татьяна Ларина... Впервые в жизни ударил женщину — защищая честь другой женщины... Другой женщины... Женщины другого... Женщины друга... Ни дня не прожить, не видя ее...»

Посреди Литейного моста его осенило — завтра же надо приехать на Беринга с магнитофоном, записать Татьяну Ларину, убедить мать устроить прослушивание. И, может быть, тогда...

В почтовом ящике его ждал белый конверт с одним лишь словом, начертанным незнакомой рукой:

«Баренцеву».

Глава четвертая

КОНЬЯК, БЕССОННИЦА, ТУГИЕ ТОРМОЗА...

I
(Ленинград, 1982)

— А дальше?

— А дальше начинается статья за недоносительство, которой Денисенко тыкал мне в нос при каждой встрече. Интересно, в приличных странах эта статья распространяется на ближайших родственников?

Константин Сергеевич Асуров поморщился, но Нилов невинный взгляд выдержал.

— Смотря, что понимать под приличными странами. У нас, например, стараются избегать. Мы же гуманисты.

— До тех пор, пока не поступило других указаний?

— Да ладно тебе! Авторитетно заявляю — тебе эта статья не грозит. Тетка безносая все списала... Плеснуть еще?

— Давай... А себе?

Асуров сокрушенно вздохнул:

— И рад бы, да утром на службу.

— Сочувствую. А вот у меня бюллетень аж на неделю. Так что имею полное право...

Нил залпом выпил полстакана коньяку, вытер губы и отвернулся. Асуров с сочувствием посмотрел на него.

Их разговор начался еще утром, примерно через полчаса после того, как Нил вошел в свою одинокую комнату и бухнулся на матрас лицом вниз. Появления на балконе человека в плаще он не заметил и только

изумленным взглядом отреагировал на вежливое по-
кашливание.

— Тук-тук, позвольте войти.

Человек снял шляпу, и лишь тогда Нил признал в
нем молодого следователя, сопровождавшего его на
опознании в морге и удивительно похожего на Ленина
в молодости.

— Коли угодно...

Следователь попросил извинения за вторжение, на-
помнил свое имя-отчество и заметил, что если уважаемый Нил Романович по каким-то причинам считает
для себя неудобным беседовать здесь, то он, Асуров,
готов незамедлительно препроводить его в свой служебный кабинет. На это Нил ответил, что ему и здесь
хорошо, и предложил следователю кофе — не столько
из вежливости, сколько потому, что самому очень хотелось. Асуров предложение принял, снял плащ, уселся и, выдержав легкую паузу, начал задавать вопросы.
К третьей чашке как-то незаметно для Нила на столе появилась бутылка марочного армянского коньяку.
Спустя некоторое время они столь же незаметно перешли на «ты». Ближе к вечеру образовалась и вторая
бутылка...

— И все-таки? Что же было в письме? — не от-
ставал следователь.

— Строго говоря, это нельзя было назвать пись-
мом, потому что в конверте не было ни листочка, ни
словечка, только железнодорожный билет в спальный
вагон экспресса Москва—Хабаровск. Она всегда была
неравнодушна к двухместным купе... Конверт бросили
прямо в ящик, не доверив почте — она понимала, что
твои коллеги из ОБХСС могут еще следить за мной,
хотя и не так пристально, как в первые месяцы. Мне
тоже не хотелось, чтобы через меня вышли на нее,
поэтому я принял свои меры конспирации. Тебе, конечно, они покажутся смешными.

— Что за меры?

Дмитрий Вересов

Мать купила мне в Германии прелюбопытную куртку. Перевертыш. Обе стороны сделаны лицевыми. Бежевая плащевка и синий велюр. Я полдня слонялся по Москве в бежевом, вечером купил билет в кино — знаешь высотку на Красной Пресне, рядом с метро? — вошел в зал, а через десять минут вышел уже в синем и клетчатой кепке, доехал до Ярославского, сел в поезд. Со мной в купе ехала какая-то тощая чернявая дура, которая тут же принялась довольно бесцеремонно со мной заигрывать. Еле отшил, притворился спящим, а сам до утра не мог заснуть. Разбудили меня жаркие поцелуи. Я спросонья чуть было кулаки не распустил, но в самый последний миг увидел, что это не вчерашняя моя соседка, а — Линда! А я ведь тщательно готовился к этой встрече, все внушал себе, что подписался на эту опасную авантюру с одной лишь целью — в последний раз посмотреть ей в глаза, четко и ясно сказать, что между нами все кончено, что своим диким, не имеющим никакого оправдания поступком она уничтожила, предала нашу любовь, вычеркнула себя из списка нормальных людей... А вместо этого тут же впился в ее губы, и все слова вылетели у меня из головы.

— Бывает, — философски заметил следователь.

— Теперь ее звали Алина Смелкова, она работала поварихой в бригаде буровиков. Прекрасно зная пределы ее кулинарных способностей, я мог лишь посочувствовать несчастным буровикам. Мне повезло больше — в поезде был отличный вагон-ресторан, услугами которого мы пользовались раз по шесть на дню. В Хабаровске жили у ее подруги, имени не помню, в просторной квартире на улице Петра Комарова, шиковали, икру ели ложками, загорали на амурских пляжах, ездили в Советскую Гавань за свежими кальмарами, а возвращались оттуда, как рыбаки после удачной путины, подрядив целую кавалькаду такси — первое везло нашу обувь, во втором ехала Линдина шляпка, в третьем — мы сами, босые и с ящиком шампанского. Нанимали бичей со стремянками мыть памятник Ерофею Павловичу на вокзальной площади... Потом летали во Владивосток, ныряли с аквалангами в Японском море. Я понимал, что воссоединение наше мимолетно, что у нас нет и не может быть общего будущего, и эта мысль сообщала особое, трепетное очарование каждому мгновению. Мы расставались без слез, я улетел в Ленинград, уже предвкушая новую встречу.

— И когда она состоялась?

— Ровно через год. На сей раз весточка пришла по почте, на официальном бланке молодежного музыкального фестиваля «Янтарный ключ». Меня приглашали в жюри. Письмо было подписано секретарем оргкомитета А. Ледовских. Время было напряженное, до сессии оставалось меньше месяца, и на мое решение ехать на фестиваль повлияло только одно — надежда, что здесь не обошлось без Линды. Ожидания мои оправдались. Она и оказалась той самой А. Ледовских.

— Она же Элла Каценеленбоген, — улыбнулся Асуров.

— Успела сходить замуж за тамошнего морячка. К моему приезду брак уже распался, и наш откровенный роман осуждения ни у кого не вызвал. В конце лета я снова примчался туда, но ее уже не застал. Она исчезла бесследно.

— Опять с приключениями?

— Мне так и не удалось ничего выяснить... Прошло еще три года. Я закончил университет, на зависть многим получил распределение в приличный ленинградский вуз, изредка, по старой памяти, выступал с «Ниеншанцем», женщины по-прежнему не обходили меня вниманием. Внешне жизнь моя протекала вполне благополучно, но всякий раз, открывая почтовый ящик, я не мог унять в пальцах нервную дрожь, которая с приближением лета становилась особенно сильной. Но я не дождался ничего...

— Неужели вы так больше и не встретились?

— Встретились. В августе позапрошлого года.

— Где? — слишком быстро, слишком *цепко* спросил Асуров.

— Все началось с того, что двое моих приятелей, аспиранты-психологи, подбили меня прокатиться с ними в Коктебель, это в Крыму, между Феодосией и Судаком... — медленно, эпично начал Нил, не принимая заданную следователем смену темпа.

— Плавали, знаем! — неуверенно пошутил Асуров, и ритмический рисунок беседы распался окончательно.

Нил широко, оглушительно зевнул и взглянул на часы. Асуров встал.

— Извини, я засиделся. Тебе надо поспать. Завтра договорим. Часиков в десять звякни мне по этому телефону. — Асуров достал из кармана карточку и положил на стол. Нил заметил, что на карточке не было ничего, кроме четко отпечатанного семизначного номера. — К тому времени я буду знать, готовы ли результаты экспертизы, и тоже смогу тебе кое-что рассказать.

— Коньяк забери, — Нил показал на початую бутылку.

— Еще чего! Тебе нужнее... До завтра!

Следователь подмигнул и, прихватив плащ, шагнул на балкон. Нил проводил его взглядом, наполнил стакан...

II
(Ленинград, 1978—1979)

Лето семьдесят восьмого Нил безвылазно проторчал в городе — сдавал госэкзамены, защищал диплом, получил прекрасное распределение на кафедру в Политех, где был сразу же подключен к проверке абитуриентских сочинений. И все это время ждал. Но белый конверт так и не мелькнул в прорезях его почтового ящика.

Прошла осень, потом зима, весна. В жизни Нила не менялось ничего, кроме баб, да и тех он между собой уже почти не различал. Он добровольно записался в экзаменационную комиссию, набрал учеников, готовил их к вступительным экзаменам. И всякий раз, проходя мимо ящика, заглядывал туда, и всякий раз выговаривал себе за это проявление слабости.

В самом конце августа, дня за три до начала учебного года — все никак не мог свыкнуться с мыслью, что находится уже по другую сторону баррикад! — Нилу случилось оказаться в шашлычной неподалеку от Никольского собора. Был он не один. Недавно образовалась у него новая подруга с оперным именем Иоланта, незамысловатая и незакомплексованная дева, обучающаяся в Институте физкультуры на тренера по легкой атлетике. Она-то и затащила Нила в этот шалманчик, где и впрямь оказалось мило, вкусно и недорого.

— А я замуж выхожу, — поведала Иоланта после салата и первого бокала «Напареули».

— И кто счастливчик, любопытно?

— Ты его не знаешь. Мы летом на сборах познакомились. Он боксер, мастер спорта.

— Предупреждать надо. — Нил поежился.

— Я и предупреждаю, — рассмеялась Иоланта. — Да ты не бойся, он из Белоруссии, живет в Минске. Я тоже после свадьбы туда перееду.

— Понятно. А сегодня у нас, стало быть, этот самый... мальчишник-девишник *ай deux*.

Иоланта нахмурила лобик, соображая, что это он такое сказал.

— Не, трахаться я сегодня не поеду, — наконец ответила она. — В общаге у нас все девки знают, что я теперь с Василем хожу, еще настучат ему, если я ночевать не приду. И вообще...

— Ну что ж, давай тогда шампанского — за твое с Василем светлое будущее. Девушка, будьте добры шампанского пузырек!

— Два!

Нил обернулся на новый голос и увидел направляющегося к ним Ваньку Ларина. Но как же изменился за три года его старый знакомец! Растолстел, обрюзг, морда опухшая, пропитая. Но прикинут вполне по моде — замшевый пиджак, джинсы. Рубашка, правда, второй свежести.

— Можно к вам? — спросил Ларин.

— Разумеется... Девушка, еще бокал! Ты что будешь кроме шампани?

— Водочки.

— А еще?

— Еще водочки.

— А кушать-то что будешь?

— Вот ее, родимую, и буду кушать! — Иван расхохотался. — Все как в том анекдоте... Ну, ладно, уговорили. Значит, бутылку шампанского, бутылку коньяку, сто водочки лично для меня, три осетрины, три шашлыка...

— Да ты никак забурел, командор?

— Еще как забурел! Я теперь у писателя Золотарева работаю, сценарии по его романам пишу. Правда, шеф сейчас отъехал за границу, так что я свободен и гуляю, как видишь. На личном фронте тоже все схвачено. — Ларин самодовольно хохотнул. — Слушай, у меня вот какая мысль имеется. Давай мы, как допьем-доедим, возьмем еще пару фугасов — и ко мне. Я тут в двух шагах живу. Квартира — во, царская, понимаешь, квартира! С Танечкой моей познакомлю. Она у меня знаешь какая!

— Погоди, я вроде уже знаком. Тогда, на Беринга, когда диплом твой обмывали...

— А, это ты про жену? — Ларин помрачнел на мгновение, потом беспечно махнул рукой. — Дела давно минувших дней... Сделала мне ручкой жена-то. Высоко теперь летает, в кинозвезды, блин, подалась, роковух всяких играет. Ей в самый раз, стерве. Ну, ничего, оно все и к лучшему... Ты наливай пока, наливай, а то когда еще мой заказ принесут...

Ларин залпом выпил бокал белого вина и тут же налил себе второй.

— Уф-ф, не тот, конечно, градус, ну ничего, сейчас догонимся... Такая вот, братец, диалектика. Если бы моя змеюка меня не выкинула, фиг бы я встретил мою Танечку... А, вот и коньячок подоспел! Давай-ка сейчас по рюмашке за ее здоровье, лапушки моей, солнышка рыжего, благодетельницы...

У Нила нехорошо защемило в груди.

— Ты уверен, что я не знаком с ней? Не ты ли сам нас и познакомил?

— Да когда? — Ларин заморгал удивленно. — Хотя стой, вполне может быть, она ж наша, филфаковская, Таня Захаржевская... Ну да, точно, вы ж еще курили с ней на переменках, пересмеивались... Суперская девчонка, верно? И вот, представь себе, она бортанула своего Чернова, дочку маленькую ему оставила, послала на фиг факультет — и все ради меня... — Ларин горделиво выпятил грудь. — Слушай, точно, пойдем к нам, у нас клево — видак, стерео хай-фай, хавчик фирменный. — Он доверительно понизил голос: — Кайф имеется, и черненький, и беленький... Четыре комнаты, на ночь вписаться можно, а то и на неделю. Побалдеем, а? И девочку с собой прихватим, если пожелает. — Ларин заговорщицки подмигнул Иоланте. — Таня только рада будет, она у меня знаешь какая добрая, ласковая...

Иоланта накрыла напрягшуюся ладонь Нила своей.

— А что, может, и в самом деле?..

— Вот ты и иди, если хочешь! — дивясь на самого себя, взорвался Нил. — Ты что, совсем дура тупая?! Не въезжаешь, зачем он нас так упорно зазывает? Думаешь, он нам хочет приятно сделать? Он себе хочет приятно сделать! Выпендриться он хочет, вот чего! Показать, какой он крутой — вы, дескать, все меня

за говнюка и придурка держали, а я таких офигитель-
ных женщин имею, что вам, самцам дипломирован-
ным, остается только слюнки пускать да с тоски мок-
рощелками дешевыми пробавляться...

Нил осекся, почувствовав, что погнал совсем не в
ту степь, но было поздно: Иоланта вскочила, красная
от злости, и, смачно плюнув ему в лицо, побежала к
выходу, оттолкнув не вовремя подвернувшуюся офи-
циантку. Звонко грохнул об пол поднос, по счастью,
пустой, официантка завизжала. Нил утер плевок рукавом и бросился вслед за Иолантой. За ним мчался
Ларин, крича на ходу:

— Постой, Нил, погоди, ты все не так понял!!!

Будучи человеком малоспортивным и к тому же
подточившим организм длительным беспробудным
пьянством, Ванечка отстал сразу, не успев еще выскочить из шашлычной. Постоял немного в вестибюле, отдышался и вернулся в зал допивать и доедать заказанное на троих. Нил же, в свою очередь, довольно скоро потерял из виду профессионально быстроногую
Иоланту. Он резко остановился посреди многолюдного
тротуара и медленно, шаркающей стариковской походкой, побрел к метро, беззвучно браня себя последними
словами. За что, спрашивается, обидел хорошую девчонку? А Ларина за что? Безвредное ведь, добродуш-
ное существо, наверняка хотел как лучше... Его ли
вина, что ему так сказочно, неправдоподобно повезло
с женщинами? Сначала одна Татьяна, прекрасная, как
Афродита, которую это ходячее недоразумение не смогло удержать подле себя. Потом вторая Татьяна, которая... Которая...*

---

* Которая в ту пору была, мягко говоря, не в лучшей форме. Оставленная мужем, лишившаяся дочери, утратившая цель и смысл... Которой было и не до Нила, и вообще не до кого... Вмазаться — забыться — очнуться — и снова вмазаться... И плевать, кто храпит рядом
— хоть Ванечка, хоть черт собачий... Что ж, этот этап тоже надо было
пережить. (*Прим. Т. Захаржевской.*)

344

III
(Ленинград, 1982)

Накинув пиджак, Нил вышел на балкон. Кончался апрель, и уже недели две стояла теплая погода. И сейчас было тепло, безветренно, но в ночном воздухе вдруг остро пахнуло зимой.

— Шестидесятая параллель, — пробормотал Нил. — Пулковский меридиан, мать его!.. Пришла зима, с ней праздник Первомай пришел.

И с переиначенной строкой из самиздатовского поэта Шинкарева Нил шагнул обратно в комнату, захлопнул за собой дверь и сыпанул в турку щедрую порцию молотого кофе. Недосказанные воспоминания распирали его...

IV
(Ленинград — Коктебель — Феодосия, 1980)

Честно говоря, Нил не имел намерения садиться за диссертацию, но заведующая пообещала скостить учебную нагрузку, если он будет посещать философские семинары, предназначенные для тех, кто собирается сдавать кандидатский минимум, так что... Большинство группы составляли мрачноватые технари с непонятными ему интересами и чуждым поворотом мозгов, и скоро он сблизился с двумя аспирантами кафедры инженерной психологии. Ребятки были неглупые, зубастые, не дураки выпить, и нередко дискуссии, начинавшиеся у них в коридоре возле аудитории, заканчивались в пивной или в разливухе. Меру, однако, знали, и разговоров всегда было намного больше, чем выпивки.

Психологи всюду ходили неразлучной парочкой, да и фамилии их красиво смотрелись рядом — Бергман и Эйзенштейн. Впрочем, к гениям мирового кино ни Игорь, ни Левушка никакого отношения не имели и гордо именовали себя Братьями по разуму.

Если не разум, то братство они блистательно подтвердили на весеннем экзамене. Свой ответ Бергман превратил в бурные дебаты относительно природы познания, а Эйзенштейн — в пламенную апологию Маха и Авенариуса, раскритикованных Ильичом-Первым в бессмертном «Материализме и эмпириокритицизме». Профессор, похожий на николаевского фельдфебеля, и профессорица, похожая на дохлую крысу, слушали их с каменными лицами. Нил же внаглую положил на стол толстую книжку под названием «Хрестоматия по марксистско-ленинской философии для учащихся ПТУ», не таясь, выписал оттуда по несколько звонких цитат на каждый из обозначенных в билете вопросов и бодро зачитал их улыбающейся комиссии. Результат оказался предсказуем — по «неуду» аспирантам Бергману И. С. и Эйзенштейну Л. Я. и «отлично» соискателю Баренцеву Н. Р.

— Ничего! — мужественно говорил Игорь, макая ус в кружку «Жигулевского». — Придут наши — и тогда еще поглядим, кто философ, а кто мудак!

— Пше прашем бардзо, — вторил ему окосевший Левушка. — Есче мы на могиле тех лайдаков зашпиндачим полонез Огинского... Марш-марш Домбровский, земли влошски да польски, под твои-им пшеводом звынчемся з народом...

— Зрончемся, — поправил Нил. — Спокойнее, господа, на полтона ниже, плиз!

— Отречемся от старого мира, — с видом заговорщика прошептал Бергман. — Рванем туда, где оскорбленному есть чувству уголок...

— Кеннст ду дас лянд, во ди цитронен блюн! — с чувством изрек рыжий Левушка. — Геен зи нах Коктебель им Шварцен море баден!

— Баренцев, вы, я надеюсь, кирилловец? — Игорь ткнул Нила пальцем в грудь. — В Крымских горах мы создадим небольшой партизанский отряд...

Но уже в поезде Братья по разуму неожиданно объявили себя чань-буддистами и углубились в медитации на стакане и сочинение хокку на основе непосредственно увиденного. В эти занятия пытались втянуть и Нила, но он наотрез отказался и проводил время в соседнем купе с девушками-геологинями, которых ублажал песенками под гитару. С помощью тех же девушек он в Симферополе выгружал из вагона чаней, домедитировавшихся уже до третьей степени просветления.

В первые же дни крымского отдыха Нил успел убедиться, что проповедуемая ими школа чань-буддизма отличается высоким эклектизмом, вбирая в себя элементы многих культур. Так, в имени гроссбуха, в который заносились все откровения в стихах и прозе, звучало нечто откровенно тюркское — «Йытсич Музар» («Чистый разум» навыворот), «Хинаяной» и «Махаяной» назывались две пищевые канистры на три и пять литров соответственно. Каждое утро обе канистры под завязочку заливались двумя самыми дешевыми разновидностями продаваемого здесь вина — белым, омерзительно кислым «Ркацители» и красным, омерзительно сладким «Радужным». Смесь этих напитков в равных пропорциях оказалась вполне сносной на вкус, быстро давала желаемый эффект и закрепилась в их кругу под названием «Смесь номер один — ординарная», которая превращалась в «Смесь номер два — марочную» путем простого влития в нее пол-литра «Зубровки». Употребление этих смесей внутрь одухотворенно именовалось «практикой слияния инь и ян». Через несколько дней такой практики Нил впал в глубокую тоску, физиономия Бергмана приобрела устойчиво синий цвет, а Левушка, по его же заверениям, начал видеть в темноте не хуже кошки. Зато наши чань-буддисты обрели стойких прозелитов в лице трех молодых воркутинских шахтеров, которые ходили за ними по пятам, видом своим отпугивали как местное хулиганье, так и скандальных борцов за тишину и общественный порядок, щедро заливали «Хинаяну», а то и «Махаяну», марочным портвейном. Отдуваться за эти услуги приходилось, понятно, Нилу — каждый вечер подвыпившие шахтеры требовали душевных песен. Концерты нередко затягивались заполночь.

— Все, — пробурчал через неделю Нил, разбуженный на рассвете лютым похмельем. — С экспериментом пора завязывать.

Он, кряхтя, перелез через храпящего Бергмана, запихал в рюкзак плавки и зубную щетку, набросил на плечо гитарный ремешок. Во дворе напился воды из колонки, окатил голову. Полегчало, но очень слегка. Захотелось вернуться и поспать еще часок-другой. «Ну уж нет! — приказал он сам себе и двинул по извилистой улочке к морю, на повороте в последний раз посмотрел на длинный низкий барак, поделенный на тесные клетушки, где в одной из них они и ютились, выкладывая за сутки пятерку на троих. — Гудбай, естествоиспытатели хреновы!»

Он пересек шоссе, доковылял до прибрежного променада, малолюдного в этот час, на границе писательского и общедоступного пляжей присел на лавочку. Силы оставили его. Отравленная кровь изнутри колола вены мириадами иголочек, голова гудела бухенвальдским набатом. Он окончательно и бесповоротно понял, что совершил большую глупость, припершись сюда, да еще с вещичками. Надо было остаться, пошукать у Братьев какой-нибудь заначки со вчерашнего, подлечиться малость. Не спеша навести справки насчет свободной коечки — где, с кем, за сколько, — если получится, прикупить курсовку, чтобы с питанием не маяться. Так ведь нет, как моча в голову стукнула, так сразу...

Блуждающий взгляд уперся в рядок автоматов, торгующих водами, пивом и дешевеньким разбавленным вином. Нил лихорадочно зашуровал по карманам, шепча при этом: «В последний раз...»

После трех стаканов в голове наступило прояснение, зато совсем ослабли ноги. Он сел прямо на землю возле автоматов, взял гитару...

> Друзья, купите папиросы!
> Подходи, пехота и матросы,
> Подходите, не жалейте,
> Сироту меня согрейте,
> Посмотрите — ноги мои босы...

Возле его ног, обутых в «адидасовские» кроссовки, шлепнулась монетка, потом другая. Стало смешно и немного стыдно. Нил тряхнул головой и запел активнее, работая уже на публику:

> Я мальчишка, я калека, мне пятнадцать лет,
> Я прошу у человека — дай же мне совет,
> Где здесь можно приютиться
> Или Богу помолиться —
> До чего не мил мне этот свет!

— Действительно, что ли, приютиться негде? — услышал он девичий голос, сочувственный, но со скрытой смешинкой. — Бе-едный! Макс, иди сюда, тут такой талант пропадает!

Нил поднял голову. В позе с изящным прогибом, широко расставив точеные ножки, на него лукаво поглядывала знойная карменистая брюнеточка. Глянцевое голубое бикини красиво оттеняло шоколадный загар. Позади возвышался крепкий парень, из-за ее нежного плечика убедительно выглядывал бронзовый бицепс с мастерски вытатуированным якорем. Парень шагнул вперед и выставил широкую ладонь.

— Здоров, доходяга! Держи краба.

Нил взялся за мощную ладонь, рывком встал с земли.

— Максим Назаров, — сказал парень, раздвинув уголки рта в улыбке.

Приглядевшись, Нил увидел, что слово «парень» не вполне точно характеризует его визави. Спортивный, гладко выбритый мужчина за тридцать, с необычным, неуловимо нерусским лицом — удлиненным, с широко расставленными большими карими глазами, с аккуратной щеточкой черных усиков под четко очерченными губами. При этом в его облике не было и намека на опереточную слащавость.

— Нил Баренцев, — представился Нил.

Мужчина улыбнулся еще шире.

— И к Нилу ходили, и по Баренцеву шастали... Что, амиго, квартирный вопрос замучил?

— Есть маленько, — улыбнулся Нил в ответ.

— Делаем так, — Максим рубанул воздух ладонью. — Сначала искупнемся, потом пельмешек порубаем, потом займемся твоей проблемой. Имеется вариант. Принято? Лера?

Он посмотрел на спутницу. Та изобразила пухлыми губами поцелуй и звонко ответила:

— Принято!

Пельмени они ели вдвоем — прямо от раздаточной стойки Лера ускакала со своим подносом на другой конец столовской веранды к столику, за которым сидели потасканный бородатый мужчина в красном жилете на голое тело и невысокая темноволосая девушка.

— Куда это она? — удивился Нил.

— К семье, — спокойно ответил Назаров. — К папе и сестренке.

— Так она здесь с семейством? Я думал — с тобой.

— Курортное знакомство.

Назаров поднял стакан компота, салютуя через зал Лере. Та вновь изобразила поцелуй.

— Симпатичная, — заметил Нил.

— Так, пустышка... Вот сестричка у нее — очень ничего себе. Трогательный человечек. Но я сразу не обратил внимания, а потом уж было поздняк метаться! — Назаров усмехнулся.

— Познакомишь?

— А специально знакомиться и не надо. У той же хозяйки проживать будешь.

— А ты?

— А я там уж месяц жирую. Еще неделька — и отчаливаю в порт приписки. Коечка моя тебе по наследству перейдет. А пока на насесте покантуешься.

— Насест — это что такое? — осторожно спросил Нил.

— А это на чердаке, три жердочки между люком и кладовкой. — Заметив тень, пробежавшую по лицу Нила, Назаров тут же добавил: — Ты сразу-то не отказывайся, осмотрись сперва. Это знаешь какой дом? Особенный, и люди в нем особенные...

— Максик, если что — мы в Тихой бухте, — прощебетала, проходя мимо их столика, Лера. — Придешь?

— Попозже... Доброе утро, экселенц! — Бородатый мужчина степенно кивнул, не замедляя хода. — Доброе утро, Ирочка, — произнес Назаров совсем другим тоном.

— Доброе утро, — опустив взгляд, чуть слышно ответила темноволосая девушка и, тяжело опираясь на палку, заковыляла следом за сестрой и отцом. Внешность ее не произвела на Нила сильного впечатления.

— А почему «экселенц»? — спросил он, проводив взглядом семейное трио.

— Князь Оболенский, — с насмешливой искоркой во взгляде ответил Назаров.

— В самом деле князь?

— В самом деле Оболенский. Насчет князя очень сомневаюсь, хотя сомнения стараюсь держать при себе. Уважаемый Робеспьер Израилевич преподает научный коммунизм в алма-атинской консерватории, а потому причисляет себя и к аристократии, и к богеме. Ты еще услышишь, как он в поддатом виде читает стихи великого князя Константина. Лера закончила ту же консерваторию, а Ира перешла на четвертый курс. На рояле играет как богиня... Ну что, двинули?

Максим взвалил на плечо Нилов рюкзак и развалистой морской походочкой двинулся к выходу.

— Постой, я сам... — сказал Нил ему в спину.

— Ты инструмент несешь, — не оборачиваясь, ответил Назаров.

Они спустились по ступенькам и пошли в горку вдоль забора писательской резервации.

— Максим, а почему ты отпуск на море проводишь? — на ходу спросил Нил. — Не надоело?

— Море-то? Да я его только в отпуске и вижу.

— Да? А я решил, что ты моряк.

— В общем, решил вполне правильно... Штурманом ходил на траулерах. Такие, амиго, места повидал — одни названия чего стоят! Сейшелы, Мадагаскар, Нантакет, Брисбен, Кейптаун.

— А теперь-то что, романтика надоела?

— Ну уж куси-куси, Нира-сан. По своей воле я б ни за что на берег не списался. Меня, если хочешь знать, сам Рауль Кастро уволил.

— Это какой Рауль? Брат Фиделя, что ли?

— Он самый, каброн карраховый. Фидель, ведь он так, вроде знамени, а рулит там все больше Рауль... Короче, приходим мы в Гавану, а к нам на борт все портовое начальство является. Кэп принимает их чин чином, пузырь рому выкатывает — очень они там свой ром жалуют, только для местного населения он исключительно по тархетам, бутылка в месяц, и хорош. Так что они обрадовались страшно, сидят киряют. Кэп меня зовет, поддержи, дескать, Максим Назарыч, компанию... Я и выпил-то граммов семьдесят от силы, и меня по жаре не то, чтобы развезло, а с тормозов скинуло. Схожу я, значит, на берег, а душа-то приключений ищет. Определенного свойства приключений — четыре месяца в море, из женского полу на судне — одна кошка. В общем, понимаешь... А тут навстречу мулаточка гребет. Фигурка — во, маечка красная в обтяжку, роза алая в волосах. Улыбается мне, подмигивает. Я подхожу. Что, говорит, сеньор, сеньориту хочешь? Две пачки «Шипки»... У них ведь с табаком та же история, что с ромом, и они за курево на все готовые. Две пачки «Шипки», говорю, нету, есть одна, только «Мальборо». Смотрю, у нее аж ручки затряслись. Пойдем, говорит, я такое местечко знаю... Вышли мы за ворота, идем, слева пляжик такой красивый открывается, а вокруг кустики. Симпатично. Вблизи, правда, в этих кустиках не так, чтобы очень. Обертки, окурки, стеклотара, резинки использованные. Популярный такой, видно, местный сексодром. Ну, мы мусор разгребли малость, штанишки долой и это самое... культурный обмен осуществляем. Я в раж вошел, ничего не вижу, не слышу, она, голубушка, тоже видать захорошела — глазки прикрыла, стонет, извивается... Короче, кончили оба, отвалились друг от дружки, а над нами рыл шесть барбудос. Стоят, скалятся, «калашами» поигрывают... Подняли нас, не сказать, чтобы нежно — и на шоссе. А там джип открытый, а в нем — Рауль Кастро собственной персоной, и выражение личности ох неприветливое!.. Страна, понимаешь, тропическая, работать народ не шибко любит, и Рауль придумал свой способ производственную дисциплину укреплять. Разъезжает повсюду со своими головорезами, посматривает, и если кто из граждан на месте своем рабочем не работает, а, скажем, в тенечке прохлаждается и сервезу бухает, он без лишних разговоров достает маузер — и полобоймы в брюхо. Меня, надо полагать, только форма иностранная от Раулевой пули спасла... Даже на борт, сука, подняться не позволил, а прямым ходом в аэропорт, на самолет и в Москву. Без вещей, без денег, без документов. Долго я потом по одному штурманскому аусвайсу жил, пока наш «Устойчивый» в Клайпеде не пришвартовался. И больше мне в море ходу не было... Я тебе, амиго, так скажу — если когда случится в загранку попасть, ты там на баб реагировать воздержись. Если уж совсем невмоготу станет — рукоблудием займись. Оно спокойней и безопасней...

Заслушавшись рассказа Назарова, Нил даже не заметил, как они приблизились к высокому забору, над которым кудрявились густые кроны яблонь.

— Пришли, — сказал Максим у самой калитки.

Нил взялся за деревянную ручку, чуть приоткрыл — и тут же захлопнул, привалившись спиной к доскам. Поверх калитки мгновенно показалась громадная волчья морда с оскаленными зубами.

«Гав!» — оглушительно сказала морда.

Назаров бесстрашно вытянул руку и ухватил волчару за холку.

— Здорово, Джим... Эй, амиго, сдай куда-нибудь, а то фарватер перекрыл.

— Собака... — пролепетал Нил.

— Да это ж Джим. Он с тобой поздороваться вышел. Не обижай маленького.

Нил попятился от калитки, пропуская Назарова вперед.

— Ничего себе маленький! — изумленно выдохнул он.

Джим, размерами не уступавший годовалому теленку, моментально закинул передние лапы на плечи Нилу и принялся нализывать ему лицо. Нил закрыл глаза и невольно вспомнил про собаку Баскервилей.

— Джим, фу, это что такое?! — услышал Нил женский голос, чуть надтреснутый, но звучный, великолепно поставленный, с привычными ему оперными модуляциями.

Пес моментально отпустил Нила и потрусил по увитой виноградом дорожке, интенсивно виляя поросячьим хвостиком. Навстречу ему шла невысокая, сухонькая дама в ярком брючном костюме и широкой соломенной шляпе.

— Мария Александровна, я вам постояльца привел. На насест, — сказал Назаров. — Рекомендую, Нил Баренцев.

— Вашей рекомендации, Максим, я доверяю безусловно, — сказала Мария Александровна и протянула Нилу узкую ладошку. — Басаргина.

Нил наклонил голову и приложился к ладошке губами, почувствовав, что здесь этот жест будет уместен и воспринят должным образом.

— Сразу видно воспитанного юношу, — удовлетворенно заметила Мария Александровна. — Пойдемте, господа, пить чай... Скажите, Нил, а не в родстве ли вы с той Баренцевой, которая в Мариинском поет. Я ее зимой слушала — многообещающая барышня.

— Это моя мама, — сказал Нил, пряча улыбку — впервые при нем Ольгу Владимировну назвали «барышней».

— Надо же, такой взрослый сын... Впрочем, для меня все вы — молодежь... Прошу сюда.

Они уселись на старый широкий диван, накрытый бугристым стеганым одеялом. Нил почувствовал под собой что-то жесткое и чуть сдвинулся. Жесткое тут же выскользнуло из-под него, а за краем одеяла образовалась маленькая всклокоченная голова.

— Что вы тут себе позволяете? — осведомилась голова, обводя присутствующих гневным взглядом узких, монгольских глазок.

Мария Александровна всплеснула руками.

— Ой, Володя, вы такой миниатюрный, вас так легко не заметить!

— Что еще не дает право всякому хамью садиться мне на голову! — проворчал Володя и вновь скрылся под одеялом.

— Нил, вы, пожалуйста, не обижайтесь на Володю, он по утрам всегда такой, — сказала Мария Александровна, разливая душистый, приправленный вишневым листом чай. — А вообще тихий, интеллигентный человек, прекрасный поэт...

— Я гений, а вы все — говны! — донеслось из-под одеяла.

Дмитрий Вересов

— А я еще его нахваливаю, — сокрушенно вздохнула Мария Александровна. — Володя, в культурном обществе не говорят «говны», а исключительно «говно» или «говнюки»...

Это был удивительный дом. Попадая сюда, каждый словно становился светлее, одухотвореннее, талантливее. Стихи и песни, звучавшие на веранде, были гениальны, даже когда были посредственны, а разговоры, не смолкавшие с раннего утра до поздней ночи, отличались утонченностью, остроумием и глубиной. Этот дом притягивал всех, но не всех принимал, и многие, в том числе и обладатели громких имен, уходили оттуда вежливо, но жестоко осмеянными и изрядно поклеванными. Однако любимчикам тоже доставалось. Случалось краснеть и Нилу, угодив под острый язычок хозяйки.

По вечерам переходили в гостиную, где стоял старенький, но идеально настроенный рояль. Пела преимущественно сама Мария Александровна Басаргина, а аккомпанировала тихая, застенчивая Ирочка Оболенская. Впервые в жизни Нил с искренним удовольствием слушал оперные арии и классические романсы, отдавал должное мастерству обеих и без устали вглядывался в черты юной пианистки.

У Ирочки были нежные, чуткие руки, глаза, как два черных бездонных омута, и миленький шрам от неискусно прооперированной заячьей губы. Не повезло бедняжке и с ногой, поврежденной в детстве в результате падения с фуникулера. Нога срослась неправильно, и с тех пор Ирочка могла ходить, только опираясь на палку.

Играла она безукоризненно, но довольно быстро уставала, и тогда за рояль садилась сама Мария Александровна, а то и Нил или кто-нибудь еще из присутствующих, поскольку недостатка в музыкальных личностях здесь не наблюдалось. То играл ансамбль средневековой музыки, участники которого своими руками собрали старинные инструменты, то легендарный Алексей Козлов — «Козел на саксе» — представлял слушателям историю джаза в фортепьянных картинках. И только красавица Лера, несмотря на все уговоры, к инструменту не подходила.

— Ах, у меня заиграны руки! — восклицала она. — Врачи строго-настрого запретили мне даже дотрагиваться до клавиш!

Свои таланты демонстрировали и те, кто музыкальностью не отличался. Максим Назаров блистал в разговорном жанре, якутский самородок Володя Семенов читал свои стихи, Робеспьер Израилевич — поэтов Серебряного века и рассказы Зощенко. Первое, по мнению Нила, получалось у Оболенского ниже среднего, второе — очень неплохо. Особенно ему удавалась фраза: «Человек — животное довольно странное».

Нил примерял эту формулировку на себя и находил совершенно справедливой, ибо собственное его поведение давало немало поводов для удивления. Он завел нешуточный роман с Ирочкой Оболенской.

Из-за шрама, из-за своей хромоты она считала себя дурнушкой, особенно на фоне старшей сестры, и выросла нелюдимой, погруженной в себя. Первые знаки внимания она восприняла настороженно, недоверчиво, чуть не сорвавшись в не свойственную ей грубость. Но Нил был нежен, деликатен и в то же время настойчив, и вскоре она распахнула ему свою душу.

В ее обществе он вытворял все то, что сам же искренне считал смехотворным в отношениях между мужчиной и женщиной — смущался, дарил цветы, декламировал лирические стихи, какие только мог вспомнить, опускался на колено. Деликатно уводил ее, издалека заприметив компанию чань-буддистов, приросшую десятком адептов и сделавшуюся неотличимой от своры пьяных оборванцев. Из-за своей хромоты она не могла отправиться со всеми в Сердоликовую бухту — он нанял катер и прокатил ее туда и обратно. Не могла дойти до Старого Крыма — он брал такси, подвозил ее до самого дома-музея Александра Грина, бродил с ней из комнатки в комнатку, разговаривая про Ассоль, про алые паруса, про вольный город Зурбаган.

Гуляя с ним, Ирочка завороженно молчала, улыбалась, доверчиво заглядывала в глаза. А Нил бережно поддерживал ее под руку и каждую секунду ощущал, что принимает на себя обязательства неизмеримо большие, чем когда забирался в постель к очередной из питерских наложниц, чьими номерами телефонов была испещрена его записная книжка.

Он был готов принять на себя самые жесткие обязательства, ему не терпелось их частоколом отгородить себя от самой возможности думать о Линде. Он отдавал себе отчет, что вряд ли будет счастлив с Ирочкой, — но не счастья искал тогда, а избавления, и понимал, что надо спешить. Неизвестно, надолго ли еще достанет нынешней решимости.

На восьмой день его пребывания в доме Марии Александровны после бурной отвальной отъехал в Ленинград Максим Назаров, и Нил перебрался наконец с узкого и жесткого насеста в «скворечник» — чердачную комнатушку, где помимо него обитали два Володи — маленький якут и здоровенный украинец из Запорожья, тоже поэт. Оба гения оказались к тому же истинными виртуозами храпа — с присвистом, с подстанываниями, со скрежетом зубовным, с головокружительными синкопами, кодами, додекафоническими и атональными эффектами. Определенно, старик Шёнберг от зависти ворочался в гробу; возможно, не спалось и маэстро Шнитке — но уж Нилу точно! Помаявшись с часок, он не выдержал, плюнул и, подсвечивая себе фонариком, тихо спустился в сад.

Трещали цикады, им вторили дебелые южные лягухи, наверху, на черном бархатном небесном ложе, бриллиантиками искрились звезды. Нил сидел в шезлонге, медленно и глубоко дыша, грудь наливалась меланхолическим, но приятным томлением. Надо непременно, завтра же, объясниться с Ирочкой, поговорить с Робеспьером Израилевичем...

— Участь моя решена... — прошептал он начало известной пушкинской фразы, и глаза его закрылись сами собой...

По бокам, насколько хватало взгляда, тянулись красно-голубые гобелены, внизу выписывал сложные вензеля узор блистающего наборного паркета, над головой белели нежнейшие облака расписного плафона. Мимо него, извиваясь, словно ленточки на ветру, пролетали разреженные, плоские человеческие подобия в париках, камзолах с золотым галуном, красных туфлях с квадратными носами. Из высоченного тусклого зеркала в золоченой раме выпорхнула черная фигурка и, материализуясь, застыла перед ним тоненькой девушкой в черной бархатной амазонке, отороченной зеленоватым мехом. Лицо ее было одновременно лицом беглой жены, Тани Захаржевской и старшей доченьки князя Робеспьера.

— Тс-с, — прошептала девушка, прикладывая к губам тонкий пальчик. — Здесь повсюду глаза и уши... Жди меня здесь!

И втолкнула его в неизвестно откуда появившуюся дверь.

Нил огляделся. Он был в пустом помещении без окон, все грани которого были покрыты ровными, чуть зеркальными металлическими пластинами, совершенно одинаковыми, только по одной из них наискосок шла кривая надпись, сделанная губной помадой: «Я ЛЮБЛЮ ЛУЯ!».

Идеальную кубичность помещения нарушало возвышение, вроде помоста, вдоль дальней стены. Нил сделал шаг, другой, остановился озадаченно и прошептал:

— Куда это я попал?

— Угадай с трех раз, — ответил кто-то знакомый, но очень в этой обстановке нежеланный.

— Не стану я угадывать! — Нил топнул ногой.

— Ну ладно, скажу. Ты, сладкий мой, оказался в приватном королевском нужнике города-героя Версаля. Вот послушай, какое чудное хокку я сложил в честь этого заведения. Называется «Утренние размышления наставника о слиянии Инь и Ян».

> Опять сижу, как ян последний.
> В очке соседнем — инь.
> В параше мы сольемся...

Нил прищурился и на самом краешке возвышения разглядел глумливую и синюю рожу Игоря Бергмана. Бергман подмигнул и явился в полный рост — в тельняшке, широченных галифе, похожий на Попандопуло из фильма «Свадьба в Малиновке».

— Что ты делаешь в моем сне? — спросил Нил, потирая глаза.

— А что ты делаешь в моей белой горячке?! — надрывно прохрипел Бергман, рванул тельняшку на груди, но тут же притих и, тупо качая налысо обритой головой, монотонно залепетал: — У тебя не сон, а глюк. У тебя не сон, а глюк... Если видишь в стенке люк... У тебя не сон, а глюк...

— Заткнись и чеши отсюда! — приказал Нил. — Шляешься тут с перепоя!

— У меня перепой, а у тебя недотрах! — отпечатал Бергман и с эротическим стоном растворился.

Что-то мягкое, сладко пахнущее коснулось щеки.

— Моя королева, наконец-то! — блаженно выдохнул Нил и дотронулся до нежной, прохладной руки, лежащей на его плече.

— Тс-с, — прошептала Лера, прикладывая к губам тонкий пальчик. — Тихонечко выходи за калитку и жди меня там.

Ждать пришлось недолго. Она выскользнула из сада, кутаясь в кружевную шаль, взяла его за руку и повлекла за собой к раскинувшемуся за дорогой широкому лугу. Посередине луга, она плавно, словно простыню, спустила шаль и притянула к себе остолбеневшего Нила.

— Лерочка, что?..

— Тс-с, — вновь прошептала она. — Ничего не говори. Не надо слов, глупенький.

Вместе с ней он опустился на расстеленную шаль...

— Тебе хорошо было?

Он не ответил. Лежал, заложив руки за голову, созерцая звездный купол.

— Так хорошо?

— Мне сейчас хорошо... Посткоитальная релаксация...

— Чи-иво? — плебейским привизгом выразила свое непонимание Лера.

— Простонародно интонируете, княжна, — нарочито тихо пробормотал он.

— Что-что? — переспросила она, уже сравнительно комильфо.

— Расслабуха, родная. Как-никак пару вагончиков мы разгрузили... Слушай, у тебя сигаретки нет?

Лера принялась сердито шарить вокруг себя, метнула ему на грудь мятую пачку «Золотого пляжа».

— Ох, это не Рио-де-Жанейро! — вздохнул он, затягиваясь сырым, припахивающим плесенью дымком.

— Нил?.. — спустя минуту-другую спросила она.

— Да, любимая?

— Нил, пообещай мне одну вещь...

— Для вас, сударыня, все, что угодно — в пределах разумного, конечно.

— Ты не мог бы завтра увезти ее куда-нибудь на весь день?

— Кого?

— Ну, Ирку... Понимаешь, завтра мой Ашотик приезжает. Нельзя, чтобы она нас вместе видела. С папашей-то я как-нибудь разберусь, а вот Ирка... Она такая правильная, такая зануда. И стукачка. Маме наябедничает, Вадику...

— М-да, нескучно живете, гражданка Оболенская, — задумчиво проговорил он. — Вчера Назаров, сегодня я, завтра Ашотик.

— С Максом у меня ничего не было! — заявила Лера. — А Ашотик — это серьезно.

— А Вадик? — ехидно осведомился Нил.

Насчет самого себя он решил не спрашивать. И так все более-менее ясно.

— Вадик — мой алма-атинский жених. Его это все совершенно не касается... Ну сделай, ну что тебе стоит...

— Ладно... Прокатимся, пожалуй, в Феодосию.

Он замолчал, вслушиваясь в южную ночь.

— Нил?..

— А? — Он встрепенулся: как-то умудрился начисто забыть, что он здесь не один.

— Нил, а ты меня потом с мамой своей познакомишь?

— Да? — Ее наивная нахрапистость была даже забавна. — Думаешь, надо?

— Надо.

— Зачем?

— Ну... словом, я в аспирантуру хочу поступать. А в нашей консерватории с такой специальностью сложно...

— Какой специальностью? — безжалостно осведомился он. — Играть ты не можешь, петь вроде не поешь. Не иначе, дирижировать собралась? Тогда тебе в Москву надо, к профессору Веронике Дударовой.

— Да не дирижировать! Я теорией заниматься хочу.

— В таком случае на что тебе моя матушка сдалась? Она, видишь ли, отнюдь не теоретик.

— Но знакомства, связи...

— Послушай меня, лапушка. Ты об одной вещи просила, а получается две.

— Я отработаю. Честное слово...

Нил ухмыльнулся, прикинул свои желания и возможности на данный момент и, потянувшись, сказал:

— Вот прямо сейчас и отработаешь...

«Прогулка морем, — думал Нил, стоя на палубе, — это очень сильно в ощущениях, но банально в описании. Синее море, белый пароход, высветленные солнцем горы, две разбегающиеся пенные дорожки за кормой... Какой восторг — и какое убожество в мыслях и словах. Вот рядом со мной некое создание, априорно милое, трогательное и целомудренное, хотя об этом создании я знаю лишь то, что вот сейчас должен буду привлечь ее к себе, поцеловать ее шрам, ее облупившийся красный носик, ее сухие губы, соленые от морских брызг, — и тут же с тоской подумать, что все мосты сожжены...»

Он повернулся к Ирочке, притянул к себе, губами приник к шраму под облупившимся красным носиком, к сухим губам, соленым от морских брызг. Она крепко зажмурила глаза...

На многочисленных кораблях пестрели флаги, на набережной играли военные оркестры и фланировали матросики, щеголяя белоснежными гимнастерками. Феодосия отмечала День Военно-Морского флота.

В праздничной толчее они были инородны. Ежесекундно их обгоняли, поджимали, подталкивали, громкими голосами глушили адресованные друг другу бессвязные лирические реплики. Ее личико под нелепой желтой панамой становилось все бледнее, шаг — медленнее, все заметнее проявлялась хромота, все тяжелее опиралась она на палку, на руку Нила. Наконец она подняла на него страдальческие глаза и тихо простонала:

— Не могу больше...

Он подхватил ее на руки и, распихивая толпу, вынес с набережной в тихий переулок, опустил на лавочку под густым кипарисом.

— Я сейчас! — отрывисто сказал он и устремился обратно на набережную. — Только куплю тебе мороженого. Жди меня...

Тележек с мороженым было много, но желающих полакомиться им было несравненно больше. Нил метался от одной очереди к другой, выбирая, какая будет поменьше, наконец выбрал и действительно не простоял в ней и минуты — товар кончился. «На фиг этот график!» — пробормотал Нил, нагло протиснулся в самую головку соседней очереди и пристроился к пацану лет двенадцати, сжимавшему в потной ручонке единственную монетку.

— Здорово! — громко, на публику, сказал он и шепотом добавил, всовывая в ладошку рубль: — Слышь, старик, возьми мне два стаканчика.

Мальчонка открыл рот, и за долю секунды до того, как оттуда выплеснулась порция колоритной южной брани, Нил внес существенное дополнение:

— Сдача твоя!

Малец поспешно сглотнул ругательство и важно кивнул стриженой головой. Этот диалог произошел до того стремительно, что в очереди никто не успел возмутиться.

От тележки Нил отошел с двумя кривоватыми вафельными стаканчиками и острым желанием хоть несколько секунд передохнуть в тенечке. Вынырнув из самой толчеи, он плюхнулся на какую-то ступеньку, козырьком защищенную от солнечного света, и слизнул выступившую каплю сладкой жижицы с дырявого донца одного из стаканчиков. И тут же в глазах потемнело — и не только потому, что их прикрыли чьи-то ладони, потому что еще до слов: «Сударь, не угостите ли даму мороженым?» — он понял все. Медленно повернул голову и, словно кролик перед удавом, застыл перед Линдой.

V
(Ленинград, 1982)

Эхо потрясения, испытанного в тот момент, мгновенно выкинуло Нила из реальности воспоминания и перебросило на двадцать один месяц вперед, в реальность непосредственных ощущений.

— Костя, не мнись на балконе! — крикнул он. — Заходи давай, я не сплю, так валяюсь.

В комнату с извиняющейся улыбкой вошел Асуров.

— Ты не позвонил, — сказал он. — Я начал беспокоиться. И вот... Ты позволишь?

Следователь показал глазами на стул. Нил кивнул. Асуров уселся, раскрыл портфель, достал оттуда пеструю цилиндрическую жестянку.

— «Нескафе», — прокомментировал Нил. — Однако!

— В управлении наборы давали, — пояснил Асуров. — Водички поставь.

Когда Нил, водрузив на плитку полный до краев ковшик, снова повернулся к столу, рядом с кофе появилось еще несколько разноцветных банок — красная с камчатским лососем, зеленая с молодым венгерским горошком и розовая с бельгийской ветчиной. Тут же красовалась длинная бесцветная бутыль причудливой формы, заполненная бесцветной же жидкостью. Нил пригляделся к фигурной этикетке.

— «Fassbind. Eau de vie. Kirsch. Made in France», — прочел он. — Знатное у вас управление. Пристроил бы по знакомству, я на машинке неплохо стучу.

Асуров лукаво улыбнулся.

— Подумаем... — Он взял в руки бутылку. — Ну что, сразу по чуть-чуть или сначала перекусим?

— Через полчаса мы стояли на палубе теплохода «Иван Тургенев», взявшего курс на Сухуми.

— И не единой мысли об Ирочке?

— Так, вскользь подумалось, что она вроде собиралась пройтись по магазинам и, стало быть, деньги на обратную дорогу у нее найдутся.

— Ты не мог бы припомнить точную дату, когда это произошло? Я как-то запамятовал, когда у нас День Военно-Морского флота. — Впервые за все время их общения Асуров достал ручку и раскрыл блокнот...

— Выгрузившись на следующее утро в Сухуми, мы первым делом отправились на рынок, прошлись по обильным промтоварным рядам и накупили всякое необходимое мне барахлишко — ведь я оказался здесь, не имея даже зубной щетки и запасных трусов. Попутно набрали белого и черного инжира, винограда, грецких орехов. Тащиться с двумя новенькими, до отказа набитыми сумками пришлось недолго — у самого базара Линда за червонец сторговала местного частника на «Жигулях», и мы с ветерком помчались, сначала по центральной улице Кирова, потом по щербатому узкому шоссе. Минут через сорок остановились возле высоких, настежь распахнутых чугунных ворот. Это оказался спорткомплекс «Эшера», одна из наших олимпийских баз. Директор принял нас как старых знакомых, угостил сухим вином и распорядился предоставить комнату в главном корпусе. К счастью, паспорт был при мне, и с оформлением проблем не возникло. Мы сразу побежали купаться, а после обеда созерцали уникальное зрелище — футбольный матч двух сборных СССР, мужской по конному спорту и женской по баскетболу.

— И кто победил?

— Не помню. Кажется, тетки... Мы ходили в горы, ездили в обезьяний питомник, в ботанический сад, обедали и ужинали в великолепном горном ресторанчике, директор которого, вконец огрузинившийся поляк, лично жарил для нас неподражаемые шашлыки, а конники пару раз дали нам прокатиться на призовых лошадях.

— Но сладкая жизнь длилась недолго?

— Я потерял счет времени. Дни текли в каком-то розовом, сладком тумане. Потом я нередко упрекал себя за то, что не вобрал в себя тогда все подробности, все яркие детальки этих неповторимых дней. Но что поделать — в фокусе всех моих чувств была Линда, только она одна... Объективно же все длилось ровно неделю. Седьмой день был для меня отравлен с самого начала — Линда вручила мне билет на завтрашний вечерний поезд до Ленинграда и заявила, что сама должна вылететь завтра утром. Она предложила устроить двойную отвальную в узком кругу. Сначала я подумал, что речь идет только о нас двоих, но оказалось, что она пригласила директора и местного типа с русским именем Дима. Этот Дима частенько отирался возле нас, плотоядно поглядывал на Линду. В первые дни меня так и подмывало заехать ему по физиономии, но Линда вовремя объяснила мне, что этот Дима работает в милиции, и Гиви — так звали директора спорткомплекса — специально попросил его в свободное от работы время приглядывать за нами и отваживать от Линды не в меру темпераментных южных кавалеров. Потом мы с этим Димой выпили немало молодого вина. Как-то раз, улучив момент, когда Линды не было рядом, он наклонился ко мне и доверительно сказал: «Отличный женщина Линда. Я, Нил, твой паспорт видел, знаю, что ты женат. Хочешь совет — разведись с этой Баренцева О. В. и женись на Линде».

— Выходит, они тоже называли ее Линдой?

— С моей подачи. Все думали, что это такое уменьшительное от «Алина», и нашей конспирации это обстоятельство не вредило.

— На этой отвальной вас было четверо?

— Да.

— Вы поехали в ресторан?

— Нет, все устроили у нас в номере, в складчину. Директор выкатил пол-ящика «Букета Абхазии», Дима принес хачапури и фрукты, а Линда достала из шкафчика бутылочку особенной чачи, которую мы купили в армянской деревне и приберегли как раз на подобный случай.

— В чем заключалась особенность этой чачи?

— В этой деревне гнали два сорта, крепкую и слабую, причем и в той, и в другой по шестьдесят градусов.

— Тогда почему одна крепкая, а другая слабая?

— Разное воздействие. Слабая ударяет в ноги, а крепкая — сразу в голову. Даже после литра слабой чачи можно сидеть и разглагольствовать о прекрасном, а от стакана крепкой падаешь под лавку и дрыхнешь до утра.

— Ровно это с вами и случилось?

— Да. Мы очухались, когда уже рассвело. Первой пришла в себя Линда, растолкала всех, и мы поехали в аэропорт. Чуть не опоздали.

— Ночь с третьего на четвертое августа... — пробормотал Асуров. — Сходится...

— Что сходится? — моментально насторожившись, спросил Нил.

— Это я так, не обращай внимания... Значит, ты посадил ее в самолет, и больше вы не встречались?

— Не совсем так.

— А как? Ну же, говори, не тушуйся.

— Перед отъездом она попросила меня взять с собой в Ленинград небольшую сумку, сказала, что потом заберет ее.

— Что было в этой сумке? Неужели не полюбопытствовал?

— Честно говоря, полюбопытствовал. Но ничего не узнал.

— Как так?

— Внутри был маленький чемоданчик, зашитый в плотную мешковину. Вспарывать ее я не решился. А если совсем честно — подумал, что лучше будет дотерпеть до дому.

— Но дома ты так и не открыл его?

— Потому что до дому чемоданчик не доехал. Линда встретила меня на перроне в Харькове, крепко поцеловала меня, забрала свою сумку, а мне вручила коробку конфет.

— Конфет?

— Да. «Золотая нива». Она попросила меня не открывать ее в поезде. Но в этом случае моего терпения не хватило. Как только поезд тронулся, я уединился в туалете и открыл коробку.

— И что там было?

— Четыре пачки четвертных, завернутых в яркие подарочные бумажки. Внутри все оборвалось. Я понял, что это — прощальный подарок, что теперь я окончательно остался один... Десять тысяч. На такие деньги я мог бы купить машину, дачу или кооперативную квартиру, пить без просыпа или напропалую гулять с девками.

— Но ты этого не сделал. А что сделал?

— Ничего. Они так и лежат в той коробке. Если нужно сдать, я готов.

— Не спеши. — Следователь встал и принялся мерить шагами комнату. — К тому делу, которое веду я, эти деньги никакого касательства не имеют. Так что распоряжайся ими, как считаешь нужным. Как минимум, закати красивые похороны. Она бы оценила...

— Уже можно?

— Да. Эксперты закончили. Завтра утром родственники Васютинского забирают тело.

— Но... Я тоже хотел бы завтра, только успею ли все организовать...

— Давай на послезавтра, без лишней спешки. С организацией мы поможем... Кстати, к вечеру жди гостей. Я дал телеграмму ее родителям.

Нил поморщился, но тут же понимающе кивнул. Так надо.

— Что показала экспертиза? — жестко спросил он. — Что вообще произошло? Почти неделя прошла, а я ничегошеньки не знаю...

Асуров вздохнул.

— Это долгая, запутанная история. И в ней много такого... Ну, о чем посторонним знать не следует...

— Так я уже посторонний?! Спасибо!

— Не кипятись. Клянусь, что в самом скором времени ты будешь знать все, во всех подробностях. Но сейчас... Пойми меня правильно: прощание с очень дорогим человеком, похороны, поминки — тебе и так предстоит выдержать серьезный стресс. Так что для твоего же блага лучше немного повременить, мы не имеем права идти на риск... Пока скажу тебе одно — смерть была легкой, легчайшей из всех возможных, даже приятной, если такое слово здесь уместно. Блаженное беспамятство и неощутимый конец...

Нил прикрыл глаза. В мозгу отчетливо прозвучали давние слова Линды: «Глотнет старичок — и отчалит под ласковым кайфом, тихий и счастливый...»

— Наркотик с ядом, — произнес Нил вслух и по мгновенно ощетинившемуся взгляду следователя понял, что попал в точку.

— Откуда тебе известно?

— Логика. Перебрал в уме все варианты и остановился на единственном, не противоречащим твоим словам.

— Ах вот как... Да, ты прав. Растворенная в виски смесь сильнодействующего опиата с не менее сильнодействующим ядом, причем таким, который в считанные секунды полностью усваивается организмом. Отсюда такая долгая экспертиза... — Асуров смолк, плеснул в оба стакана пахучей вишневой водки. — Земля ей пухом!

Нил взял стакан, выпил, не разбирая вкуса, и что-то пробормотал.

— Ты что-то сказал?

— Жаль, что это не то самое виски.

— Не надо. На тот свет всегда успеем. Ты лучше расскажи, что было дальше, после твоего возвращения...

VI
(Ленинград, 1980)

Хлебом, пролежавшим в хлебнице с самого его отъезда, можно было забивать гвозди. Из еды нашлась только пачка грузинского чая, расфасованного на фабрике города Самтредиа. Засыпая чай в предварительно обданный кипятком заварной чайник, Нил подумал, что, наверное, фабрика заключила, как это нынче модно, договор о трудовом содружестве с ближайшим мебельным комбинатом. В результате мебельщики перешли на безотходное производство, а чайники (в нескольких смыслах этого слова! — тут же присовокупил он) утроили выпуск продукции.

Нил залил кипятку в сахарницу, помешал немного, чтобы растворились сахарные окаменелости на дне, перелил потемневшую воду в чашку, добавил чая, отдающего веником и свежей стружкой, хлебнул, поставил на место и со вздохом открыл балконную дверь. Придется все-таки пообщаться с Яблонскими, хотя сама мысль об этом вызывала дрожь отвращения: слишком уж взбаламутило душу вчерашнее расставание с Линдой, судя по всему — окончательное. Предстояло начинать жизнь заново, и подготовиться к этому хотелось в спокойном, уединенном размышлении.

Нил вышел на балкон и распахнул дверь на соседскую кухню. Там было темно и нехарактерно тихо. Из коридора не доносилось ни звука. Спать легли, что ли? Так ведь еще рано. В гости пошли? Ну не всем же скопом. Наверное, кто-то пошел в гости, кто-то спит, кто-то еще что-то… Такой вариант Нила не устраивал, он ведь пришел одолжить какой-нибудь еды, а без ведома хозяев шарить по кастрюлям и холодильникам он был как-то не приучен…

— Да ладно, что я ей, торговать, что ли, пойду? Надо жрать, пока не испортилась, — донесся вдруг из коридора знакомый Гошин басок.

Нил вздохнул с облегчением и смело шагнул на кухню. Ноги его, обутые в войлочные тапочки, заскользили по мокрому кафельному полу. Он дико взмахнул руками в поисках равновесия, на мгновение обрел его, но нога не удержалась, отъехала в бок, и Нил рухнул, приложившись обо что-то лбом...

Очнулся он, спиной почувствовав, что лежит на знакомом продавленном диване в большой комнате Яблонских — одновременно гостиной, столовой и спальне Оскара и Оксаны. Только после этого открыл глаза, и первое, что увидел, — молодое женское лицо, озабоченно склоненное над ним. Лицо совершенно незнакомое, но вполне симпатичное — прямой носик, пухлые щеки, большие серые глаза, темная челка. Нил ободряюще улыбнулся и подмигнул.

— Ну вот, — хрипловато произнесла женщина, — нормальная кобелиная реакция. А ты говоришь — сотрясение, сотрясение... А ну-ка, — обратилась она к Нилу, — следи глазами за моим пальцем. Куда он — туда и ты.

Она принялась водить пальцем в разные стороны, и Нил послушно вел за ним взгляд.

— Зрение не нарушено, зрачки... Ой!

— Это не от сотрясения, это от рождения, — быстрым шепотом сказал Нил и поднес палец к губам.

Она ответила быстрым кивком и спросила прежним деловым тоном:

— Голова болит?

— Вот тут. — Нил виновато дотронулся до полотенца, прикрывавшего лоб.

— Только тут? — Он кивнул. — Легко отделался. Фингал, конечно, будет, но рассосется быстро.

— Сколько я вот так лежу?

— Минуты две. Можешь уже подниматься.

— Хопа, может, все-таки врача?.. — услышал он Гошин голос.

— Да все с ним нормально, это я как бывшая медсестра говорю.

Нил поднял голову, огляделся и тут же усомнился в том, что он действительно у Яблонских. Комната была вроде и та, но намного больше и пустее. Исчезла громадная румынская стенка с откидными кроватями, которой так гордился Оскар, приплативший за нее всего двести рублей сверх госцены. Исчез пузатый комод с мраморной крышкой. Исчезли два кресла с львиными мордами на подлокотниках. От медной люстры остался крюк и торчащие провода. В простенке между окнами вместо весеннего пейзажа в золоченой рамке — светлый прямоугольник обоев. Из всей обстановки сохранились диван, на котором он лежал, треснутое бра, большой холодильник у дверей, стол, прикрытый газетой, и два венских стула, на одном из которых сидит Гоша в красном махровом халате, распахнутом на волосатом пузе, а на другом — незнакомый парень в точно таком же халате.

— Гоша! — позвал он.

— О-о, кого я слышу! — радостно пробасил Гоша. — Ну, брат, задал ты шороху!

— Что со мной было-то?

— Пол не просох, вот ты и опнулся. Мы, видишь ли, пол помыли.

— Мы пахали! — фыркнула бывшая медсестра, отошедшая к окошку покурить.

— Ну, в общем, я Хопу попросил полы помыть.

— Зачем?

— Примета такая. Считается, что когда кто-нибудь из семьи уезжает, нельзя трогать пол, пока он в дороге. Иначе домой не вернется. А я наоборот — именно, чтобы, не дай Бог, не вернулись. Никогда.

— Кто?

— Да все. Все святое семейство.

— А почему, чтобы не вернулись?

— А ты знаешь, что с возвращенцами делают? С «дважды евреями Советского Союза»?

— С кем? — переспросил Нил.

— Ну, которые иногда в телеке мелькают с покаянными речами и леденящими душу рассказами о нечеловеческих ужасах в земле обетованной. От таких отрекается международная еврейская общественность, Конгрессу США на них тоже накласть, и поэтому КГБ, не боясь международных осложнений, отправляет их в секретные лагеря, где над ними ставят бесчеловечные эксперименты...

— Погоди, погоди... — Нил тряхнул головой, от резкого движения в голове загудело, и противно запульсировало ушибленное место на лбу. — Ничего не понимаю. Где все твои?

— Где-где — в Караганде!

— Зачем в Караганде? — Нил окончательно запутался.

— В Израиль они улетели, по вызову, — резко сменил тон Гоша. — Вчера проводили. Через Вену не вышло, пришлось через Рим...

У Нила слегка защемило в груди. К Яблонским он особой приязни не испытывал. Так, чужие и, в общемто, чуждые люди, эпизодические персонажи характерно-комического плана в спектакле его жизни... Если бы они просто сменили место жительства, перебрались, к примеру, в ту же Караганду или в дом напротив, он бы на другой же день про них и думать забыл... Но отъезд всей семьей *туда* — это... это окончательно, это навсегда, для него это равносильно тому, как если бы, пока он был на юге, соседи покушали ботулиновых грибочков или рыбы и дружно отправились на тот свет. В сущности, *там* — это ведь и есть тот свет, и никто оттуда не возвращается... Хотя нет, есть же такие, как их Гоша назвал?.. Нил в россказни о нечеловеческих репрессиях верил слабо, тем не менее лично ни одного возвращенца не встречал и вполне мог допустить, что, в любом случае, в нормальную нашу обыденность они не возвращаются...

— И бабушка? — с дрожью в голосе спросил Нил.

— И бабушка. Все. Меня только оставили, хвосты зачищать, через месяц ждут... Ладно, ты лучше про себя расскажи. Из отпуска на побывку или с концами?

— С концами, наверное... Пока не знаю.

— Неплохо подгадал, — заявил Гоша. — У нас тут как раз небольшое суаре с икрой и шампанским. Вставай и присоединяйся.

Нил без больших усилий поднялся с дивана, подошел к столу, поглядел, присвистнул.

— Однако вы того... жируете, братья семиты.

Весь стол был заставлен зелеными баночками с красной икрой — закрытыми, открытыми, полными, початыми и пустыми. Нил насчитало их не менее полутора десятков. И пять бутылок шампанского.

— Жируем, — согласился Гоша. — Только из братьев-семитов здесь один я. Остальные гои. Хопочка у нас уральских кровей, а наш новый сосед Кир Бельмесов — вообще не разбери-пойми. Наполовину финн, наполовину калмык. Адская смесь.

В подтверждение Гошиных слов новый сосед приветственно оскалил острые зубы.

— Он теперь в башне живет, — продолжил Гоша.

— А как же Маруся?

— Съехала Маруся. На какой-то военный завод перешла в той же должности. Зарплата, говорит, вдвое больше, общежитие новое, со всеми удобствами.

— Ясно.

Нилу стало жалко, что Маруся съехала. Идеальная была соседка, смирная, незаметная, присутствием своим не докучала. Каков еще этот будет?..

— Нил Баренцев, — представился он и протянул руку.

Кир Бельмесов оскалился еще шире, взял протянутую руку, долго рассматривал ее, качая головой и не выпуская.

— Ты не удивляйся, — сказал Гоша. — Бельмесов человек особенный, потомок шаманов и колдунов.

Бельмесов с важным видом кивнул.

— Он что, немой? — недоуменно спросил Нил.

— Нет, не немой, просто молчальник. Он убежден, что слово обладает магической силой, и посвященный в тайны не имеет права тратить ее впустую.

Бельмесов вновь кивнул. Нил вгляделся в его лицо. Необычное лицо, сильно напоминает кого-то. Если убрать со лба мелкие белые кудряшки, то получится... Получится древнегреческий философ Сократ, вот кто получится! Лицо мудреца, сатира и дегенерата одновременно...

— Ладно, ты давай ешь, пей, — распорядился Гоша. — Бельмесов, уступи человеку место.

Нил попробовал было возразить, но Бельмесов жестом показал, что все нормально, и, прихватив икру, проворно пересел на диван. Гоша пододвинул к Нилу нетронутую банку икры и чайную ложку, до краев налил шампанского в пол-литровую чайную кружку с отбитой ручкой.

— С хлебом напряг, — предупредил он. — Мацу будешь?

Нил кивнул, и Гоша с оглушительным хрустом отломил изрядный кусок от большого пласта.

— А вы как же? — спросил Нил, показывая на шампанское. — Мне в одиночку пить?

— У нас уж часа четыре как вольный стол, — сказал Гоша. — Кто когда хочет, тот и наливает. Хопа, Бельмесов, вам как? — Оба дружно покачали головами. — А я, пожалуй, за компанию... — Он налил себе в пустую майонезную банку. — Ну, будем...

Они чокнулись. Нил пригубил шампанского и неожиданно для самого себя сказал:

— Ох, Гоша, Гоша... Знаешь, а мне ведь будет не хватать твоей нахальной жидовской морды.

Гоша рассмеялся.

— Меня оплакать не спеши, ты погоди немного...

— И что сие должно обозначать?

— Да так, есть мыслишка... Знаешь, я не сильно рвусь снова сажать себе на шею весь кагал, снова спать на раскладушке за ширмочкой, разговаривать шепотом, ходить на цирлах, вечно выслушивать упреки и наставления. Мне через год тридцатник стукнет, башка и руки откуда надо растут, зарабатываю — дай Бог в праздник, а что имею?.. А ты знаешь, что я свой кожаный пиджак год держал на работе в шкафчике, чтобы семейство не начало на плешь капать, зачем, мол, на себя бабки тратишь, в семью не несешь? Мне это надо?

— Не сильно. Так ты, что же, остаешься?

— Я этого не говорил, заметь.

— Почему?

— Потому что как только я открыто заявляю, что желаю и далее строить коммунизм, а родину предков глубоко имел в виду, ко мне на следующий же день явится пьяный гегемон со смотровым ордером и оттяпает три комнатушки из четырех. Следом припрется мрачная тетка с телефонного узла, заявит, что для индивидуального телефона моих личных заслуг перед отечеством маловато будет, и обрежет провода. Ну и так далее... Пока что от всех этих бяк я на полгода застрахован бумажкой из ОВИРа, выданной взамен паспорта. Вроде волчьего билета. С таким никто не работу не примет, прописки не даст. Ну и что? Я халтурками в три раза больше зашибу, а жилье за мной сохраняется до даты фактического отъезда, причем вместо двадцати рублей я теперь плачу за него один рубль семнадцать коп. Зато никто не прихватит за тунеядство, не нарисует статью за нетрудовые доходы, даже в вытрезвитель могу залетать без последствий, потому что штраф теперь с меня хрен получишь. Так что если не зарываться, не лезть в откровенную уголовщину, можно жить, как у вашего Христа за пазухой. Давай-ка жахнем по этому поводу. Чтоб все так жили!

— Уж я бы точно не отказалась от такой справочки, — вставила Хопа. — Мне бы она вот как пригодилась!

— Так выходи за меня — и будет тебе справочка.

— А возьмешь?

Гоша чмокнул губами.

— Такого помпончика да не взять? Советский народ мне этого не простит!

— Нет, я в смысле — в Нью-Йорк возьмешь?

— В Нью-Йорк не гарантирую. Вот в Тель-Авив — пожалуйста.

— И что я не видала в твоем Тель-Авиве? Болтов обрезанных? Нет уж, мне в Америку надо. На крайняк — в Европу...

Гоша осушил свою банку и, подцепив куском мацы изрядную порцию икры, отправил в рот и смачно захрустел. Нил последовал его примеру. Подошла Хопа, молча взяла бутылку и приложилась к горлышку.

— Теплое, — заметила она.

— Так возьми холодненького, — предложил Гоша.

Хопа, изящно покачивая бедрами, подошла к холодильнику, открыла. Нил посмотрел в ту сторону и буквально офигел: все полки холодильника были плотно забиты шампанским и баночками с икрой. На беглый взгляд таких баночек было не меньше полусотни.

— Откуда у тебя такое богатство?

— Что? Ах, это, — Гоша досадливо махнул рукой. — Да Оська, комик на букву «хер», на все башли, что за мебель подняли, накупил шампанского два ящика, икры просроченной у спекулей оптом взял и шкатулками палехскими отоварился. Естественно, на таможне тормознули. Шкатулки конфисковали, как культурное достояние, а икру мне разрешили забрать.

— Добрые...

— Да нет, все проще. Весь несъедобный конфискат они потом через комиссионные реализуют, а продукты списывают по акту и уничтожают — сжигают или прессом давят.

— Я бы на их месте по-другому уничтожал, — заметил Нил. — Ням-ням.

— Они бы на своем месте тоже ням-ням с великим удовольствием. Но не положено.

— На всякое «не положено» с прибором положено, — заявила Хопа, вернувшаяся с новой бутылкой.

— Так то среди людей, — сказал Гоша, — а совки функционируют по системе взаимного стука. Один такой ням-ням — и вылетишь с хлебного местечка ко всем чертям.

— Ням-ням — к чертям! — продекламировала Хопа, вскарабкалась Гоше на коленки и обхватила его могучую шею. — Музыки хочу, песен!

— Песни — это по его части. — Гоша кивнул в сторону Нила. — Сгонял бы за гитарой, а?

— Ну, если публика не против...

Нил допил шампанское, встал и отравился через кухню и балкон к себе. В его комнате было тихо, темно и грустно. На ощупь добравшись до выключателя, он зажег свет, взял возле шкафа футляр с гитарой. Уже на балконе он услышал сзади тихую трель телефона, махнул рукой — отстаньте, я сегодня выходной! — и двинулся дальше.

В комнате, пока он ходил, появился допотопный катушечный «Юпитер», из него, перекрывая шипение, нежно голосил греческий араб Демис Руссос:

Goodbye, my love, goodbye...*

Хопа кружилась, прижимая к себе Бельмесова, на них благосклонно взирал Гоша, держа в руке банку, наполненную шампанским. Нил присел рядом, расчехлил гитару.

---

* Прощай, моя любовь... (англ.)

— Тихо, граждане, вырубайте ваше сиртаки, — скомандовал Гоша. — Маэстро за инструментом.

— Да брось ты, пусть танцуют... — начал Нил, но Хопа уже выключила магнитофон, вновь запрыгнула Гоше на колени и с ожиданием уставилась на Нила.

— Что бы такое, под настроение? — спросил Нил у Гоши.

— Давай Высоцкого, ковбойскую.

— Не уверен, что это Высоцкого. Может быть, народная.

— Все равно давай!

— Я не все слова помню.

— Напомним.

Нил издал на средних струнах несколько стонущих блюзовых ноток, а потом затренькал, подражая банджо.

> Кобыле попала вожжа за вожжу,
> Я еду на ранчо, овечек везу...
> А эту строку забыл начисто я,
> Не помню, не помню, совсем ничего...

Все рассмеялись, Гоша вставил недостающие слова, Нил подхватил, вновь сбился в конце следующего куплета, кое-что вспомнила Хопа, и так, общими усилиями, допели про ковбойские страдания и мечты о «большой Раше», где жизнь удивительна и хороша, до самого оптимистического финала:

> Летс синг эврибоди за новую жизнь!
> Не надо, ребята, о песне тужить...

Потом еще что-то пели, опять пили шампанское, а когда оно надоело, Хопа с Бельмесовым отправились на кухню ставить чайник, а Гоша закурил свой вонючий «Партагас», с наслаждением потянулся и сказал:

— Теперь я начинаю понимать, как ощущает себя вольный человек. Знал бы ты, Нил Романович, как я тебе завидовал все эти годы!

— Мне? Ты всерьез считаешь меня вольным человеком?

— Ха, не смешите меня жить, как говорила жена Моти Добкиса! Если уж ты не вольный, то тогда кто?

— Я, Гоша, раб патологической зависимости.

Гоша пустил дым в потолок, внимательно посмотрел на Нила и произнес задумчиво:

— А ты переменился. Что-то с тобой произошло на югах.

— С чего ты взял?

— Раньше ты после третьего стакана просил «Битлз» поставить, а теперь начинаешь грузить на тему собственного алкоголизма. Смена алгоритма — это серьезно.

— Я не про алкоголь... У моей зависимости другое имя.

— Угу, и даже научное, я намедни в одной умной книжке вычитал. Промискуитет называется. Только разве ж это рабство? Это как раз свобода. Сошлись, потрахались, разошлись. Без претензий, без иллюзий, без обид. Красиво это у тебя получается.

— Иди ты!.. — Нил очень конкретно указал рекомендуемый пункт назначения. — Мне что, все это очень нужно?! Все эти сучки похотливые?! — Он сгреб со стола початую бутылку шампанского, глотнул из горлышка, фыркнул и заметил обреченно: — Выдохлось...

Гоша вздохнул и очень тихо спросил:

— Все ждешь? Все надеешься?

— На что надеюсь? Я ведь встретил ее там, был с ней, она простилась со мной навсегда. Это было вчера — а сегодня я уже снова жду...

— Бедняжка! — Гоша явно собирался покрутить пальцем у виска, но передумал и почесал ухо.

— На избавление я надеюсь, вот на что! — Нил вскочил, размахивая руками. — Надеюсь на то, что если она снова попадется на моем пути, у меня хватит сил... Хватит сил убить! Ее или себя — все равно!.. Но только, знаешь, на самом деле никого я, конечно, не убью. Все будет еще хуже.

— Еще хуже? — Гоша оставался спокоен, но было видно, что это дается ему с огромным трудом.

— Представь себе. Я опущусь перед ней на колени и поцелую край платья, а она улыбнется и тихо скажет: «Вставай, ты запачкаешь костюм». И снова все по тем же кругам. И снова, и снова, пока...

— Пока что?

— Пока кто-то из нас двоих не сдохнет! А я пока еще помирать не хочу! Так что пускай...

— Стой! — визгливо выкрикнули за спиной, и чужая рука грубо заткнула Нилу рот.

Нил стремительно развернулся и выкинул вперед кулак. И тут же сзади на него навалился Гоша. Нил еле устоял на ногах и беспомощно барахтался в железных лапах соседа.

— Пусти, гад!

— Не дергайся, а то «скорую психиатрическую» вызовем. В моем доме на людей с кулаками не бросаются.

— А он? Он что себе позволяет? Грязной лапой в рот!

Кир Бельмесов стоял, привалившись к стене, и пальцами вытирал кровь с разбитой губы.

— Бельмесов, в чем дело? — спросил Гоша.

— Вот именно, в чем дело?! — Нил сорвался на крик.

— Ты смертное слово сказать хотел. Нельзя, нельзя. Подумал так — уже плохо, надо сразу обратно подумать. Сказал так — совсем плохо, обратно не скажешь. Силу выпустил, обратно не загонишь. А в тебе сила...

Нилу стало жутко. Он высвободился из Гошиных объятий, повернулся к нему и нарочито нагло спросил:

— Слушай, что за ахинею он несет, этот потомок шаманов?

— Не знаю, не знаю, — задумчиво протянул Гоша. — Может, и не ахинею вовсе...

— Да ну вас на фиг обоих! — обозлился Нил. — Вы как хотите, а я устал, спать пойду.

— Икры прихвати, — предложил Гоша. — И шампани. А то позавтракать нечем будет.

Нил, надувшись, смахнул со стола банку икры, сунул под мышку зеленую, тяжелую бутылку и двинул восвояси. После такого надрыва и неприятных, больно задевших что-то внутри слов молчальника Бельмесова, продолжать общение, тем более увеселение, было невмоготу.

У себя он, не включая свет, разделся, бухнулся на диван и повернулся лицом к стене. Сон не шел, вместо этого наплывала всякая муть, и голова болела — причем не только набухшая шишка на лбу, а вся, особенно виски...

Он долго ворочался и заснул только под утро.

Своего телефона у Нила не имелось, но несколько лет назад Гоша сделал в его комнату отвод от аппарата Яблонских и прикрепил на стенке монументальную допотопную хреновину с тяжеленной эбонитовой трубкой и громадным металлическим звонком с молоточками. Эти оглушительные молоточки и разбудили Нила.

— Фак! — сказал Нил и перевернулся на другой бок.

Телефон послушно замолчал, но секунд через пять раздался мощный стук в стену, общую с кухней, и тут же телефон зазвонил вновь. Стало быть, звонили ему. Нил с кряхтением вылез из кровати и сорвал трубку, при этом ощутимо заехав себе по уху.

— Слушаю! — нелюбезно рявкнул он.

Пожилой голос на другом конце провода был, напротив, сама любезность:

— Нил Романович Баренцев? Очень рад, что застал вас дома. Моя фамилия Шипченко, мне дала ваш номер заведующая вашей кафедрой Клара Тихоновна Сучкова. Извините великодушно за столь ранний звонок. Скажите, Нил Романович, вы не отказались бы принять участие в нашем выездном семинаре? Вы пансионат «Заря» в Репине знаете?..

VII
(Ленинград, 1982)

— Шипченко, Шипченко... — задумчиво проговорил Асуров. — Уж не тот ли это Шипченко, который все пропагандировал обучение во сне?

— Он самый.

— И что, это серьезно? Мне кажется — такая чушь!

— Это как посмотреть. На семинаре показывали довольно интересные результаты, хотя, немного углубившись в тему, я понял, что они достигнуты вовсе не благодаря методикам Шипченко и его последователей.

— А именно?

— Усвоение информации происходило в состоянии не собственно сна, а глубокого гипноза. Внешне эти состояния почти неотличимы, но нейрофизиологические процессы совершенно разные...

— Глубоко копаешь.

— Копал. Мне тогда нужно было сильное отвлечение, да и успешно сданный кандидатский минимум пробудил некоторые амбиции... После недели в пансионате я продолжил посещать их семинары в городе, а месяца через два оформил у Шипченко соискательство, стал собирать материал, работать в группах.

— Успешно?

— В некотором смысле. Гипнотизировать у меня получалось блестяще, по-русски мои вьетнамцы начинали балакать чуть не с первого сеанса, и очень бойко. Но...

— Но только в загипнотизированном состоянии?

— И к тому же только в моем присутствии. Видимо, я, сам того не сознавая, посылал им какие-то импульсы...

«Должно быть, что-то генетическое, по линии деда», — хотел добавить Нил, но не добавил — как раз про Грушина-Бирнбаума он ничего Асурову не рассказывал. И вообще никому. Хранил семейную тайну.

— В общем, к обучению это никакого отношения не имело. Я решил подойти к проблеме с другого конца, засел за теорию, изучал записи, сообщения коллег. Корпел больше года. И, по-моему, начал кое-что нащупывать...

— Что же? — с интересом спросил Асуров.

— Да так, смутные догадки, которые мне не суждено было ни подтвердить, ни опровергнуть. Когда я изложил их Шипченко, он закатил форменную истерику, орал, обзывал недобитым фрейдистом. Я, признаться, тоже не сдержался, много чего наговорил, хлопнул дверью. А пару месяцев спустя основные тезисы моей прощальной речи оказались почти дословно воспроизведены в «Правде» и в «Литературке». Шипченко обвинили в шарлатанстве, выставили на пенсию, а лабораторию прикрыли. Но меня самого это уже не интересовало.

— Но почему?

— Потому что самым неожиданным образом напомнило о себе прошлое...

VIII
(Ленинград, 1981)

После той исторической поездки на юг Нил зажил по строгому, почти монашескому уставу — вставал рано, исправно ходил на работу, оставшееся время проводил в библиотеках, в центре Шипченко, за своим рабочим столом. Из развлечений позволял себе разве что посидеть часок за чайком или портвейном с соседями, число и состав которых пребывали в вечном изменении. Помимо Гоши, Хопы и молчальника Бельмесова в коридорах и на кухне квартиры тридцать четыре Нил сталкивался то с еврейским семейством из Белоруссии, то с тройкой молчаливых дев из Прибалтики, то с говорливыми казахами. Пожив недельку-другую, иногда месяц, они так же внезапно исчезали. Монументальный телефон в его комнате по временам буквально раскалялся от бесконечных междугородних и международных звонков, адресованных постояльцам. Поначалу эти звонки забавляли его, частенько, заслышав характерную трель междугородки, он нарочито казенным голосом вещал в трубку: «Общежитие ОВИР!»

Потом все это его заколебало вконец, и он попросту вырубил аппарат и включал его лишь после условного стука в стенку — сними, мол, трубочку, это тебя. Но после одного разговора он забыл отключить телефон...

Звонок разбудил его среди ночи — на часах было десять минут третьего. Чертыхаясь, он схватил трубку и заорал:

— Да провалитесь вы со своим Брайтон-Бичем! У нас тут ночь, между прочим!

На том конце линии сдавленно всхлипнули и задышали.

— Ну что у вас там? Опять старый Хаим помер?!

— Нил... — с трагическим надрывом проговорил женский голос. — Нил, это ты?..

— Я, — озадаченно ответил Нил, соображая, кто бы это.

— Это я, Лера...

— Какая еще Лера?

— Лера Оболенская из Алма-Аты... Ну, Коктебель, ты помнишь?

— Положим, помню, — зло отчеканил он. — А вот что оставлял тебе свой номер — извини, не припомню.

— Я в книжке нашла, — загадочно ответила Лера и разрыдалась.

— Да что такое, наконец! — рявкнул Нил, и рыдания чуть стихли.

— Нил... Нил... умоляю, приезжай... Скорее, немедленно приезжай... Я попала в ужасную историю... Нил, я умираю...

— Ничего не понимаю... — проговорил он, по тону ее голоса поняв, что дело и впрямь нешуточное. — Куда приезжать? В Алма-Ату?

— Не надо в Алма-Ату... Я здесь, в Ленинграде, в Купчине... Если ты не приедешь, я погибла...

Со второй попытки выбив из нее точный адрес, он бросил трубку со словами:

— Еду. Жди.

Накинув пальто, он выскочил на улицу, тормознул встречную машину и за двадцать пять минут (и столько же рубликов) перенесся в пространстве до четвертого этажа стандартной панельной многоэтажки. Перед ним была приоткрытая голубовато-серая дверь из прессованного картона. Он осторожно вошел — и тут же попал в дрожащие объятия, а щека его оросилась чужими слезами.

— Ну-ка, ну-ка, — пробормотал он, отстраняя от себя Леру.

Не знай он, что это она, сразу и не признал бы — волосы растрепаны, руки и губы трясутся, в покрасневших глазах слезы и ужас нечеловеческий. Мятый халатик наброшен прямо на голое тело.

— Что стряслось, рассказывай.

— Там...

Она наклонила голову, показывая на темную комнату.

Нил вошел, щелкнул выключателем. На широкой тахте, поверх сбитых простыней лежал голый, маленький, лысый человек. Голова его была склонена набок, один глаз, широко раскрытый, остекленело глядел куда-то за спину Нила, из полураскрытого рта высовывался край съемной челюсти, с которой свисала на простыню сосулька слюны. Над впалой грудью, густо поросшей седыми волосами, вздымался толстый живот, из-за которого едва просматривался крошечный, сморщенный пенис. Вдоль бедра тянулся длинный шрам. Человек был однозначно мертв. «Тоже мне половой гангстер!» — неприязненно подумал Нил и, повернувшись к Лере, спросил коротко:

— Кто это?

— Это... это... это же мой научный руководитель, профессор Мельхиор Карлович Донгаузер! — начав с лепета, Лера закончила чуть не визгом.

— Оп-па! — выдавил в момент обалдевший Нил.

В эту минуту его респектабельный отчим нисколько не походил на парадный портрет реформатора Сперанского, а походил только на то, чем, собственно, и являлся — на голого, лысого, мертвого старика.

— Oh, mummy, — безотчетно прогудел он начало известной песенки, — oh mummy, mummy blue, oh Mummy blue... В эрогенной зоне идут бои с человеческими жертвами...

Лера вцепилась ему в рукав и залопотала:

— Нил, пойми, я все объясню, я все потом объясню, надо что-то скорее предпринять, его семья, моя аспирантура, подругина квартира, милиция, скандал, крах всего, умоляю, сделай что-нибудь, ну сделай же что-нибудь...

Нил очнулся, замолчал, огляделся. Одежда была разбросана по всему полу, на прикроватном столике стояли наполовину опорожненная бутылка шампанского, ваза с апельсинами, открытая коробка шоколадных конфет. «Покайфовали, засранцы!» — со злостью подумал Нил и рявкнул на Леру:

— Помоги одеть его!

Нил стащил горе-любовника на ковер, вдвоем они натянули на него трусы, носки, вдернули ноги в брюки. Обернув руку полотенцем, Нил вставил челюсть обратно в открытый рот. Вскоре доктор музыковедения был полностью экипирован. Нил вывернул карманы его пиджака и пальто, изучил содержимое. Бумажку с адресом и телефоном Лериной подруги он изъял и разорвал. Удостоверение заслуженного деятеля искусств РСФСР, деньги, ключи и другие предметы положил обратно.

— Есть что еще из его вещей? — отрывисто спросил он. — Портфель, одежда какая-нибудь?

Лера беспомощно развела руки. Нил еще раз внимательно осмотрел комнату, кухоньку, заглянул в ванную. На телефонном столике в прихожей он заметил записную книжку, раскрытую на букве «Б». Из четырех номеров один принадлежал ему самому. Нил перелистал книжку. На титульном листе было выведено бисерным почерком «Профессор М. К. Донгаузер». Нил закрыл книжку и положил ее в карман профессорского пальто.

Теперь осталось решить, что делать дальше. Немного подумав, Нил собрался с духом.

— Выйди потихоньку на лестницу, посмотри, нет ли там кого, и просигналь мне, — приказал он. — И прекрати реветь. Действовать надо!

Лера осторожно выглянула за дверь, вышла на площадку, послушала, посмотрела вверх-вниз, выждала немного и махнула Нилу рукой. Просунув руки под голову и ноги Мельхиора Карловича, он без особого труда поднял отчима и понес по ступенькам вниз. На площадке между первым и вторым этажом Нил аккуратно опустил его, посадил на ступеньку, прислонил голову к перилам, поправил шляпу, шарф. Окинул прощальным взглядом.

— Все-таки молодец ты, Карлович, — прошептал он. — Умер как настоящий мужчина.

Он вышел на улицу. Дойдя до ближайшего автомата, вызвал «неотложку».

— На лестнице у приличного пожилого человека сердечный приступ, — сказал он и назвал точный адрес. Потом позвонил Лере.

— Дело сделано. Запрись, потуши свет и не высовывайся до утра, — резким, неприятным тоном сказал он.

— Ах, Нил... Нил, мне так страшно!.. Может быть, поднимешься?

— Не поднимусь.

— Нил, погоди, не бросай трубку... Скажи, как ты думаешь, отчего все-таки он умер?

Это уже было свыше его сил.

— От неразрешимого морального конфликта, фройляйн, — ледяным тоном отчеканил он. — Сердце аристократа и истинного арийца не смогло пережить противоестественной связи с дочерью Робеспьера и внучкой Израиля...

Дома под утро ему вновь снилось забранное нержавейкой кубическое пространство. Он стоял, макая палец в собственную кровь, и рядом с надписью «Я люблю Луя!» старательно выводил: «Я люблю Антуанетту!». Позади него, в нечетком металлическом отражении, мелькнул зеленоватый манжет, черный рукав амазонки.

Нил проснулся в поту, с бешено колотящимся сердцем. Зато теперь он точно знал, что надо делать.

Самое сложное в поисках Тани Захаржевской заключалось в том, чтобы никто не догадывался, что такие поиски ведутся, чем ближе цель, тем больше необходимость в конспирации. Очень уж не хотелось, чтобы до Тани дошли слухи, будто ее усиленно разыскивает некий Баренцев, про которого она определенно и думать забыла.

Деканатской секретарше Наташе, которая вряд ли запомнила одну из тысяч студенток, прошедших через факультет за последние годы, еще можно было наплести, будто он, разочаровавшись в преподавательской карьере, намерен создать собственную рок-группу, подыскивает яркую солистку, и неплохо было бы... За коробку фиников в шоколаде Нил получил информацию о том, что на четвертом курсе Захаржевская Татьяна вышла замуж и сменила фамилию на Чернова, на пятом ушла в декретный отпуск, а два года назад была заочно отчислена как не приступившая к занятиям. В придачу Наташа выдала ему адрес и домашний телефон Черновой-Захаржевской.

Нил так и не придумал, под каким предлогом он появится перед Таней. Едва ли она благосклонно отнесется к появлению старого своего знакомца, если тот заявит, что к ней его привел глюк, вызванный длительным половым воздержанием. Нет, встреча должна быть только случайной. Якобы.

Ради этой случайной встречи Нил отправился по указанному адресу к Никольскому собору. Полностью отдавая себе отчет, что шанс ничтожен, он убеждал себя, что поход его носит характер сугубо рекогносцировочный — вот только взглянет на дом, неровен час, и посетит какая-нибудь дельная мысль.

На дом он глядел часа три, издалека и вблизи, с площади и со двора. Предпоследними словами ругая себя за кретинизм, он тем не менее никак не мог отойти от этого заколдованного места. Возвращался на трамвайную остановку, но так и не сумел заставить себя сесть и уехать. Стоял, внимательно разглядывая девушек, поджидающих транспорт. Некоторые оборачивались, иные из ответных взглядов можно было бы при других обстоятельствах посчитать вполне обнадеживающими. Он вздыхал и возвращался к заветному желтому дому на углу...

Она стояла всего в нескольких шагах, спиной к нему, и на ней было то самое пальто, которое она накидывала на себя в Паланге, когда с моря задувал холодный ветер, — из плотной и блестящей серой ткани, с капюшоном на белой подкладке. Судя по положению локтей, фотографировала собор. Совсем помутившись рассудком, он подбежал к ней, схватил за плечи, развернул...

— Линда!

Она заморгала чужими, маленькими глазками.

— Извините... — мгновенно придя в себя, упавшим голосом прошептал он.

— Ви ошибся. Я есть не она, — с непривычным акцентом промолвила незнакомка и отвернулась, тряхнув короткой светлой челочкой.

Нил сделал глубокий вдох, зажмурился, медленно сосчитал до десяти... Когда он открыл глаза, рядом никого не было.

«Вам пора в дурдом», — подумал он о себе и быстрыми шагами направился к нужному подъезду. Это же так просто... Здравствуйте, я из районного котлонадзора, жалобы на отопление имеются?.. Таня, ты?! А что ты тут делаешь? Живешь?.. Нет, конечно, я не коммунальщик, приятеля хотел разыграть, вот, и адрес у меня записан. Проспект Римского-Корсакова... Что, это не Римского-Корсакова, а площадь Коммунаров? Лопухнулся, извини. Но надо же, какое совпадение!.. Да, честно говоря, я немного замерз и от чашки чая не откажусь...

Он оторопело смотрел на бронзовую табличку на дверях квартиры номер семь: «Александр Самуилович Сатановский». Этого еще не хватало! Переехала? Или Наташа из деканата напутала что-нибудь? Нил распрямил плечи и нажал кнопку звонка. За дверью послышалась соловьиная трель, шаркающие шаги, надтреснутый старушечий голос спросил:

— Кто это?

— Черновы здесь проживают? — громко и официально осведомился Нил.

— Ась? — переспросили за дверью. — Дора Дориановна, тут Черновых каких-то спрашивают.

Дверь приотворилась, и поверх цепочки на него подозрительно уставилась толстая усатая женщина в папильотках.

— Вы кто?

— Октябрьский райвоенкомат. Замена мобилизационных предписаний. Гражданка Чернова Татьяна Всеволодовна по данному адресу проживает?

— Чернова?.. Погодите-ка, вроде бы у прежних жильцов фамилия Черновы. Только они два года, как здесь не живут.

— А где живут?

— Представления не имею. У нас был непрямой обмен.

На пути к метро он заполнил запрос в киоске «Ленгорсправки» и, переждав минут двадцать в ближайшем кафе, получил ответ. Гражданка Чернова, проживавшая по указанному в запросе адресу, убыла в апреле сего года и в настоящее время в городе Ленинграде не прописана.

Он вытянул две пустышки подряд. Что ж, остается искать другие пути. Перебирая в уме все ниточки, которые могли бы привести к ней, Нил решил прежде всего разыскать Ваньку Ларина. Не то, чтобы этот источник был самым многообещающим, просто с ним было легче завести разговор о Татьяне, чем, скажем, с Николаем Николаевичем, ее отчимом.

На Ванечку он вышел достаточно легко, и доверительная беседа обошлась в тридцать три рубля — стоимость двух порций мяса и трех бутылок сухого вина в «Погребке» плюс червонец на такси, куда пришлось сгрузить вконец ослабевшего Ларина. Денежки вылетели в трубу: Ванька, с которого впору было рисовать плакаты на тему «Все ты, водка, виновата!», при первом же упоминании о Тане расплакался, начал бить себя в грудь и честить себя скотиной и мерзавцем. Вразумительного от него удалось добиться немного. Оказывается, месяца через три-четыре после их встречи в шашлычной он люто загулял, к Тане не вернулся, потому что загремел в больницу, а там узнал, что Таня с друзьями перекололись героином, и друзья ее погибли, а сама она попала в реанимацию, откуда ее увезли в неизвестном направлении.

К Николаю Николаевичу Нил долго не решался обратиться, понимая, что импозантный адвокат, скорее всего, пошлет его куда подальше. Наконец не выдержал, и выждав момент, когда тот выходил из дверей коллегии, двинулся навстречу ему.

— Здравствуйте, Николай Николаевич!

— Здравствуйте… Извините, молодой человек, не припоминаю. Вы по какому делу?

— Совсем не по делу. Я сын Ольги Владимировны Баренцевой, певицы. — Холеные черты адвоката чуть разгладились. — Вы в свое время здорово помогли нам с женой, и мы до сих пор с великой благодарностью вспоминаем вас... и Таню, которая порекомендовала обратиться к вам.

— Да, да, теперь я вспомнил — роковые страсти, нож... Ну и как теперь ваша супруга? Больше не бузит?

— Нет, что вы, у нее все прекрасно, работает в Москве на радио, обличает албанских экстремистов и преступный режим Энвера Ходжи. Видимся, правда, только по выходным, зато не успеваем надоесть друг другу, — вдохновенно врал Нил. — А как вы, как Таня? Что поделывает? Снова замуж не выскочила?

— Таня тоже в Москве, работает в министерстве и о замужестве, насколько мне известно, пока не помышляет, нахлебалась, знаете ли... А матушка ваша как?

— О, только что вернулась из турне по странам Азии, готовится к премьере «Тоски»...

— А когда премьера?

Нил оживленно рассказывал о матери и несказанно гордился собой. Как мастерски провел разговор — в полном соответствии с заветами Штирлица важный для себя вопрос затронул в начале и вскользь, получил информацию, а закончил чем-то посторонним, что, собственно, и запомнится собеседнику. Теперь адвокат едва ли вспомнит, что он интересовался Таней. А сразу после Нового года, в тихонький промежуток между зачетными авралами и сессией, надо съездить в Москву...

IX
(Москва, 1981)

— Извините, что отнял у вас время. Телефона у вас нет, так что пришлось нанести визит. Всего доброго!

— Всего... Не та я Татьяна Чернова оказалась, что ж поделаешь... — Полная девушка в стеганом халате грустно вздохнула. — А то чайку? Или, может, пива хотите? У меня хорошее, «Останкинское»...

— Спасибо вам, Танечка, в другой раз.

— Жить-то вам есть где? У меня остановились бы. Комната хорошая, просторная. А я бы с вас и денег не взяла...

— Вы очень любезны...

Нил сбежал по лестнице и распахнул дверь в собачий московский холод. Кусачая поземка закружила по широченному безымянному для Нила проспекту три ненужные больше бумажки, выпавшие из кармана, когда он спешно доставал перчатки. Адреса трех Татьян Всеволодовн Черновых 1956 года рождения, проживающих в городе Москве. Он поднял воротник и двинулся вдоль безотрадных новостроек Отрадного к автобусной остановке. Взгляд его упал на телефоны-автоматы, выстроившиеся рядком у заиндевелого фасада универсама...

— Прямо чудо какое-то, что ты застал меня дома. Я ведь последние денечки в Москве, через три дня улетаю.

Ляля Александрова придвинула полную кружку горяченного ароматного чаю потихоньку отогревающемуся Нилу. На ее большой и светлой кухне, выходящей окнами на бескрайнее заснеженное поле, было уютно и тепло, и уже клонило в сон.

— Рассказывай, как ты, — повелела она, усаживаясь напротив Нила.

— А что рассказывать? — Он откусил от бутерброда с какой-то белоснежной, неведомой ему рыбой, прихлебнул чая. — Живу помаленьку.

— По-прежнему с Линдой?

Лялю он помнил неплохо, а потому бестактность вопроса нисколько его не покоробила.

— Тю-тю Линда, — сказал он и замолчал.

К большому его облегчению, Ляля не стала выспрашивать подробности.

— Ты извини, но этого следовало ожидать. Мягко говоря, вы не были созданы друг для друга.

— Ты-то как? — сменил тему Нил. — Небось все по заграницам?

— Да пропади они пропадом, такие заграницы! — в сердцах сказала Ляля. — Мы с моим Михеевым пять лет в долбаной Анголе проторчали, пока папуля ему назначение в Мексику не пробил. Михеев с Ленчиком уже там, в Мехико, а я сюда отпросилась на месячишко, больно по снегу соскучилась... Пивка рванешь? У меня хорошее, «Хольстен» из «Березки». — Нил отрицательно покачал головой. — Ну, как хочешь, а я выпью. Очень я в этой Африке к пиву пристрастилась — тамошнюю воду даже кипяченую пить нельзя, чай и тот на привозной минералке заваривать приходилось.

— Ленчик — это твой сын?

— Ага. Уже в Луанде родился. Ему уже четыре сейчас, а родины так и не видел...

— Наших кого-нибудь встречаешь?

— А кого я там могла встретить? С Михеевым в отделе такой Славка Шилин работал, наше португальское кончал. А больше — все.

— А в Москве? Сюда много наших перебралось, особенно девчонок. Ленка Медведева, ныне графиня Бобринская, Любаша Серебровская на Горького живет, я к ней в прошлом году заходил. Сэнди с испанского помнишь? Тоже теперь москвичка, писательница, повести в журналах публикует. Опять же Марина Задонская...

— Задонская с Александровым в Париже ошивается, — сказала Ляля так, будто речь шла о совершенно посторонних людях. — А из московских я ни с кем не вижусь, на улицу и носа не высовываю — холодина такая!

— Особенно после Африки, — поддакнул Нил и, не откладывая, перешел к главному для себя. — А Таню Захаржевскую помнишь? Тоже в Москве обосновалась.

— Это рыжая такая, с английского? — моментально сообразила Ляля. — Которая все на «Жигулях» разъезжала?

— Она самая. В прошлом году как-то резко слиняла из Питера, а у меня ее книжки остались, ценные...

— Ну так и зажал бы по-тихому, раз она не чешется.

Нил улыбнулся.

— Но у нее тоже остались мои. И я-то как раз чешусь — только никто ее координат не знает.

— А справочное на что существует? — удивилась Ляля. — Подойди к любой будке, тридцать копеек заплати — и будет тебе адресок. Если только она действительно в Москве, твоя Захаржевская.

— Должна быть... Я ведь прямо с поезда кинулся наводить справки.

— И что же?

— Мимо. Есть три Черновых со сходными данными, но все три — не те.

— Почему Черновых? — удивилась Ляля.

— Фамилия бывшего мужа, — пояснил Нил. — Могла сохранить.

— Значит, плакали твои книжечки, — сказала Ляля, откупоривая вторую бутылку пива. Внезапно она нахмурила лобик. — Постой, постой, тебе на запросе что написали? «Такая не значится» или...

— «Сведениями не располагаем», — прочитал Нил на чудом сохранившейся четвертой бумажке.

— А-га... — задумчиво протянула Ляля. — Закрытый список.

— Что-что? — удивленно переспросил Нил.

— Закрытый список. — Нил ответил ей непонимающим взглядом. — Информация для ограниченного круга. Не станешь же ты выяснять через справочное домашний адрес, скажем, Брежнева — все равно не дадут. Моего, кстати, тоже... Высоко, видать, летает твоя Захаржевская. Дай-ка сюда эту бумажку.

Она вышла из кухни, и Нил услышал, как она говорит с кем-то по телефону. Минуты через две Ляля возвратилась.

— Ну что? — стараясь скрыть волнение, проговорил он.

— Черновых с такими данными у них нет, — сказала Ляля. Нил опустил голову. — Зато Захаржевская Татьяна Всеволодовна имеется. Место работы — постоянное представительство Украинской ССР, домашний адрес — Кутузовский проспект...

Она положила перед ним листочек с адресом и телефоном Тани и усмехнулась:

— Что сидишь? Беги, названивай зазнобушке.

— Да какой еще зазнобушке?!. Мне бы только книжки... — пролепетал застигнутый врасплох Нил.

— Что ж так покраснел?.. Ладно, двигай. Когда пролетишь мимо кассы со своей номенклатурной пассией — приходи, ужином накормлю. Но на ночь, имей в виду, не оставлю.

Подъезд не был оборудован никаким замком, но сразу за дверью, наполовину перекрывая вход в просторный, выложенный веселенькой мозаикой вестибюль, тянулся невысокий барьер с массивным перильцем, обтянутым красным бархатом. Сразу за барьером располагалась стеклянная будка, из которой на Нила глянули оловянные очи дюжего консьержа.

— Вы к кому? — без любопытства осведомился он.

— Квартира тридцать три, Захаржевская.

— Понятно... Вас ожидают?

— Нет, но... — замялся Нил. — Видите ли, я из Ленинграда приехал, мы учились вместе, у меня для нее... В общем, просили кое-что передать...

— Минуточку. — Одной рукой консьерж начал нажимать кнопки на узком телефонном аппарате, висящем на стене будки, другую же требовательно протянул к Нилу. — Документик ваш, пожалуйста.

Нил извлек паспорт из внутреннего кармана дубленки и покорно отдал консьержу. Тот, не отрывая ухо от трубки, раскрыл документ и принялся изучать его. Прошло с полминуты.

— Татьяна Всеволодовна не отвечает, — сказал наконец консьерж и возвратил Нилу паспорт. — Заходите позднее, товарищ Баренцев. Посылочку могу передать.

— Нет, спасибо, я... Это личное, — пятясь, пробормотал Нил, развернулся и поспешно вышел.

Стемнело, но массивный «сталинский» дом, с тылу не менее внушительный, чем с обращенного на широкий проспект фасада, сиял сотнями разноцветных окон, мощные ртутные фонари заливали светом хоккейную коробку в центре просторного двора. Оттуда доносились оживленные крики, стук клюшек и веселый хруст коньков. Нил подошел к площадке и, сделав вид, будто увлечен разворачивающейся на льду баталией дворовых команд, принялся следить за Таниным подъездом.

«А если ее нет в городе? — думал он, пританцовывая от постепенно пробирающего холода. — Хотя вряд ли, иначе этот мент в парадной сказал бы... А если она придет не одна? Если появится с мужиком? Все равно, пройду мимо, поздороваюсь, изображу радостное удивление. Может быть, даже лучше, если рядом будет кто-то третий...»

Вдруг он чихнул, да так оглушительно, что на него оглянулись и запасные игроки, и болельщики. Он уткнул нос в толстый шарф.

«Однако этак можно и дуба дать... Пойду-ка я, отогреюсь в какой-нибудь кофеюшке, подойду снова через часик. Будет дома — прорвусь, не будет — подожду еще...»

Он направился к дому. До расчищенной дорожки, тянущейся вдоль дома оставалось шагов десять, когда из-за поворота, светя фарами, выкатил темный автомобиль и остановился возле Таниного подъезда. Сердце екнуло, и Нил замер. Салон автомобиля осветился уютным желтым светом, за рулем, без шапки, в чем-то белом и пушистом на плечах, вполоборота к нему сидела Таня и что-то говорила сидящему рядом пассажиру в мохнатом башлыке. Распахнулась дверца, и он услышал обрывок Таниной фразы:

— ...отгонять не буду — не угонят.

Из-за дверцы выглянула голова пассажира — и оказалась головой пассажирки. Нил с облегчением выдохнул, но тут же застыл с раскрытым ртом. Рядом с темными, глянцевито поблескивающими «Жигулями» стояла Линда.

Он вжал голову в поднятый воротник и зашагал прочь*.

X
(Ленинград, 1981)

Домой он возвратился в седьмом часу утра, проведя бессонную ночь в созерцании черной пустоты, проносящейся за окном сидячего вагона. В квартире было

---

* Я и понятия не имела, что он разыскивает меня. Вообще, с тех пор, как в мою жизнь вошел Павел, я почти не вспоминала о Ниле. Думаю, если бы мне удалось удержать Павла — то и совсем забыла бы... Не дали... А мне так хотелось нормального бабьего счастья — хороший муж, хороший дом, хорошие дети. Только я не сумела вовремя понять, что такое счастье — не для меня... Они такие разные — Павел и Нил. Один — цельный, ясный, гармоничный, обретший себя с самого рождения. А другой — многослойный, весь из оттенков, переходов, противоречий, всю жизнь собирающий самого себя, как большую головоломку. Аполлон и Дионис — в ницшеанском смысле... А о Ниле мне напомнила Линда. Всего за день до того, как он увидел нас вместе в моем дворе. Встретились мы случайно — если вообще допускать существование случайностей в этом мире. Я возвращалась в город, ночью у шефа был большой прием на даче, а с утра мне предстояли дела в Москве. Доехала до Кольцевой — и вдруг прямо передо мной на дорогу выскакивает и лезет чуть не под колеса какая-то ненормальная. Босая, без шапки, в шубе нараспашку. Я едва успела затормозить, а она стоит в свете фар и не шелохнется. И тут я узнаю в ней Линду... (Прим. Т. Захаржевской.)

темно, тихо, где-то за дверью кто-то похрапывал. Нил на ощупь, не врубая электричества, прошел коридор и щелкнул выключателем лишь на кухне. У окна неподвижно стояла Хопа.

— Привет! — сказал Нил. — Что в темноте сидишь?

— Да так, — тихо отозвалась она и провела рукавом по глазам.

Нил был потрясен: плачущая Хопа — это вам не плачущий большевик, такого ни в каком музее не покажут.

— Ты что? — растерянно спросил он. — Что-нибудь случилось?

— Ничего. — Она отняла от груди помятый листок бумаги, протянула Нилу. — Будь другом, прочти вслух.

— Надо ли? Это, наверное, что-нибудь личное.

— Надо. Чтобы я поверила, что мне не примерещилось.

Он развернул сложенный втрое желтый линованный листок, посмотрел на аккуратные округлые буквы с непривычным левым наклоном:

«Вашингтон, 11.11.1981

Дорожайшая Леночка!

На случай, если ты забыла, это Эд, Эдвард Т. Мараховски, теперь ассоциативный профессор Джорджтаунского университета. Надеюсь, что это посылание дойдет до тебя, не как все предыдущие. Я совсем потерял веру в вашу почтовую службу и теперь отправляю с оказием через надежный друг. Если твоя память все еще требует освежения, я тот сумасшедший американский студент, который был покушен русской собакой и от rabies (прости, не имею русского словаря под моими руками) вылечен твоими волшебными уколами, а от целибата вылечен твой равно волшебной любовью. Я поминаю каждый момент нашей интим-

ности как самое высокое счастье в моей жизни. Если
бы не ваша ужасная бюрократия, мы уже семь года
были бы муж и жена. Но все это время я не переставал
хотеть этого еще больше. А как насчет тебя? Я совершенно понимаю, что это длинный период для молодой
женщины, но, может быть, твое сердце еще свободно
для твоего старого заграничного любовника? Не остав-
ляй меня без надежды.

Я давно хотел снова посетить твой замечательный город, но только сейчас получил возможность. Я выиграл
исследовательский grant на три месяцев работы в Пуш-
кинском доме и уже уладил все формальности. Если все
пойдет так, как оно должно, я прилетаю 13 февраля,
1982, из Хельсинки, и теперь ваши бюрократы уже не
скажут, что мы знакомы слишком короткое время, и не
откажут снова в регистрации нашей свадьбы.

Сердечно твой Эд».

Хопа сосредоточенно слушала Нила, а когда он
замолчал, обреченно проговорила:
— Значит, не брежу.
— Зачем так грустно? К тебе на крыльях любви
летит американский жених, да не замухрышка какой-
нибудь, а ассоциативный профессор, выражаясь по-человечески — доцент. Интеллигентный, обеспеченный
человек, по-русски понимает, тебя за семь лет не забыл. Чего еще тебе надо? Сама же сколько раз говорила, что слинять отсюда хочешь, и именно в Штаты.
Радоваться надо.
— Я и радуюсь.
Хопа присела на табуретку рядом с Нилом, потянулась за сигаретой.
— Что-то не похоже.
— Перегорело... Я ведь тогда совсем девчонкой
была, после медучилища второй год в травме работала, иностранцев только в кино и видела, они для меня
вроде инопланетян были. Когда он к нам прибежал,

я его сначала за психбольного приняла — одет в какую-то пеструю рванину, волосы длиннющие в хвостик забраны, как у девочки, глаза такие... знаешь, как у трехлетнего ребенка, которого бякой-закалякой напугали. Лопочет что-то, ничего не понять, еле разобрали, что его возле метро собака укусила, и он требует, чтобы ему сделали укол от бешенства. Раны-то толком не было, так, синячок, даже штанов псина не прокусила, но он ничего не желал слушать, и наша врачиха велела мне поставить ему укольчик... Знаешь, от чего я прибилась?

— От чего?

Хопа поднялась, подошла к холодильнику достала что-то из нижней секции.

— Специальные резиночки, чтобы носки держать, полосатые, я такие в первый раз увидела, и трусы белые, в обтяжку, с красным пояском, — ответила она, разогнувшись. — Потом он еще несколько раз приходил, штучки заграничные приносил — «кокаколу» в баночках, жвачку... Он был такой нелепый, немного жалкий. Повсюду таскал с собой складной стульчак, чтобы в русском сортире заразу не подцепить, а когда мы с ним в первый раз... Ну, ты понимаешь... два презерватива натянул. Нервничал ужасно, пришлось помогать. А утром... В общем, мы у меня в комнатушке этим занимались, а соседи, суки, милицию вызвали. То да се, связь с иностранцем, штраф, объяснительная... Примешь?

Нил вопросительно посмотрел на нее и увидел у нее в руках бутылку водки с винтовой крышкой.

— А надо ли?

— Ну, как хочешь. Я лично хочу. — Она плеснула водки в кружку, немытую после чьего-то вчерашнего чаепития, быстро выпила и со стуком поставила кружку. — Эд, лапушка, молодцом оказался, я не ожидала — заявил, что я его невеста, и он настаивает на немедленной регистрации брака. Но у нас даже заявление не приняли, сказали, что для этого нужно доказать, что мы знакомы не менее года. Через месяц его стажировка кончилась, он уехал, но обещал вернуться. А я осталась, и вся жизнь наперекосяк пошла. На работу бумага из ментовки пришла, собрание трудового коллектива организовали, разбирали основательно, врагу не пожелаешь, будто прилюдно догола раздели и оплевали с ног до головы. Строгач с занесением, исключение из комсомола... Ну, я психанула, высказала все, что о них думаю, заявление написала. Потом опомнилась, да поздно было, мне эти твари на прощание такую характеристику выписали, что ее не то, что по новому месту работы предъявлять, а и к уголовному делу подшить стыдно. Я уже подумывала к бабке в деревню удрать, да подружку старую встретила, Анджелку, та меня на путь истинный и наставила... Вот и стала я из Леночки Кольцовой Хопой-Чистоделкой, двадцать баксов за палку, сорок за ночь... Бодрюсь, хорохорюсь, а в душе-то все выгорело, иной раз той же Анджелке позавидуешь, что вовремя от передозировки гигнулась, не стала конца поганого спектакля дожидаться...

Нил подошел к ней сзади, положил руки на плечи. Хопа тихонько всхлипнула.

— А я вот дождалась. Приедет мой прекрасный принц и увезет в сказочное свое королевство... Ладно, все. Я рассиропилась, извини. Жрать сейчас будешь, или Гошу подождем?..

XI
(Ленинград, 1982, февраль)

Хопа с утра умчалась в аэропорт встречать своего Эдварда Т. Мараховски, но в седьмом часу, когда Нил явился домой, их еще и не было. Зато его ждала другая встреча, совсем уж неожиданная: у Гоши сидел, распивая с хозяином портвейн, Максим Назаров. Нил не сразу узнал бравого штурмана — Назаров сильно осунулся, отпустил бородку и сделался похож на лихого, не слишком преуспевающего пирата.

— Здорово, командир! Каким ветром?

— Здорово, амиго! Удивлен? Так уж вышло, добрые люди адресок указали, я тут немного с хозяином пообщался и вроде договорился.

Гоша медленно, со значением, кивнул.

— Договорился? О чем?

— Да ты садись, прими стаканчик. Выпьем за добрососедство.

— Выпить-то выпьем, только я не понял...

— Гоша предложил мне свободную комнатку занять.

— Девочек водить будешь?

— Жить буду.

От удивления Нил поперхнулся портвейном и закашлялся. Пришлось Гоше похлопать его по спине.

— Тебе что, жить больше негде?

— Представь себе.

— Пожар?

— Равносильно, амиго.

— Что же может быть равносильно пожару? А, так ты жил в том флигеле на Маяковского, который рухнул посреди ночи? По радио передавали.

— Нет, я жил на Ушинского в ведомственной однокомнатной квартирке.

— И что с ней стряслось?

— С ней ничего. Стряслось со мной, камрад Баренцев. Я ведь, хоть и занимал до недавнего времени должность старшего преподавателя в Корабелке, — по существу, тот же лимитчик, а когда лимитчика увольняют, он автоматически лишается и жилья, и прописки.

— Тебя уволили?

— Пинком под зад. И из института, и из партии родимой.

— За что? За аморалку, как тогда на Кубе?

— За стратегическую ошибку в планировании собственной жизни... Наверное, после того кубинского прокола мне надо было плюнуть на амбиции, в тальманы податься или в речники. Жил бы — горюшка не ведал. Так ведь нет — а престиж, а общественное положение? Вот и сунулся в вуз, хоть и понимал, что придется прогибаться во всех измерениях сразу. Зачем же еще брать на профильную кафедру человека без ученой степени, без педагогического стажа, без ленинградской прописки и с биографическим изъяном международного уровня, как не для затычки всех дыр? Кому лекции читать взамен заболевшего коллеге? Назарову. Кому писать доклад для международного симпозиума, на который в любом случае поедет зав кафедрой, ни ухом ни рылом в проблеме не секущий? Проводить школьные олимпиады? На овощебазе гнилой лук перебирать два раза в месяц? Донорскую кампанию проводить? Подарки к Восьмому марта покупать? Портреты товарища Суслова на демонстрациях носить? По домам с урной для голосования бегать? Рисовать графики выполнения социалистических обязательств? Каждое лето и каждый сентябрь возглавлять так называемый «трудовой фронт», будто то, чем мы занимаемся в учебном году за труд не катит? И при этом тянуть на себе половину плановой научной работы всей кафедры? Тому же Назарову, что естественно.

— Что неестественно, — возразил Нил, разливая остатки портвейна. — Как говорили мальчишки у нас во дворе, за одним не гонка, человек не пятитонка. Совесть у них есть?

— Ты, амиго, существо беспартийное, несознательное, иначе понимал бы, что совести у них нет по определению, поскольку они сами — совесть. Равно как ум и честь.

— Кажется, я начинаю догадываться, за что тебя турнули, — задумчиво проговорил Нил.

— За слова? Э нет, слова потом мне говорили. Разные слова, в том числе и нецензурные.

— Что же ты такого сделал?

— Я-то как раз ничего не сделал. Мирно спал, вместо того, чтобы в третьем часу ночи стоять под окном и ловить падающего с девятого этажа пьяного придурка по фамилии Решетило.

— Студент разбился?! Но при чем здесь ты?

— При том, что после блистательных выступлений в аграрном жанре меня удостоили высокой должности замдекана по общежитиям. А у нас за каждым ЧП, будь то хоть землетрясение, обязательно должны следовать оргвыводы: виновные наказаны, такой-то отдан под суд, такой-то уволен, такой-то понижен в должности, такому-то поставлено на вид. И кто в данной ситуации крайний? Комендант? Комендантов не бьют, они считанные, как тузы в колоде. Проректор? Тоже фигура, хоть и пожиже коменданта. Остается Назаров, оптимальный мальчик для битья.

— Ну, и как же ты теперь?

— Я? Был такой фильм «Гражданин Никто». Это про меня. Никто и звать никак. На работу не берут — нет прописки, прописки не получить — нет работы. С голоду, конечно, не пухну: три тупых дипломника, аспирант из города Ташкента, половина чужой ставки по НИРу. С жильем, правда, туговато.

— Было туговато, — поправил Гоша. — Внедряйся смело, Макс, у нас тут все такие, системой покусанные.

Вселившись в теремок, Назаров мгновенно утвердился в роли мышки-норушки. Засел в своей клети, что-то писал, считал на калькуляторе, стрекотал на машинке и пообщаться с народом выходил крайне редко. С определением амплуа других обитателей теремка, включая самого себя, Нил затруднялся. Впрочем, дня через два затруднений поубавилось — на сцену явилась очевидная лягушка-квакушка. Точнее, лягух-квакух.

Это Нил понял сразу, как только увидел его. Этому впечатлению сильно способствовали толстая стеганая куртка из зеленоватой переливчатой ткани, тонкогубый рот до ушей и пупырчатый лысый череп ядовито-розового цвета. Существо в крайней ажитации ворвалось на кухню, где Гоша, Хопа и Нил мирно пили чай с вареньем и болтали о всякой всячине.

— Я! — визгливым тенорком выкрикнуло существо. — Я наконец сделал это! — На столе возник грязный самовар из белого металла. — По-русски это устройство называют самовар! Сверху находится крышка, куда наливают воду! Но сначала крышку надо снять! Вот так... Но не в трубу, расположенную в центре, а вокруг нее! Потому что в трубу закладывают маленький лес, а потом зажигают спичком через это окошко внизу! И вода нагревается! А потом самовар вот за эти ручки ставят на стол и открывают этот кран! Только сначала надо поставить туда стакан, иначе вода обжигающей температуры польется прямо на стол, и кожа получит ожоги! Но забудьте страх, товарищи, ибо прямо сейчас вода внутри отсутствует, и огонь внутри отсутствует так же! Поэтому я смело поворачиваю кран вот в этом направлении...

Но кран, должно быть, насквозь проржавевший от векового неупотребления, поворачиваться упорно не желал, и чудак, набычившись, вцепился в него обеими руками. Нил увидел, что розовый череп не окончательно лыс — сохранившиеся на затылке волосы были собраны в хвостик, доходивший до лопаток. В данный момент хвостик, перехваченный зеленой аптечной резинкой, дрожал от напряжения.

— Знакомьтесь, пиплы, это и есть мой американский Эдик, — устало сказала Хопа. — А ты, чудо, бросай свой грязный самоварище, мой руки и садись чай пить.

— Иван Иванович очень любит чай, — неожиданно спокойно произнес Эдвард Т. Мараховски, выпря-

мился и широко улыбнулся. — Моя первая фраза по-
русски... Не беспокойся, Ленни, когда мы прилетим
домой, я закажу этот самовар почищенным, и тогда
мы поставим его в нашей гостиной, и он будет напоминать тебе о далекой родине.

Хопа вздохнула.

— Ну хорошо, хорошо, а пока, будь добр, убери
эту пакость со стола. Мы пока еще не в Вашингтоне.

Эд бережно поднял свое сокровище и понес вон из
кухни. Хопа мгновенно схватила тряпку и принялась
стирать со стола оставленные самоваром черные пятна.

— А твой жених большой оригинал, — заметил Нил.

— И чистюля, — добавил Гоша.

— Черт его разберет, — ворчала Хопа, остервенело орудуя тряпкой. — В гостинице перед каждым ми-
нетом мне в рот антисептиком прыскал, а тут на
поди...

— Как говорит жена Моти Добкиса, иностранный
муж — не роскошь, а средство передвижения, — пе-
чально сказал Гоша.

Все замолчали.

— Давайте праздновать общую встречу и мою покупку, товарищи!

На сей раз докрасна отмытые руки Эда держали
не старый самовар, а бутылку экспортной «Столичной» и гроздь ярких баночек, сцепленных какой-то
пластмассовой фиговиной.

— Это что? — опасливо спросил Гоша, тыкая пальцем в баночку. — У нас в таких чешский растворитель
продавали.

— Это пиво баночное, — со знанием дела поправила Хопа.

— У нас тоже есть баночное пиво, — сказал уязв-
ленный Гоша, обращаясь к Эду. — В любом ларьке.
Только надо со своей банкой прийти.

— Красиво, — заметил Нил, разглядывая банку. —
Но, по-моему, это не пиво.

— Конечно, не пиво! — радостно подхватил Эд.

— У них водку с пивом не мешают, — согласился Гоша. — Кишка тонка.

— У нас с пивом смешивают виски. Но еще надо добавить горький лимон и жженый сахар. Этот напиток подается в лучших барах Нью-Йорка, он называется «Старомодный». — Присутствующие невольно поморщились, а Эд продолжил объяснения: — Однако здесь отсутствует утварь для жжения сахара, а поэтому мы будем делать себе напитки из водки и воды «Зельцер». Ленни, стаканы, пожалуйста...

Из вежливости, из любопытства, и чтобы добру зря не пропадать, приготовленные Эдом напитки допили до дна, после чего перешли на чистый продукт. Вскоре все заметно разрумянились, а Нил, понятное дело, был отправлен за гитарой. На звуки песен выбрался из своей конуры Назаров. Вписался удачно, и минут через десять уже сидел с Эдом в обнимку и объяснял американцу, что такое брудершафт.

— Русские — удивительный народ! — с чувством говорил Эд. — Сегодня я ехал на железнодорожном поезде, и через проход от меня несколько очень пьяных человек в рабочих куртках по очереди декламировали японскую поэзию, а девушка напротив читала Фолкнера в оригинале.

— Духовность! — с важным видом произнес Гоша. — У нас высокая духовность!

— Но духовность — это синоним религиозности. А у вас в церкви стоят одни старушки в платках, а в религию коммунизма никто давно не верит, а только делает вид, чтобы не попасть в тюрьму или психиатрический дом...

— Духовность — это не синоним религиозности, а антоним материальности, и в этом отношении Советский Союз является безусловным духовным лидером всего мира, — неожиданно вставил Назаров.

Эд тут же встрепенулся.

— О, интересно! Чем ты можешь доказать эти слова?

— Тем, что именно Советский Союз выбьет человечество из мира материального в мир нематериальный, то есть духовный. Проще говоря, если бомбой не расфигачим, то экологией придушим. Усек?

— О, парадоксальность русского менталитета! Ты не мог бы повторить эту мысль завтра? Я хотел бы записать ее.

— Для тебя, амиго, — все, что пожелаешь.

— Тогда не мог бы я привести с собой одну мою соотечественницу? Думаю, ей захочется подробно поговорить с тобой, узнать твое мнение по актуальным вопросам.

Незаметно для остальных Нил ощутимо пнул Назарова под столом, но тот будто и не заметил.

— Разумеется, Эд, приводи соотечественницу. С удовольствием поделюсь своим видением судеб России. А если еще и гонорар дадите...

— Ты имеешь правильный подход к делу. Я обсужу с ней этот вопрос. Некоторая сумма вполне реальна...

— Опомнись! — прошептал Нил на ухо Назарову, улучив момент, когда Эд полностью переключился на Хопу. — Мало тебе неприятностей?

— Суайе транкиль, мон фрер!* — с жутким акцентом успокоил Назаров. — Просто я начинаю делать карьеру с другого конца. А твои затруднения я понимаю и потому на твоем присутствии во время интервью не настаиваю.

— Я не понял. Ты считаешь, что я могу тебя заложить?!

— Не надо писать кипятком. Дело не в тебе лично, а в том, что ты единственный из всех присутствующих остаешься человеком системы. И я не хочу тебя ставить в двусмысленное положение.

---

* Будь спокоен, братец! (*фр.*)

— Статья о недоносительстве? Спасибо за чуткость, Макс...

— О, тебе знакомы такие материи? Я и не предполагал.

— А ты не находишь, что мы поразительно мало знаем друг о друге.

— Мы с тобой, или вообще все?

«Побег из одиночки собственной души иллюзорен, — рассуждал на следующее утро Нил, давясь вместе с прочими человеками системы в душном вагоне метро. — Но короткий выход из одиночки собственного тела вполне реализуем в момент слияния с другим телом...» Толпа притиснула его к девушке в кожаном пальто. Лица ее он не видел, но кудрявый темно-русый затылок был вполне ничего себе. Удивительно, но в такой толчее она еще умудрялась читать, пристроив сложенный журнал над головой сидящего с краю пассажира. Чтобы не заглядывать ей через плечо, пришлось бы неудобно поворачивать голову или закрывать глаза, поэтому Нил не стал сопротивляться естественному ходу вещей и уставился в мелкие строчки: «— Это наш новый первый, — слышал я шепот за моей спиной. — Какой молодой, какой красивый...» Нил взглянул на колонтитул и едва удержался, чтобы не плюнуть на страницу.

Действительно, почему нашему дорогому и любимому Бормотухе — Пять Звездочек, величайшему классику современности, до сих пор не вручена Большая золотая медаль за красоту? За что только его челядь оклады и пайки получает? Ведь с ног до головы увешали деда орденами и медалями, будто елку новогоднюю, каких только новых наград не напридумывали — а до такой очевидной вещи не дотумкали, самому намекать приходится. Почему какой-то полусумасшедшей старухе можно с такой медалью разгуливать, отобрав ее у собственной собаки колли, а величайшему гению всех времен и народов нельзя? Отлить бы из чистого золота, пудика этак два — и на шею. А сзади, для равновесия — особо учрежденный орден «Отец-Героин», и чтобы бриллиантиков в этом ордене было по числу благодарных детушек, обитателей мирового социалистического лагеря...

«Ох, хочу бабу!» — подумал вдруг Нил.

Его желание было услышано наверху, однако поскольку земными делами там ведает не самый толковый И. О., обратная связь, как всегда, сработала со сбоем. В тот день его общества страстно возжелали сразу три женщины. Но — это были заведующая кафедрой, парторг и профорг. Малый треугольник макбетовских ведьм.

— Неправильно заполнен индивидуальный план, — стучала зубными протезами заведующая. — Вертикаль не сходится с горизонталью. Пересчитать и сдать в недельный срок. А в десятидневный срок жду от вас восемнадцать страниц методических указаний согласно плану учебно-методической работы.

— Общественная работа совсем запущена, — завывала парторг. — Вы у нас военно-патриотический сектор. А где стенгазета ко Дню Советской Армии? Где встречи с ветеранами? Почему никто не охвачен военно-техническими секциями?

— С вас три рубля на юбилей кафедры, рубль пятьдесят в Фонд мира, пять рублей на Восьмое марта и тридцать копеек на оргасходы, — хрюкала профорг. — И еще, от кафедры требуется номер на институтский праздничный вечер.

«История моей жизни, — подумал Нил. — Нет таких подмостков, куда бы не вытащила меня энергия активисток. Хочешь жить спокойно — ничего не умей».

— Ничем не могу помочь, — сказал он профоргу. — У меня, видите ли, методические указания. Не говоря уж о военно-технических ветеранах. К тому же по весне левая кисть отнимается — спасу нет.

В доказательство он слабо пошевелил пальцами.

— А вокал? — спросила профорг. — Голосовые связки не отнимаются? Петь сможете?

— Хором?

— Зачем хором? Хором не надо. Дуэтом.

— Если только с вами. Со сцены мы будем классно смотреться вдвоем.

— Скажете тоже! — Профсоюзная кикимора смущенно поправила тугой синтетический парик. — У нас есть другая кандидатура.

— Кто же?

— Стажер-исследователь, — подхватила эстафету партийная баба-яга. — Занимается биомедицинской электроникой, но закреплена за нашей кафедрой.

— Почему?

— Потому что иностранка. Француженка, между прочим. Как узнала, что в нашей стране отмечается Международный женский день, сама вызвалась выступить. Не то, что некоторые, которых тридцать раз упрашивать надо.

Баба-яга выразительно посмотрела на Нила. Он пожал плечами.

— Так а я разве возражаю? Пусть выступает. Заодно и кафедру прикроет.

— Ты не понял, Баренцев! Повторяю, человек из капстраны. При нынешней сложной международной обстановке каждое подобное выступление есть событие политическое, мощный удар по силам мировой реакции, развязавшей против нашей страны гнусную клеветническую кампанию, достойная отповедь всяким там рейганам и тэтчерам. Не исключено, что выступление мадам Дерьян будет транслироваться по телевидению... Баренцев, я не сказала ничего смешного! Да, возможно, у нашей гостьи армянские корни, но это еще не повод ржать, как курица!

— Извините... — просипел Нил, вновь давясь от смеха.

Армянских, говорите, кровей? Мадам Дерьян. Сеньора Де Нада. Барышня Не-За-Что. Или Из-Ничего. Фрау фон Ниманд... Ах, мерси вас — что вы, что вы, де рьян!..

— Но я так и не понял, с какой стати я должен петь с ней дуэтом.

— Потому, Нил Романович, что в противном случае вся идея может оказаться дискредитированной, — вмешалась главная ведьма-заведующая, и стеклышки ее очков зловеще блеснули.

Да уж, могу себе представить!

— Дело в том, что наша французская гостья совершенно не умеет петь! — закончила заведующая.

— Ни голоса, ни слуха, — подхватила парторг.

— Но указывать на это недипломатично, — вставила профорг.

— Она желает петь!

— Но репертуар! Наслушалась в эмигрантских кабаках!

— А до концерта всего неделя!

— Надо что-то делать! Баренцев, ты обязан!

— А если мы разучим хорошую песню военных лет, это зачтется как военно-патриотическая работа?

Нил в упор посмотрел на парторга. Та сморщилась, но кивнула.

— Подготовка потребует известного времени, — продолжил он. — Так, когда, вы говорите, надо сдать методичку?

И перевел взгляд на заведующую. Та вздохнула.

— Через месяц... Современный у вас подход, Нил Романович.

— А что остается? Кто меня представит мадам Дерьян?..

Кое-как проведя занятия, он задержался в пустой аудитории — хотелось хоть немного побыть наедине со своими мыслями.

Француженка. Parbleu! Cent mille diables!* Он в жизни не знал ни одной француженки. Разве что Шарлоту Гавриловну, но та была такая старая и уродливая, что и француженкой-то считаться не могла. Интересно, какова эта? Воображение вылепило образ этакой среднестатистической парижской дамочки, вертлявой курносенькой брюнетки, личиком и ужимками похожей немного на Мирей Матье, немного — на обезьянку из мультфильма «Тридцать восемь попугаев». Бонжур, мадам, аншантэ де фэр вотр конессанс...** Или как там еще по-ихнему полагается? Надо бы повспоминать...

— Виниль?

— Что? — Он поднял голову, недовольный тем, что кто-то нарушил его уединение.

— Ви Ниль Баренсеф? — повторила девушка. — Мне сказаль, что ви будет мне помогайть. Мой имя Сесиль Дерьян.

Он вгляделся в нее — и почувствовал себя обманутым. Она была такая... такая никакая. Истинная Дерьян. Бесцветная, словно вырезанная из бумаги. Маленькие глазки неопределенного цвета, маленький носик неопределенной формы, аккуратно постриженные волосики, серый костюмчик неопределенного фасона. Не за что зацепиться взгляду, нечего оставить в памяти, нечего потом описать. Француженка? Могла бы с тем же успехом быть шведкой, эстонкой, белорусской, удмурткой...

Она смотрела ему в переносицу. Пристально, не улыбаясь.

— Счастлив познакомиться с вами, мадам Дерьян, — опомнился он.

— Мадемуазель. Зовите меня Сесиль.

— Зовите меня Нил.

— Ви свободен, Ниль? Нам следует заниматься.

---

* Черт побери! Сто тысяч чертей! *(фр.)*
** Счастлив с вами познакомиться *(фр.)*.

— Да, идемте. Поищем свободную аудиторию.

— Ми идем в ваш пхофбюхо. Там есть комната с хояль. Мне говохиль, ви будет мне игхать.

— Не знаю, кто вам это говохиль, мадемуазель, но игхать я смогу только одной рукой, — беззастенчиво врал он. — Вторую я недавно сломал и только третий день хожу без повязки.

Сесиль свела брови к переносице.

— О, сломаль! Но как?

— Под машину попал.

— Horreur!* — воскликнула Сесиль. — Тоже мамин собак потехяль хуку под машин! Ми все так плакаль!

Нил хотел сказать что-нибудь язвительное, но, увидев в ее глазах слезы, смолчал. Так молча и дошли по комнаты с «хоялем», и Нил покорно сел за инструмент. Сесиль разложила на крышке листочки, расправила плечи, несколько раз глубоко вздохнула и начала петь.

С первых же нот, взятых Сесиль, Нил понял: беда! И дело было отнюдь не в отсутствии голоса и слуха, как о том твердили кафедральные мегеры. И то и другое у Сесиль безусловно имелось. Средненькое и даже миленькое, как у сотен тысяч девчонок — любительниц попеть под гитару у костра или за дружеским столом. И не было бы ничего катастрофического в том, если бы не одна роковая подробность: с упорством, достойным, как говорится, лучшего применения, она подражала оперной манере пения, не обладая для этого ни данными, ни школой, ни развитым вкусом. Ее высокий голосок — слабенькое лирическое сопрано с намеком на колоратуру — дрожал и срывался. Утопая в старательных и неискусных руладах и трелях, она безнадежно сбивалась с ритма, и даже при правильном попадании в ноты создавалось полное ощущение глубокой лажи, многократно усиленное специфическим репертуаром.

---

* Ужас! *(фр.)*

То ли кто-то зло подшутил над бедняжкой Сесиль, то ли в ближайшем русском кабаре, куда она приходила изучать культуру далекой загадочной страны, подвизались на редкость странные личности, только вместо традиционной «Калинки-малинки» или «Две гитары, зазвенев...» сквозь толщу вокальных заморочек и густейший акцент отчетливо прорывались «А мать свою зарезал, отца я погубил» и «Кокаина серебряной пылью все дорожки мои замело». Даже невинная «Мы на лодочке катались» в версии Сесиль, определенно копирующей неведомых фольклористов, приобрела своеобразный припев: «Ти сука-билять, впаху ковихять, вписту ковихять, сосенка!» Более современный репертуар был представлен шедеврами типа «А я сидю, глядю на плинтуаре» и «Муженек мой — бабеночка видная». В сочетании с манерой исполнения это создавало эффект потрясающий...

Глядя на ее сосредоточенное, покрасневшее от усердия лицо, Нил понял, что приколом здесь и не пахнет. Похоже, мадемуазель всерьез убеждена, что народ наш других песен не поет. Нилу предстояла не только музыкальная, но и большая дипломатическая работа. Его охватила лютая злоба на кафедральных стерв, столь коварно его подставивших. Сами-то небось постеснялись сказать в лицо иностранке, чего стоит ее программа. Или побоялись?

— Ну, попляшете вы у меня! — страстно прошептал он.

— Ви что сказаль? — встрепенулась Сесиль.

— Я предлагаю выпить по чашечке кофе, а потом — revenons á nos moutons*.

— Oh, tu parle Français?** — обрадовалась она, моментально перескочив на «ты».

---

* Вернемся к нашим баранам (фр.).
** О, ты говоришь по-французски? (фр.)

— C'est ma langue oubliée, — ответил он, встал из-за нераскрытого рояля и галантно протянул ей руку. — Allons donc*.

Когда она надевала в гардеробе свое пальто — из плотной и блестящей серой ткани, с капюшоном на белой подкладке, — он едва чувств не лишился. Именно в этом пальто она стояла, фотографируя Никольский собор, и именно ее он принял тогда за Линду. Ирония судьбы, или «с бонсуаром»!

Придя домой, он завалился спать и продрых до позднего вечера. Встал с тяжелой головой, поплелся на кухню ставить чайник. У Гоши играл магнитофон, слышались веселые голоса. «Заглянуть, что ли? — лениво подумал Нил. — Расскажу про сегодняшнее интересное знакомство».

Но не рассказал, потому что в Гошиной гостиной его ждало еще одно знакомство, и тоже небезынтересное. За столом вокруг начищенного и отремонтированного самовара собрались все нынешние обитатели квартиры плюс мистер Мараховски и незнакомая Нилу девица чрезвычайно своеобразной наружности: рост не меньше двух метров, перебитый нос, фигура культуриста, черная кожаная безрукавка, на мощной руке выше локтя — трехцветная татуировка китайского дракона, дикая рыжая копна на голове. Первой появление Нила заметила именно она:

— Ты Нил?!

Он остолбенел от такого вступления, но лишь на долю секунды.

— Я-то Нил, а вот ты у нас кто будешь, такая прыткая?

— Джейн Доу.

— Классная кликуха, в самый раз для протоколов.

---

* Этот язык мной забыт. Пойдем (*фр.*).

Девица оглушительно расхохоталась, вслед за ней — Эд. Остальные растерянно переглядывались.

— Джейн Доу — это на жаргоне американских полицейских неустановленное лицо женского пола, — пояснил Нил. — Детективы буржуйские читать надо!

— Я не кликуха! — громко заявила атлетка. — Я Джейн Доу из «Вашингтон пост». Нил, кто по-твоему сменит Брежнева на посту верховного правителя России?

— Такого поста нет, — моментально насторожившись, ответил он. — И вообще, я согласия на интервью не давал.

— Это не интервью. Это социологический опрос. Пока получается Андропов — тридцать один процент, Кириленко — семнадцать, Устинов — тринадцать, Гришин — восемь, Романов — три.

— У них бы и спросила. А я не знаю.

— А как ты относишься к советской военной агрессии в Афганистане? К высылке академика Сахарова в Горький?

— А как ты относишься к тому, что тебя сейчас с лестницы спустят? Тоже мне Джейн Доу! Ребята, кто привел эту швабру кагэбэшную? Вам что, приключений на свою задницу надо?

— Баренцев, успокойся, — сказал Назаров. — Джейн привел Эд. Она действительно московская корреспондентка «Вашингтон пост». И моя невеста.

Нил вытаращил глаза.

— Когда успели?

— Пока ты спал.

— После того интервью, которое мне дал Макс, другого выхода у нас не оставалось, — заметила Джейн Доу и с рычанием потянулась.

— Завтра подаем документы, — добавил Назаров.

— У меня есть незамужняя подруга из «Франкфуртер Альгемайне». Свое интервью ты можешь дать ей. Не упускай момент, Нил, — почесываясь, сказала Джейн.

— Мерси... Сама-то где так по-нашему наблатыкалась?

Растерянность во взгляде Джейн была для него лучшей наградой. Впрочем, соображала она на удивление недолго.

— Дед с бабушкой обучили.

— Доу?

— Доу. Дед был корабельным мастером на Адмиралтейских верфях. В восемнадцатом году ушел от большевиков в Финляндию... Правда ли, что ваши руководители заставляют народ жить бедно, тогда как сами живут в византийской роскоши? Правда ли, что каждый десятый житель России является штатным осведомителем КГБ?

— Неправда! — окончательно вспылил Нил. — У нас осведомителем является каждый первый. Вот сейчас пойду и осведомлю про твои провокационные вопросы, получу за это большую бутылку водки и выпью ее из этого самовара!

— Водку из самовара не пьют, — заметил Эд. — Из самовара пьют чай.

— Как интересно, — сказал Нил и вышел, хлопнув дверью.

Настроение испортилось окончательно. Нил вернулся в свою комнату, врубил телевизор и с ногами улегся на матрас.

«Знаю, милый, знаю, что с тобой...» — завыла с серого экрана эстрадная дива.

Нил хмыкнул.

— Можно?

На балконе стоял Назаров, и на лице его блуждала растерянная улыбка.

— Заходи и дверь за собой прикрой. Сквозит.

Назаров подошел к столу и поставил на него большую пузатую бутылку. «Fleischmann's Vodka» — прочел Нил на глянцевой этикетке.

— Стаканы на полке, — сказал он. — Джейн прислала?

— Сам пришел.

— Нет, я про водку.

Назаров кивнул.

— Перебивает ставку, — заметил Нил. — Иди и скажи ей, что за сведения о деятельности, несовместимой со статусом иностранного корреспондента, компетентные органы дадут мне не одну пол-литру, а две, так что если хочет отмазаться, пусть тоже гонит не литр, а два.

— Не пори фигню, омбре, — устало сказал Назаров. — Не такая она идиотка. Джейн тебя проверяла и по твоей реакции прекрасно поняла, что ты не стукач.

— А это, значит, мой приз за то, что выдержал испытание?

— Вроде того.

— Ладно, тогда забирай сосуд, диссидент, и пошли к народу.

XII
(Ленинград, 1982, март)

Седьмого марта Нил с гитарой поднялся на сцену институтского актового зала и своими лихими проигрышами, вкупе с уверенным вокалом, несколько отретушировал и приглушил сомнительные фиоритуры Сесиль. Упирая на то, что ему за столь короткое время не осилить такой сложный и экзотический материал, какой предложила она, он убедил Сесиль в спешном порядке разучить «Бьется в тесной печурке огонь» и, для настроения, простенькую песню, сложенную в свое время в веселой компании на основе особо удачного буриме:

Я иду по листопаду,
Листопад идет по мне.
Мне любви твоей не надо,
Я знаю — истина в вине.
В вине.

Загляну в кабак унылый,
Сяду в теплый уголок,
И задумаюсь о милой,
И выпью за нее глоток.
Глоток.

Я шагаю всем довольный,
Три бутылки осушив,
И ни капли мне не больно —
Сердце я в кабаке забыл.
Забыл*.

Эту песенку Нил избрал потому, что в ней у Сесиль практически не было возможности украсить номер своими вокальными изысками. К тому же он справедливо рассудил, что в новом для себя репертуаре упрямая француженка не будет чувствовать себя слишком уверенно и поневоле уступит главенство ему, чем даст возможность избежать позорного провала. Так и вышло. Выступление международного дуэта Сесиль Дерьян — Нил Баренцев прошло с успехом. Особый восторг публики вызвала никому прежде не известная песенка про листопад.

Им долго хлопали, вручили от месткома букет цветов и коробку конфет, и Нил впервые увидел улыбку Сесиль. На мгновение ее личико перестало быть невзрачным.

— Слушай, мадемуазель, — сказал Нил, когда они вышли на улицу. — Не знаю, как ты, а я не прочь бы выпить приличного кофейку. Но во всем городе осталось только одно такое место. Рванули в «Сайгон».

---

* Текст А. Царовцева.

— О, хестохан! — оживилась Сесиль. — Вьетнамская кухня!

— Там увидишь, — загадочно сказал он, увлекая ее к метро.

Но в «Сайгоне» их ожидало лютое разочарование. Все шесть новеньких, поблескивающих хромом кофеварок, оказались прикрыты белыми тряпочками, а на каждой раздаче появились мятые алюминиевые бачки с черными кранами. Случайный характер немногочисленных посетителей был виден невооруженным глазом.

— А как же кофе? — растерянно спросил Нил у ближайшей буфетчицы. — Неужели у вас тоже нет?

— Почему нет? — неприязненно ответила буфетчица, показывая на бачок. — Это, по-вашему, не кофе? Бочковой, из сгущенки высшего сорта. Берите, берите, а то и такого на базе не осталось.

Нил оттащил от прилавка Сесиль, проявившую интерес как к экзотическому напитку, так и к ноздреватым лежалым ватрушкам, кривой пирамидкой выложенным на подносе рядом с бачком.

— Это совсем не полезно для здоровья, — сказал он. — Не судьба, видать... Могу предложить мороженого, если не против.

— Пхотив, — сказала Сесиль. — Холёдно.

— Ну тогда... Тогда давай провожу тебя до дому. Ты где живешь?

— Академически отель у Эрмитаж... И у меня есть чехная кахта...

— Что за карта? — удивился Нил.

— Carte noire. Фханцузски кофе.

В опрятном гостиничном номере окнами на Неву Сесиль с гордостью продемонстрировала ему кипятильник, недавно приобретенный в «Пассаже». С его помощью мгновенно вскипятили воду прямо в стаканах, и Сесиль засыпала в кипяток растворимого кофе из высокой банки с черно-зеленой этикеткой. Вид у кофе был странный — не порошок, а гранулы, напомнившие Нилу неоднократно виденные в колхозах неорганические удобрения. Впрочем, гранулы растворились без осадка, а запах их и вкус оказались выше всяких похвал, что он не преминул заметить. Сесиль скромно улыбнулась, покрылась неровным румянцем и неожиданно вскочила.

— Куда ты?

— О, я забыля апехитив...

И из шкафчика была извлечена пузатая бутыль, при виде которой у Нила легонько стукнуло в виске.

— Голубой «кюрасо», — как можно небрежнее сказал он.

В глазах Сесиль промелькнуло удивление.

— О, ти знаешь кюхасо? Но здесь я не видель его ни в один магазин...

— Места знать надо.

От кофе с ликером стало тепло, покойно — и страшно захотелось курить. Нил вытащил «Феникс» и вопросительно взглянул на Сесиль.

— Лючше не надо, от фюм... от этот дим у меня кружить голёва, — с сожалением произнесла она. — Но если очень хочешь — возьми эти.

Из раскрытого ящика стола она вытащила пачку — и голсва у Нила пошла кругом без всякого «фюма».

На глянцевом белом картоне не стояло ни слова, зато рельефно проступал красно-желтый силуэт рогатого кабана...

Глава пятая
ЧТОБ КАФКУ СДЕЛАТЬ БЫЛЬЮ...

I
(Ленинград, 1982, апрель)

«Is there life on Mars?» * — звучали в голове недостающие к музыке слова.

Нил приоткрыл зажмуренные глаза и в последний раз посмотрел на худенькое тело, прикрытое ниже пояса клетчатым пледом, на нечеловечески прекрасное бескровное лицо. Не мертвое, нет, просто *неживое*. Обтянутое даже не выбеленным пергаментом — тот все же хранит в себе воспоминания о живом существе, из кожи которого сделан, — а атласом, чуть пошедшим морщинами белым атласом. Волосы, отросшие, подкрашенные хной, аккуратно завитые, казались синтетическими. И вся она была как большая тряпичная кукла, изготовленная гением-извращенцем, выкравшим живую Линду и подменившим ее своим творением. Или сама она улизнула в последнее мгновение, оставив вместо себя двойника, кадаврицу, наряженную невестой.

На кремации настоял он сам. Не то, чтобы кто-нибудь активно возражал — Ольга Владимировна держалась строго и величественно, словно королева в трауре, но Нил чувствовал, что для нее все это не более, чем очередной спектакль; достойный Линдин папаша пил без просыпа и не всегда соображал, зачем, собственно, приехал в Ленинград; а мать, знать не желав-

_____
* «Есть ли жизнь на Марсе?» Песня Дэвида Боуи.

шая дочки, пока та была жива, пребывала в постоянной прострации и лишь повторяла, что заберет ее с собой и похоронит на участке, который уже давно закрепила за всей семьей.

— Ну и повезете не гроб, а урну, — втолковывал ей Нил. — Не так хлопотно, и разрешения специального не надо.

— Не надо... — повторяла она, но Нил чувствовал, что смысл сказанного до нее не доходит.

Некоторая заминка возникла, когда Нил отозвал в сторонку вышедшего к ним распорядителя и попросил его вместо традиционного Шопена поставить, сообразно последней воле покойной, ту пленку, которую он принес с собой. Переполошенный ритуальщик долго ломался, потом заявил, что должен посоветоваться с руководством. Совещание заняло минут пятнадцать, наконец добро было получено, и Линда — снегурочка в кружевном белоснежном платье, ни разу не надевавшемся при жизни, — опустилась в огненное чистилище под лирическое попурри на темы Поля Маккартни и Дэвида Боуи. Эту композицию Нил придумал, исполнил и записал накануне ночью.

«And the light of the night fell on me...»*

И только в автобусе, увозящем их из крематория на поминки, Нил развернул бумажку, которую на выходе из траурного зала вложил в его ладонь мелькнувший на мгновение Костя Асуров. Следователь назначал ему встречу через два дня, на платформе станции Лосево.

А днем раньше предстояло получить урну с прахом...

Четыре тысячи триста восемьдесят две. Четыре тысячи триста восемьдесят три... Четыре тысячи триста восемьдесят четыре...

Это число надо запомнить. Во что бы то ни стало запомнить. Пометить шпалу сочащейся из носа кро-

---

* «И свет ночи упал на меня...» Из песни Поля Маккартни.

вью, отползти под тень кактуса, сделать два-три глотка из теплой фляги и забыться, насколько дано будет забыться. Потому что нет больше сил ползти вдоль сверкающих рельсов, уходящих за горизонт...

— Эй, Нил! Ты в норме?

То ли забвение оказалось слишком глубоким, то ли остановившаяся на рельсах белоснежная дрезина, убранная розами и разноцветными ленточками, появилась бесшумно, аки призрак. Нил протер воспаленные глаза, сел. С дрезины улыбался и махал ему рукой счастливый Ринго. В шикарном ковбойском костюме он был больше похож не на Ринго Старра, а на Ринго Кида из довоенного вестерна «Дилижанс». Из-за его плеча выглядывала Линда в мелких золотистых кудряшках, которые очень ей шли. Одета она была в открытое розовое платье с кринолином. Он помахал им в ответ и крикнул:

— На праздник едете?

— В Мексико-сити всегда праздник!

— А можно с вами?

— Нельзя. У каждого свой путь в Мексико-сити. Досчитай до конца свои шпалы — вот ты и пришел.

— Линда, а почему молчишь ты?

Дрезина медленно и беззвучно стронулась с места.

— Линда! — в отчаянии крикнул Нил.

— Бай, док Кэссиди! Встретимся на карнавале!

Она подняла руки, и на ярком солнце блеснули изящные золотые кандалы.

Белоснежный корабль прерий истаял в жарком, колышущемся мареве...

Четыре тысячи триста восемьдесят пять...

Нил проснулся весь в поту, стремительно встал, резкостью собственных движений сбивая остатки наваждения.

— Почему ты не разбудил меня?! — сердито выкрикнул он.

— Рано еще, — не оборачиваясь, сказал Кир Бельмесов.

— Скорее... Надо успеть.

— Не мешай. Чай пей.

Нил отвернулся от стола, за которым Бельмесов колдовал над какими-то кореньями, плеснул из заварного чайника немного зеленого чая, отхлебнул. Остывший чай был горек и отдавал аптечной микстурой. Нил вернулся в кресло. Ожидание было нестерпимым. Если они опоздают, и Линда въедет в небесный Мехико, не освобожденная от оков, так похожих на изысканные украшения, она не избавится от них всю оставшуюся вечность. Вечность! От этого слова разило таким холодом, что у Нила застучали зубы, бесконтрольно и громко, так что даже Бельмесов услышал и с удивлением посмотрел на Нила: хоть в доме уже с месяц не топили, жара в башне стояла, как в финской бане, — и по полу, и над головой тянулись распределительные трубы с горячей водой.

— Пора, — сказал наконец Бельмесов.

Они спустились на площадку перед Ниловой дверью. Нил поднял заранее заготовленный мешок, вслед за Бельмесовым протиснулся в узкое чердачное окно и очутился на крыше.

Ночь была ясная, безветренная и поразительно холодная для конца апреля. В свете полной луны все предметы обретали причудливую фактуру сновидения — слишком отчетливы были все линии и формы, слишком приглушены все цвета и оттенки. Прутики антенн подернулись тончайшими кристаллами изморози. Нил подошел к тому месту, где остановился Бельмесов, открыл мешок и принялся доставать оттуда щепки, ветки, скрученные листья.

— Сюда клади, — распорядился Бельмесов. — Зажигай!

Сухая кучка занялась мгновенно. Взвился длинный, веселый язычок пламени. Нил даже не заметил, в какой момент на Бельмесове появилась странная четырехугольная шапка.

— На огонь смотри, — велел потомок шаманов. — Как белый будет — отпускай ее.

Он двинулся вокруг костерка, пританцовывая на полусогнутых ногах, что-то бормоча нараспев и периодически подбрасывая в огонь щепотки травы. Пламя взрывалось искрами, становилось то багровым, то зеленым, то фиолетовым. Нил отошел на несколько шагов, держа наготове раскрытый сосуд. Он провел пальцем по розовой пластмассовой поверхности, вдоль оставленной гравером бороздки, читая кожей: «Ольга Владимировна Баренцева, 1953—1982». Шаги Бельмесова убыстрялись, монотонный речитатив делался все быстрее и ритмичнее. Перед Нилом мелькало взмокшее лицо шамана, блистающие бельма закаченных глаз.

— И-и-и! — неожиданно тоненько взвыл Бельмесов, и пламя вдруг взвилось почти прямоугольным белым столбом.

Нил наклонил урну, размашисто провел ею перед собой и выкрикнул, как учили:

— Ом мани дэва хри!

Взметнувшийся серый пепел — последняя земная материальность Линды — на мгновение обрел очертания женского силуэта, потом — летящей птицы, и замер в морозном воздухе неровной, мелко мерцающей спиралью.

— Ты свободна, — прошептал Нил. — До свидания, любимая...

II
(Лосево, 1982, апрель)

— Ну еще хоть полчасика, а? Клев-то какой!

— Завелся? А ведь всю дорогу отбрыкивался... Нет, брат, хорошенького помаленьку. И этого-то до дому не дотащишь.

Асуров показал на три толстенных гирлянды крупных окуней, насаженных под жабры на длинные проволочные шомпола. Несколько рыб еще трепетало, било серебряными хвостами, остальные смирно уставили круги белых с красным ободом глаз в черное небо. Нил вздохнул и принялся наматывать леску на катушку.

— Я и предположить не мог, — говорил он следователю, методично складывающему снасти. — Я всегда считал, что рыбалка — занятие созерцательное, когда часами сидят с удочкой, кормят комаров или мерзнут над лункой, думают о чем-то великом и изредка подсекают случайную глупую рыбеху. А тут такая динамика, такой азарт! У меня рука устала таскать. Они прямо взбесились, и если бы насадить еще тройник на грузило...

— Главное — правильно выбрать место и время... Кстати, сейчас как раз время ужина. Ты ведь проголодался?

— Не то слово! Пока ловили, я не ощущал, а сейчас как навалилось — быка бы съел!

— Быка не гарантирую, но ушица отменная будет. Давай, грузи улов на тачку и пошли...

— Ох, а тут цивильно! — сказал Нил, войдя в просторные сени, обшитые крупными лакированными досками. — Не ожидал от здешней глухомани.

— А ты думал! В сапогах не ходи, здесь снимай, на коврике...

Стол был сервирован в изысканном деревенском стиле. Огурчики, сало, соленые грузди, квашеная капуста и моченая брусника, рассыпчатая отварная картошка и восхитительная наваристая уха. Единственной нехарактерной черточкой было малое количество спиртного: перед первой закуской расплескали на два полтарастика «маленькую», а всю дальнейшую трапезу запивали домашним квасом — клюквенным и медовым.

— А вот я намедни в журнале читал, как в Исландии на озерах рыбачат. Выходит, значит, крестьянин на лед, один лом в руках, гуляет и смотрит, где внизу

рыбина побольше отдыхает. А лед там чистейший, сам
понимаешь, страна повышенной экологии... — разглагольствовал Асуров. — Находит он, значит, такое место, встанет над ним и давай ногами топать изо всех
сил. Рыбка испугается, отплывет, — а он за нею, она
остановится — и он остановится, и снова топает. Рыба
на третье место — он туда же. И так до тех пор, пока
ее окончательно не утомит, то есть, сколько бы ни
топал, она уже не реагирует. Тогда пробивает ломом
лунку и вытаскивает добычу голыми руками...

— Без шума и пыли, — согласился Нил, при этом
подумав: «Он и меня берет измором, как ту рыбу. Выжидает, когда я сам начну выспрашивать его о деле...»

Следователь словно услышал его мысли и поднялся.

— Ну, вроде насытились, слава Богу. Может, сюда перейдем?

Они пересели в кресла возле журнального столика.
Нил закурил, а Асуров вытащил из кармана конверт,
извлек из него пачку фотографий, отобрал две и положил на гладкую крышку столика.

— Взгляни. Тебе эти личности не знакомы?

Нил вгляделся в глянцевые прямоугольники фотографий. Конкретно этих людей он не знал, но характерность типажей вызвала в пальцах трепет узнавания.
Первый из изображенных был лысый, тощий, с тяжелыми веками рептилии, большим носом и ушами, похожими на локаторы. Нил готов был поручиться, что
при разговоре глазки у этого человека постоянно шныряют туда-сюда и никогда не смотрят на собеседника.
Второй же, раскормленный красавчик южного типа,
этакий хозяин жизни, наоборот, из тех, кто разглядывает тебя во всех подробностях, нагло и высокомерно,
прикидывая, на сколько червонцев ты тянешь.

— Я похож на человека, у которого могут быть
такие знакомые?

— Знакомых не всегда выбираем мы сами... Значит, не знаешь ни того, ни другого?

— Нет. А кто это?

— Лысый — это Змей, он же гражданин Евсеев, очень, надо сказать, скользкий гражданин.

— Заметно.

— Крупный валютчик и спекулянт. Хитер, осторожен, мы его полтора года разрабатывали, а взять смогли только на подставе... Ладно, речь не о том. На его процессе свидетелем проходил некто Бриллиант Яков Даниилович...

— Не этот ли? — Нил ткнул во вторую фотографию.

— Ты на редкость догадлив... Того же полета пташка, если не сказать хуже. Ни к одному евсеевскому эпизоду его пристегнуть не удалось, хотя повязаны были крепко. Когда Евсеев получил высшую меру, Бриллиант перетрухал, занялся ликвидацией предприятия. Мы взяли его под плотное наблюдение, но до поры решили не трогать, рассчитывая, что он выведет нас на свои связи. Тактика себя оправдала — мы вычислили всю цепочку, по которой он все свои немалые ценности перекачивал в инвалюту, и установили, что Бриллиант планирует перекинуть капиталы за рубеж. Но по какому каналу? И тут всплывает одна персона совсем иного калибра. Ничего определенного — два невнятных телефонных разговора, встреча при множестве свидетелей. В первую очередь настораживал сам факт контакта: не такой человек этот столичный деятель, чтобы общаться с типами вроде Яши Бриллианта из удовольствия. Связывать их могло только дело, и дело немаленькое. Мы усилили наблюдение за Бриллиантом и вскоре установили точное время и место встречи Якова Данииловича с москвичом. Чтобы взять их обоих с поличным, мы дали Бриллианту упаковать большую партию долларов в серый «дипломат» и сесть с ним в «Красную стрелу».

— И тут внезапно появляются Линда с Ринго и путают все карты?

— Если бы внезапно! На появление любого нового лица мы бы тут же отреагировали, но здесь ситуация была иная. Мы долго и тщательно отслеживали все окружение Бриллианта и, естественно, не обошли вниманием и его, извини, интимную жизнь. Мы знали, что у Яши была однокомнатная квартирка на Юго-Западе, оформленная на престарелого родственника, в которой в разное время проживали несколько его любовниц. Последней, месяца за полтора до той поездки, туда вселилась временно не работающая гражданка Макаренко Анна Григорьевна, двадцати шести лет, беспартийная, незамужняя, не была, не участвовала, не привлекалась, студентка заочного юридического института, по месту учебы и последней работы — городской суд города Таганрога Ростовской области, секретарь — характеризуется положительно... Нил, твоя жена была потрясающей женщиной!

— Спасибо, я знаю...

— Она так убедительно сыграла хорошенькую недалекую вертихвостку, которой никакого дела нет до того, каким образом богатенький любовник обеспечивает ей сладкую жизнь, что нам и в голову не пришло поглубже покопаться в ее прошлом. Только экстраординарные обстоятельства ее гибели заставили нас вплотную заняться личностью потерпевшей и установить в ней гражданку Баренцеву, объявленную во всесоюзный розыск по давнему делу о хищении в хозяйственном магазине. Лично я полагаю, что на Яшу она вышла не случайно, а вывести мог тот же Васютинский. Операцию они продумали основательно. Линде удалось убедить Бриллианта взять ее с собой в Москву, в поезде она подсыпала ему в коньяк снотворного, преспокойно вышла в Бологом, спрятав чемоданчик в сумку, через полчаса пересела на поезд, идущий в обратном направлении, где ее ждал Васютинский. Наш сотрудник, посланный приглядывать за Яшей в поезде, все это элементарно проспал. По-человечески парня понять можно — такой поворот никто не мог предвидеть.

— По-человечески? А по службе?

— Переведен районным уполномоченным в Дудин-ку... Увы, любопытство возобладало над осторожно-стью, они прямо в купе взломали чемоданчик и, найдя в нем не только баснословные деньги, но и дорогое виски, решили отметить событие... Финал тебе извес-тен. К сожалению, Яшенька оказался им не по зубам.

— Но деньги-то они умыкнули.

— Не так все просто. Все обнаруженные при них доллары оказались фальшивыми, как, впрочем, и боль-шинство валюты, конфискованной ранее у Евсеева. У змея плешивого был и такой промысел, хотя о при-частности к этому бизнесу Бриллианта мы прежде не догадывались.

— Выходит, Яша намеревался втюхать москвичу фальшивые доллары?

— Не думаю. Яхонт наш бриллиантовый, конечно, не Эйнштейн, но и не идиот, профессия не та, к тому же хитрость, трусость и инстинкт самосохранения у таких субъектов развиты, как правило, чрезвычайно и с лихвой покрывают недостаток ума. Он прекрасно понимал, что после такого, как выражаются в их кру-гах, кидалова он на этом свете не заживется. Нет сомнений, что действовал он по заранее составленному плану, причем составленному не им.

— Но в чем смысл? Возить с собой фальшивые доллары, рисковать?

— Как оказалось, смысл большой. Я уже говорил, что москвич, с которым должен был встретиться Брил-лиант, — человек куда как не простой, и связи у него астрономические. Людей такого уровня можно брать только с поличным, при свидетелях, со всеми процес-суальными тонкостями. Более того, скажу тебе по сек-рету, Москва никогда не санкционировала бы наше оперативное мероприятие, поставь мы их в извест-ность, по кому собираемся работать. Но они знали лишь то, что мы ведем Бриллианта с большой суммой в валюте и в финале намереваемся выйти на неизвестного получателя. Наше руководство пошло на этот риск, рассудив, что дело верное, а победителей не судят... И прокололись мы по-страшному.

— Да уж. Такая операция сорвалась.

— Если бы только сорвалась, это было бы полбеды... Когда Яша не вышел из вагона вместе с остальными, наши подумали было, что умудрились его упустить, и так обрадовались, когда он все-таки появился, что не обратили внимания на отсутствие его спутницы. Тем более что и серый чемоданчик был при нем.

— Как это — при нем? Линда же этот чемоданчик увела.

— Значит, был второй, точная копия первого. В купе он мог оказаться только двумя путями: либо Линда принесла его с собой в красной сумке и подменила, пока Яша пребывал в отключке, либо кто-то положил его туда заранее, еще до того, как Бриллиант с Линдой сели в поезд. Лично я склоняюсь ко второму варианту — судя по тому, как события развивались дальше, Яша был сознательным участником этой комбинации, и если бы Линда не клюнула на удочку, он нашел бы другой способ избавиться от «дипломата» с долларами. Выкинул бы из окошка где-нибудь под Калинином — и взятки гладки!

— А отравленное виски...

— Для подстраховки. Расчет был точен — заполучив чемоданчик, Линда превращалась в смертельно опасного свидетеля, и ее нужно было убрать.

— Но я так и не понял, зачем все это было надо?

— А затем, что когда орлы из группы захвата устроили в холле гостиницы «Украина» эффектную сцену задержания при передаче чемоданчика, финал у этой сцены получился нелепым и позорным. Вместо тугих пачек долларов в чемоданчике обнаружили юбилейный трехтомник Чехова и шоколадный набор «Невский». Понятно, что извинениями не обошлось. В течение недели под тем или иным предлогом от работы были отстранены все начальники, бывшие хоть немного в курсе операции, следственная группа расформирована, все материалы по делу Бриллианта изъяли и увезли в Москву. С самого Яши взяли подписку о невыезде, а через несколько дней он, прямо как в известной песне, пьяный на своей машине навернулся с моста, только не с Крымского, а с Аларчина. Вместе с ним в воду ушли все концы. А куда девалась бо́льшая часть его нетрудовых накоплений, можно только догадываться.

— М-да, масштабный деятель этот москвич, — в задумчивости проговорил Нил. — Кстати, ты ни разу не упомянул его имя. Это кто-нибудь очень известный? Очень высокопоставленный?

— Ну, известность его достаточно ограничена, к всенародной славе он не стремится, а что касается должности, то этот гражданин скромно трудится в постоянном представительстве одной из союзных республик.

— Но почему тогда он пользуется таким колоссальным влиянием?

— Видишь ли, во все времена существовали люди, наделенные особым талантом — умением быть нужными.

— А разве это плохо? Ненужные люди — они никому не нужны.

— Нужность таких людей специфична. Когда предлагают запретный плод плюс гарантии безнаказанности, устоять не всегда легко. Тем более, когда есть чем оплатить услугу, а плод уж больно сладок.

— Поставляет девочек Папе Римскому и вино персидскому шаху?

— Если твои слова понимать в метафорическом смысле, то ты попал в точку. Подумай, что в нашем обществе можно считать эквивалентом вина или свинины для мусульманина или половых связей для католического священника?

— Ну, не знаю... Романы Солженицына?

— Смешной ты... Одна половина клиентов нашего московского друга такой фамилии вообще не знают, а другая имеет неограниченный доступ к любой антисоветской макулатуре, причем многим даже вменяется в обязанность ознакомиться с ней, чтобы знать противника в лицо. Кстати, и тебе полезно было бы взглянуть.

— На Солженицына?

— Нет, на более непосредственного противника.

Асуров выложил на стол третью фотографию. Запечатленный на ней мужчина был лыс и худ, но этим сходство с валютчиком Евсеевым исчерпывалось. Тонкие, иронично изогнутые губы, умный взгляд круглых совиных глаз, крупный прямой нос, глубокая вертикальная морщина посреди широкого лба...

— Так ты знаешь его? — хлестко спросил Асуров, не сводя глаз с Нила. — Откуда?

— Показалось, — хрипло ответил Нил. — Этого просто не может быть...

— Чего не может быть?

— Понимаешь... когда я совсем мальчишкой проболтался незнакомому человеку насчет... ну, насчет одной семейной драгоценности... А потом ее украли прямо из квартиры. Больше ничего не взяли.

— И этот человек был он? — Асуров ткнул в фотографию.

— Похож. Тот был, конечно, моложе и не такой... ну, не такой властный. А этому бы Юлия Цезаря играть.

— Тоже заметил? В наших оперативных разработках он и проходил как Цезарь.

— Ты так и не сказал, чем именно совращает наших непорочных граждан московский Цезарь, — чуть успокоившись, заметил Нил.

— Возможностью делать деньги.

— Извини, но мне казалось, что его интересуют как раз те круги, которые не страдают от недостатка денег.

— Вот именно. Они страдают от их избытка. Когда у человека появляется лишняя пятерка, он покупает бутылку водки или билет в театр, двести рублей — и он приобретает новый костюм или путевку в

Крым, несколько тысяч — автомобиль или дачу. Но когда все это уже есть, а в кубышке еще позвякивают денежки, то как-то обидно их тратить на восьмой по счету гарнитур из карельской березы или на десятую брошь белого золота. Начинает хотеться заводиков, пароходиков, счетов в швейцарском банке, недвижимости во Франции и акций в нефтяных компаниях... Аппетит приходит во время еды. Но вся загвоздка в том, что при нашей системе гражданин имеет право на личную собственность, но на собственность частную, то есть приносящую доход, права не имеет.

— Иными словами, наличие у жены хитрого завмага восемнадцати норковых шуб законом не возбраняется, а наличие у старушки на рынке нескольких кульков с семечками законом преследуется? Я правильно понял?

— Примерно так. Помяни мое слово, эта нестыковочка для социализма окажется поопасней всех Солженицыных вместе взятых, только одни этого не видят, а другие видеть не хотят. Зато вот эти господа, — Асуров ткнул пальцем в фотографию Цезаря, — все видят и действуют соответственно... А теперь представь себе, что ты судья...

— Я не судья, — прервал его Нил.

— Ну тогда следователь, частный детектив, вроде Шерлока Холмса. Разве тебе никогда не хотелось хоть немного побыть Шерлоком Холмсом? У тебя есть факты, есть характеристики основных фигурантов. Тебе предстоит ответить на несколько вопросов. Вопрос первый: была ли смерть твоей жены результатом несчастного случая, самоубийства или убийства?

— Убийства, — побелевшими губами выговорил Нил.

— А смерть Штольца-Васютинского?

— Тоже.

— Смерть Бриллианта?

— Не уверен, но скорее всего.

— Были ли эти убийства преднамеренными?

— Были.

— Имелся ли во всех случаях корыстный мотив?

— Да.

— Кто виновен в совершении этих убийств?

— Он. — Нил показал на фотографию Цезаря*.

— Должен ли виновный предстать перед судом и понести заслуженное наказание? — прокурорским тоном осведомился Асуров.

— Должен... Но ведь нет никаких улик, никаких свидетелей, а при его связях...

— Согласен. Вероятнее всего, конкретно по этому делу привлечь его безнадежно. Но ты уверен, что его бурная деятельность свободна от других аналогичных эпизодов? Разве смерть Линды хотя бы частично отомщенной, даже если он пойдет под расстрел не за ее убийство, а, скажем, за крупные экономические преступления?

— Конечно. Но при его всемогуществе что вы сумеете ему инкриминировать?

— Ну, он пока еще не Генеральный Секретарь и даже не Господь Бог. И на него можно найти управу. Если с пуленепробиваемыми фактами выйти на самого Андропова, на Политбюро...

— А как вы добудете такие факты? Неужели вы думаете, что он допустит до своего хозяйства энтузиастов-правдолюбцев из чухонской провинции?

— Факты добудешь нам ты! — грохнул совсем рядом новый голос.

Нил вздрогнул, поглядел туда, откуда доносился этот голос, — и вздрогнул еще раз.

---

* Разумеется, про фальшивые доллары Нилу наврали. Иначе им было бы трудно убедить его в том, что в смерти Линды повинен шеф, и склонить к агентурной работе в его ближайшем окружении. А именно такая задача была поставлена перед Ковалевым, а тот, в свою очередь, довел ее до Асурова, тогда еще честного служаки... По той же причине утаили еще один примечательный факт — при вскрытии в желудке Линды (только Линды!) обнаружили лошадиную дозу мышьяка. В отличие от Линдиных, мотивы Ринго были, полагаю, сугубо деловые — убирал подельницу, не хотел делиться... (*Прим. Т. Захаржевской.*)

Доктор Евгений Николаевич был чрезвычайно внушителен и почти неузнаваем. И дело было не только в безупречно отутюженной генеральской форме. Изменилась осанка, четче обозначились квадратные челюсти, вместо профессорской бородки рельефно вырисовывался бритый крутой подбородок, во взгляде проступил металл. Завидев генерала, Асуров поспешно встал, автоматически вскочил и Нил.

— Прошу. садиться, — позволил Евгений Николаевич и, подавая пример, опустился в третье кресло, стоящее в торце стола.

Асуров сел. Нил остался стоять.

— А тебе особое приглашение надо?! — совсем уже по-хамски рявкнул генерал. — Садись, а то упадешь.

От потрясения Нил и в самом деле держался на ногах очень нетвердо.

— Я не понимаю... — жалко пролепетал он, рухнув в кресло. — Это вы... И вы сказали, что я...

— Да, именно ты! Мы долго к тебе присматривались. Ты, конечно, не сказать, чтобы без придури. Буги-вуги всякие, тирлим-бом-бом, по бабам опять же ходок первостатейный, а уж супругу выбрал — оторви да брось, царство ей небесное. Ну да ладно, дело молодое, с кем не бывает. А в целом парень ты правильный, башковитый, комсомолец. И есть мнение оказать тебе высокое доверие... А вам, товарищ майор, поручается курировать товарища Баренцева.

— Слушаюсь, товарищ генерал! — бодро отрапортовал Асуров.

— Майор?

У Нила голова шла кругом.

— Майор Комитета государственной безопасности Константин Сергеевич Асуров, — представился Костя.

— Но ты же говорил... из следственного комитета...

— У нас свой следственный комитет. Извини, брат, не предупредил. Не имел на то полномочий.

— А задание предстоит тебе чрезвычайное, секретное, о котором и в нашей конторе знать должны только ты да я, да мы с тобой, — продолжил генерал. — Не считая, конечно, Константин Сергеича и еще пары надежных ребят для подстраховки.

— К-какое задание?..

— Ответственное, дорогой, и даже опасное. Внедриться в ближайшее окружение Шерова, войти к нему в доверие и ставить нас в известность обо всех его противоправных действиях.

— Шерова? Какого еще Шерова?

— Вадим Ахметовича. Вот этого. — Генерал показал на фотографию Цезаря.

— Но... но как же так?.. Почему вдруг я?..

— А мне показалось, что ты готов на все, чтобы покарать убийцу твоей жены, — грустно заметил Асуров. — Или только показалось?

— Нет, я готов!.. Только... я не готов. В смысле, не подготовлен. Я не знаю, что делать, как... Наверное, лучше будет послать специалиста...

— Со специалистом проблемы. А делать ничего особенного и не надо. Вести себя естественно, смотреть, слушать, запоминать. Кой-чему, конечно, подучим, майор займется... Если даже придется поучаствовать в каких-то его шашнях — участвуй, имеешь индульгенцию на все, кроме прямой мокрухи, — заявил Евгений Николаевич.

— Ну же, Нил! Тебе ведь всегда нравилась рисковые ситуации. Помнится, при Линде у тебя их было немало.

— При Линде! — Нил вздохнул. — Тогда было другое... Тогда была любовь.

— А теперь? — Асуров как-то странно посмотрел на него, быстро вытащил из кармана конверт с оставшимися фотографиями и сунул Нилу. — Смотри!

Три верхних фотографии сильно отличались от предыдущих — цветные, насыщенные, праздничные.

На каждой из них неотразимо и победно улыбалась медноволосая царица его грез — Таня Захаржевская. Одна. В группе красиво одетых людей. Под руку с лысоватым невысоким... Шеровым. Убийцей Линды.

— Да, — ответил Асуров на шальной взгляд Нила. — Это они на вернисаже известного живописца Янтарева. Есть и несколько кадров оперативной съемки.

— Умеешь ты, Баренцев, баб себе подобрать! — высказался Евгений Николаевич. — Ну самых чумовых! Одна другой краше.

— Да, Нил, это так, — поспешил подтвердить Асуров. — Сведения, которые мы смогли собрать по Захаржевской, скудны и обрывочны, но и то, что есть, — это, извини... Мы имеем достаточные основания утверждать, что с Шеровым она связана чуть не со школьной скамьи, что именно она организовала выездной публичный дом для гостей его пригородной резиденции, потом, уже самостоятельно, без патрона, инициировала крупный передел городского рынка наркотиков. Позже сама подсела на иглу, бросила мужа с грудным ребенком, чудом не отдала концы от чудовищной передозировки героина, причем рядом с ней обнаружили два трупа. Следователь Чернов, который вел это дело, погиб нелепейшим образом, а ее саму по приказу Шерова прямо из реанимации перевезли в Москву, туда же ушли все материалы дела. Знакомый почерк, не правда ли?[*]

Нил угрюмо молчал.

---

[*] Естественно, без моей санкции Ковалев не посмел бы выкладывать Нилу подробности моей биографии. Нужно было, чтобы наше знакомство возобновилось именно при таких предлагаемых обстоятельствах — он должен был ощутить себя разведчиком, действующим в тылу коварного, смертельно опасного врага. Только так я смогла бы помочь ему раскрыть в самом себе уникальный дар. Но вышло иначе... *(Прим. Т. Захаржевской.)*

— Мы вышли на нее в ходе наблюдения за Бриллиантом, — продолжил Асуров. — Установили, что в Москве он встречался с ней, через нее получил аудиенцию у Шерова. Попутно выяснили, что накануне этой встречи у нее ночевала подруга Бриллианта, известная нам тогда под именем Анна Макаренко, и что в тот же вечер возле ее дома активно крутился некий гражданин Баренцев, утром пытавшийся получить о ней информацию через справочную службу. В тот период контакты Бриллианта были особенно обширны, и многие следы, в том числе и твой, как-то подзатерялись в ворохе оперативной информации. Интерес к твоей персоне возник у нас лишь тогда, когда мы установили настоящее имя покойной Анны Макаренко и кем она приходилась тебе... Теперь ты понимаешь, почему я так долго уходил от прямых объяснений. Нужно было всесторонне изучить ситуацию, все взвесить, выработать решение... Нил, мы верим тебе и полностью на тебя полагаемся. Твое появление не вызовет у них подозрений, мы задействуем цепочку, и в общество Захаржевской тебя введет человек, не имеющий никакого представления о том, что ты связан с нами, так что утечка информации исключена. Тебя представят как подающего надежды музыканта, исполняющего современную музыку, так что подготовь какой-нибудь эффектный номер. Твоя встреча с Захаржевской должна стать приятной неожиданностью для вас обоих. Ужель та самая Татьяна, которой я наедине, и так далее. Не мне тебя учить, к женщинам ты подход имеешь... И не бойся, что Шеров начнет ревновать. Мы имеем достоверные оперативные сведения, что он — полный импотент и, как я склонен предполагать, будет только счастлив, если его сообщница заведет себе интеллигентного, безобидного любовника, не имеющего никаких поползновений встроиться в их бизнес. Именно таким ты и должен быть. Никакой инициативы, никаких попыток форсировать добычу информации...

Нил молчал, глядя на фотографию Тани в обществе Шерова.

— Опасаешься, как бы он не узнал, что ты — муж женщины, погибшей в результате его махинаций? Ну и что? Информацию на сей счет он может получить только из материалов дела, а там ты фигурируешь только в протоколе опознания... Правда, еще есть листочек с твоими официальными показаниями, но оттуда он много не почерпнет. С такого-то года проживали раздельно, встречались эпизодически, о последнем месте жительства не осведомлен. При случае можешь и сам рассказать им о жене — в пределах тех же сведений... Если беспокоишься насчет работы — не беспокойся, бюллетень на любой срок будет тебе обеспечен... Командировочные, сумму на представительские расходы мы тебе выделим... Пойми, другого способа прижать Шерова у нас нет.

Нил продолжал хранить молчание.

— Давить их надо! — рявкнул генерал. — Развелось, понимаешь, выжиг, хапуг, шпрехшталмейстеров всяких, перерожденцев! Совсем распоясались, государственный карман со своим перепутали, подрывают наш строй изнутри! Ты, Баренцев, гордиться должен, что Родина тебе доверие оказывает!

Нил остервенело махнул рукой — обжегся дотлевшей до фильтра сигаретой — и вновь замер.

— В молчанку играемся? — со зловещей проникновенностью осведомился Евгений Николаевич. — Ссым? Другие в твои годы голой задницей против танков перли, на амбразуры лезли, а он, понимаешь, на роскошную бабу влезть забоялся! Молчишь? Ну ничего, на Колыме и споешь, и спляшешь!

Как ни странно, угроза генерала мгновенно скинула то колоссальное напряжение, которое буквально парализовало Нила с того момента, как он принял из рук Асурова фотографии Татьяны — и даже раньше, когда увидел на карточке физиономию Шерова. Он почувствовал себя спокойным и собранным.

— Сразу на Колыму? За отказ сотрудничать?

Получилось хрипло и немножко слишком нагло.

— За соучастие в убийстве! — торжественно отчеканил генерал.

— Что?! Это вы на историю с отчимом намекаете?

Нил укоризненно посмотрел на Асурова.

— Ну, если ты настаиваешь, мы можем, конечно, вернуться к безвременной кончине профессора Донгаузера и взглянуть на нее под таким углом, — Асуров усмехнулся. — Однако товарищ генерал имеет в виду совсем другой эпизод.

— Какой еще эпизод?

— Константин Сергеевич, объясни. А я пройдусь пока, ноги разомну…

— В рамках расследования по факту смерти гражданина Штольца, он же Васютинский, и гражданки Макаренко, она же Баренцева, при осмотре места происшествия в вещах потерпевшей был обнаружен револьвер системы «наган», серийный номер ИЗ-01414, — монотонно, будто читая с листа начал Асуров. — На основании баллистической экспертизы был сделан вывод об идентичности данного оружия тому, из которого в ночь с третьего на четвертое августа 1980 года в подвале собственного дома в окрестностях города Сухуми были убиты гражданин Сичинава Леван Багратович, министр химической промышленности Абхазской АССР и, предположительно, гражданин Сичинава Михаил Автандилович, бывший студент Ростовского медицинского института. Тело Сичинава М. А. было обнаружено двадцать третьего октября 1980 года в горной пещере в районе реки Бзыбь, до какового времени гражданин Сичинава М. А. считался единственным подозреваемым в убийстве своего дяди, Сичинава Л. Б., и находился во всесоюзном розыске. Согласно показаниям Баренцева Н. Р., мужа гражданки Баренцевой О. В., она же Макаренко, в период с 27 июля по 4 августа 1980, они с женой проживали в гостинице спорткомплекса

«Эшера», расположенного близ Сухуми. 4 августа Баренцева О. В. неожиданно отбыла самолетом в город Харьков, а Баренцев Н. Р. получил от нее билет на поезд Сухуми—Ленинград на то же число и зашитый в мешковину предмет, предположительно чемодан небольших размеров, с просьбой сохранить его для нее. Однако в Харькове она встретила поезд с мужем и забрала чемодан, оставив взамен коробку с крупной суммой денег, со слов Баренцева, десять тысяч рублей. Все вышеизложенное позволяет сделать вывод о непосредственной причастности гражданки Баренцевой О. В. к убийству Сичинава Л. Б. и Сичинава М. А., а гражданина Баренцева Н. Р. — к соучастию в форме сокрытия следов преступления...

«Это не здесь и не со мной, — промелькнуло в сознании Нила. — Это Кафка пополам с Ионеско, а я лишь зритель в зале экзистенциального абсурда...»*

— Хотелось бы уточнить, в чем же это сокрытие выражалось, — тоном театрального критика произнес он.

— А в том, что ты вывез подальше от места преступления орудие убийства и похищенные у министра ценности, скорее всего, деньги, тем самым дав преступнице возможность беспрепятственно пройти контроль в аэропорту и скрыться, за что и получил свою долю награбленного, — совсем другим тоном пояснил Асуров. — К сожалению, у тебя нет справки, подтверждающей, что

---

* Для посвященных этот театр абсурда не так уж и абсурден, тем более что объектом разработки был не только Нил, но и Асуров, показавшийся шефу весьма перспективным. К группе, занимавшейся Евсеевым и Бриллиантом, лысый Костя никакого касательства не имел, зато Нила разрабатывал давно, причем сразу в двух аспектах: во-первых, как жильца квартиры, чрезвычайно интересной для органов, во-вторых — как человека, по роду занятий имеющего плотные контакты с иностранцами. А тут еще мадемуазель Дерьян, особа крайне завлекательная с точки зрения госбезопасности. Наковыряв на Нила обстоятельное досье, он получил наконец «добро» начальства на привлечение гр. Баренцева Н. Р. к агентурной работе. Но тут как раз произошла роковая незадача с Линдой, и жизнь внесла в стандартную гэбистскую схему несколько нестандартных корректив. (*Прим. Т. Захаржевской.*)

ты идиот, ибо только идиот мог не догадаться, что дело здесь нечисто... Такие вот дела, дорогой. Так что хочешь не хочешь, а на агентурную работу подписаться придется. Получишь удовольствие, обещаю.

— Слушай, гражданин майор, а еще водочки не найдется?

— Ну, как там наш подопечный?

Евгений Николаевич полулежал на диванчике в расстегнутом мундире, закинув ноги в сверкающих полуботинках на соседнее кресло.

— Выпил две рюмочки — и с копыт, — без особой приязни отозвался вошедший Асуров. — Присадка, я надеюсь, безвредная?

— Абсолютно, — заверил генерал. — Я и сам иногда... когда не спится.

— Вы бы сняли мундир, подполковник, — сказал Асуров. — Маскарад окончен. Или жаль расставаться с большими звездами?

— Отчасти жаль, но больше лень. Утомили перевоплощения, знаете ли...

Евгений Николаевич, не вставая, принялся вылезать из мундира.

— Остаюсь при мнении, что затея ваша безнадежна, — решительно заявил Асуров. — Если вы полагаете, что Шеров его не раскусит с первого взгляда... Профукаем перспективного кадра — и все.

— Это не вам решать, майор, — оборвал его Евгений Николаевич. — И не мне. Начальству виднее, а нам — исполнять. К тому же вы не посвящены в некоторые... нюансы. Полагаю, вашему новому приятелю ничего не угрожает, так что не надо бить копытом.

— Вы, подполковник, по-французски понимаете? — неожиданно спросил Асуров.

— Ну, не то, чтобы... На уровне «лямур-тужур».

— Этого вполне достаточно.

— Достаточно для чего?

— А вы послушайте.

Асуров раскрыл ящик полированного комода, достал оттуда кассетный японский диктофон, поставил на стол, нажал кнопку. Тихо зазвучал взволнованный женский голос.

— «Ах, Жанин, я здорова — и я больна. Больна сладким и мучительным недугом любви...» — начал переводить Асуров.

— Понятно. Дальше можете не крутить.

— Влюблена, как мартовская кошечка... Надеюсь, вас ознакомили с моей аналитической запиской, и мне нет надобности объяснять, в какие круги мы можем внедриться через эту Дерьян, — сказал Асуров, остановив пленку. — Вы, московские, к начальству ближе, попробовали бы все-таки объяснить им, что тут дела поважнее их аппаратных игр...

— В данный период важнее аппаратных игр нет ничего, — возразил Евгений Николаевич. — Вы же не обыватель с улицы, прекрасно знаете, что Главпапа до конца года не дотянет. Именно сейчас решается — кто кого. И не исключено, что с помощью нашей пешки, — Евгений Николаевич кивнул в сторону стены, за которой спал Нил, — будет сожран не один король.

— Как бы нас с вами не сожрали... — с сомнением проговорил Асуров. — Заодно с вашим королем.

III
(Ленинград, 1982, май)

«Зигги, любимый мой!

Раз ты держишь это письмо в руках — значит, моя последняя гастроль завершена. Так что, поздравляю с обретенной свободой. Надеюсь, выстрел в сердце не сильно попортил мой портрет, и на нашем последнем свидании я была презентабельна. Досадно было бы уйти в вечность с перекошенной физиономией.

Поступить иначе я не могла. Весь год перед глазами неотступно стоит его лицо в тот последний миг, белое, с безумными глазами, с распяленным ртом, в ушах не умолкает его крик и грохот выстрела. Надеялась, что это как-то сгладится, приглохнет со временем — но нет. Не получается.

Мишу мы подцепили в Ростове. Приятель Ринго, мелкий катала, попросил помочь вправить мозги одному бестолковому студенту, не понимающему, что карточные долги надо возвращать. Разговор со студентом закончился тем, что Ринго перевел его долг на себя, расплатился и даже открыл этому чудаку долгосрочный кредит.

Миша был веселый, беззаботный херувимчик, привыкший ни в чем себе не отказывать и совершенно не способный думать о завтрашнем дне. Богатый дядя, министр химической промышленности Абхазии — представляешь, там есть химическая промышленность! — каждый месяц высылал ему по пятьсот рублей. Поначалу этого хватало, но скоро Миша освоился в городе и вошел во вкус. Кабаки, карты, девочки... Мы были щедры, он отвечал нам любовью и щенячьей преданностью. Идиллия длилась несколько месяцев, а потом Ринго объявил, что пришло время платить по счетам, и назвал сумму. С Мишей случилась истерика, и тогда пришлось вывезти нашего подопечного в укромное место и заняться лечением его нервишек. Строгая диета, интенсивная психотерапия, несколько сеансов „лечебной физкультуры“ — и он у нас стал как новенький. Написал дорогому дяде, что жив-здоров, отъехал с друзьями в строительный отряд и в ближайшее время рассчитывает наведаться домой.

Сам Ринго в Сухуми появиться не мог, его там знали слишком многие и далеко не все вспоминали с любовью. Впрочем, нам в любом случае следовало разделиться — Миша должен был знать, что если он вздумает фокусничать и сдаст могущественному дяде и его ментовским корешам одного из нас, останется второй, который его из-под земли достанет. Поэтому в Сухуми поехала я. Имея рекомендательные письма от Ринго, я быстро устроилась, наладила кое-какие контакты, провела разведку на местности. К концу июля на Мише зажили все следы нашего лечения, и Ринго доставил его в Феодосию и передал с рук на руки мне. Мы должны были отплыть в Сухуми на том же теплоходе, на котором я приехала в Крым.

Тебя я заметила издалека в компании невидной из себя сопревшей барышни, тут же сделала круглые глаза, оттащила Мишу за кустики, велела срочно взять еще один билет и ждать нас на пароходе, но ни в коем случае к нам не приближаться и не подавать виду, что он меня знает. Пришлось шепнуть ему, что ты — „контролер" от Ринго и хладнокровно пришьешь обоих, если что-то пойдет не так. Он, бедный, рванул во все лопатки. Поверь, я не стремилась создать тебе такую рекламу, но очень уж не хотелось, чтобы он болтался у нас под ногами. Ведь я так истосковалась по тебе, единственному светлому лучику в моей непутевой жизни, и как чувствовала, что больше нам не дано будет свидеться...

Ладно, извини за лирику. Я вовсе не собиралась как-то использовать тебя, просто хотела провести с тобой те несколько дней, которые были в моем распоряжении. И спасибо тебе — они были незабываемы, жаль только, промчались слишком быстро. Пришлось срочно перекраивать весь план. Изначально предполагалось, что он дождется того дня, когда дядя со всем семейством уедет на свадьбу к родственникам, в последний момент скажется больным, останется в доме один, спустится в подвал, возьмет чемоданчик с деньгами и в условленном месте передаст мне. По Мишиным словам, этих чемоданчиков было так много, что никто и не заметит пропажи. Но за неделю до свадьбы отца жениха, торгового начальника средней руки, вызвали в Тбилиси и там неожиданно арестовали за какие-то махинации. Свадьбу пришлось отложить. Миша психовал, в любую минуту мог сорваться и завалить операцию, медлить было нельзя. Если бы я только знала, чем все это обернется!

Через Гиви я достала себе билет на самолет и билет на поезд для тебя, а вечером последнего дня устроила отвальную в нашем номере. Помню, тебя удивило, что я позвала гостей, но так было надо. В купленную мной чачу я вкачала ударную дозу фенобарбитала, а когда вы все вырубились, вытащила у Гиви ключи от его машины, тихо поехала по шоссе, потом свернула на темную улицу и остановилась, выключив фары. В два пятнадцать Миша должен был объявиться здесь, отдать мне деньги и быстро вернуться, чтобы никто из случайно проснувшихся домашних не хватился его. Вокруг было тихо, темно, только трещали цикады и на дальнем краю улицы горели огни, слышались песни, крики и пальба, там что-то праздновали. Дом Мишиного дяди стоял ближе. Я ждала долго, наконец Миша вынырнул из кустов возле самой машины — запыхавшийся, растрепанный, бледный как смерть, — швырнул на заднее сиденье чемоданчик и еще что-то. „Увези меня отсюда, — сказал он. — Я дядю убил".

Он был невменяем. Из его путаного рассказа я поняла только, что дядя выследил его в подвале, начал кричать на него, вырвал из рук чемодан, ударил по лицу. Я так и не разобрала, откуда у него в этот момент взялся пистолет, но он нажал на спуск, и дядя упал, убитый наповал, — пуля попала в глаз. Должно быть, в тесном, захламленном помещении выстрел получился негромкий, или же все здешние жители привыкли к ночным канонадам, только никто в доме не проснулся, и Миша выбежал, никем не замеченный. Долго плутал по полям, не разбирая дороги, пока не вышел к назначенному месту... Мы тронулись, ехали, непонятно куда, лишь бы подальше. Он то причитал, то кричал на меня, то плакал, требовал везти его в Ростов, или к морю, чтобы вплавь добраться до Турции, или в ближайшее отделение милиции. Зигги, это было ужасно! Наконец, мне удалось уболтать его, внушить, что самое лучшее будет найти где-нибудь в горах укромное место, где он мог бы пересидеть несколько дней, пока я не изыщу надежный способ вытащить его. А уж там куплю ему дворец хрустальный и буду по гроб жизни купать в шампанском и кормить королевской кашкой с золотой ложечки. Он разнежился, разулыбался и заявил мне, что есть у него такое местечко, возле реки, и от дороги совсем недалеко, мол, в детстве там с мальчишками лазал и открыл потаенную пещерку, про которую никто во всем свете не знает. Доехали до реки, остановились. Он, как архар, сразу в гору рванул, тут же оступился, упал — хоть и луна светит, а все равно темень, южная ночь. Хорошо, у Гиви в багажнике фонарик отыскался, а еще я из салона незаметно пистолет прихватила, который он на заднее сиденье бросил, заткнула за пояс.

Пойми, Зигги, ничего другого не оставалось, что же мне из-за этого слабонервного козла до старости в пропотевшем ватнике на лесоповал шагать под песни строевые, в одной шеренге с прочифиренными воровками? За что? За то, что долг мне вернули с довесочком в виде сиятельного трупа? А Миша так и так был уже не жилец. Уж не знаю, та это была пещерка или другая, только не дрогнула у меня рука... Потом я его, как могла, камешками присыпала и вход в пещеру завалила. Помнишь, ты еще утром спросил, где это я коленку расшибла, а я сказала, что в ванной поскользнулась. Так вот, это было там, у речки...

Обратно ехала в бодрости необыкновенной, такая вся из себя крутая, человека замочить — что муху прихлопнуть. Чуть с шоссе съехала — не удержалась, остановилась, свет включила, чемоданчик взяла. Открываю. Битком, и все четвертные! Неудивительно, что у них там частные домики и по миллиону стоят, и по два, а все равно нарасхват. Капусты у них у всех, будто на Кавказе свой печатный двор, честное слово! Я несколько пачек в пакет переложила — и про запас, и место освободилось, чтобы револьвер туда поместился, — замочки защелкнула и поехала дальше, чтоб затемно успеть. Успела. Машину на то же место поставила, забор перемахнула, в номер через балкон забралась, чтобы вахтера не беспокоить, на вас на спящих поглядела, вышла в коридор, в шкафу у уборщицы нашла мешок, предназначенный, видимо, на тряпки, чемоданчик им обшила, в сумку запаковала, душ приняла, а вы все дрыхнете, будто стадо сурков. Уже будить пора, в аэропорт ехать. И тут я соображаю, что лететь с таким грузом не могу, — там ведь и на металл проверяют, и рентгеном просвечивают. Решила отправить с тобой, поездом. До меня ведь только потом дошло, во что я могла тебя впутать. Ну да, слава Богу, обошлось!

А потом лихая Бонни воссоединилась со своим Клайдом, и жили они совсем недолго и не очень счастливо, зато умерли в один день. Уж с этим-то я постараюсь! Буду бить в голову, чтобы наверняка...

Ринго проявил сочувствие и понимание, вместо оговоренной половины оставил мне три четверти добычи, обеспечил чистыми документами, устроил на работу в суд, надоумил поступить на заочный юридический. И все было бы славно, если бы через некоторое время мне не начал являться Миша. Он преследовал меня и во сне, и когда я бодрствовала. Избавиться от него не помогло ничто — ни водка, ни косяк, ни „винт“. Это было невыносимо. Когда я сидела в своей конуре в задрипанной общаге, пьяная в дымину, и глядела в дуло револьвера со взведенным курком, вновь явился Ринго. Услышала его шаги, его бодрый голос за дверью, еле успела спрятать пушку. И тут же окончательно поняла, что не могу уйти, не прихватив с собою и его. Но уйти красиво...

Зигги, я ненавижу его! Он мнит себя благородным жуликом, этакой помесью Робин Гуда и Остапа Бендера, а на самом деле — обыкновенный сутенер, только очень изобретательный, коварный, с богатым воображением. Он столько лет манипулировал мной, всегда перекладывал на меня самую грязную часть работы, подкладывал под тех, на кого строил планы!

Вот и в тот раз его идея была в том же роде. Я уволилась, вернулась в Ленинград, сняла квартирку в отдаленном районе, и вскоре он свел меня с Яшей Бриллиантом. Я всякого навидалась, но такой грязной, вонючей свиньи!.. Не в буквальном, конечно, смысле — Яша холит себя и лелеет, часами отмокает в душистой ванной, а его коллекции духов и лосьонов позавидует самая дорогая проститутка. Но когда он... Нет, я не могу заставить себя написать об этом, даже зная, что когда ты будешь читать мое письмо, все здешние мерзости уже не будут иметь ровно никакого значения. Знал бы ты, как трудно подавлять в себе желание раздавить этого жирного клопа, особенно имея для этого все возможности. Но я терпела, улыбалась ему, шептала нежные слова, ласкала... Представь себе, что ласкаешь гигантского опарыша, только волосатого, потного и слюнявого. Нет, это существо недостойно смерти. Я отберу у него то, что составляет смысл его существования, заменяет честь, порядочность, самоуважение — его паршивые деньги.

Я долго ломала голову, как бы это дело провернуть половчей, и знаешь, кто меня в конце концов надоумил? Сдаешься?

Танька Захаржевская, та самая рыжая очаровашка, по которой ты так сох на первом курсе! Зимой, в Москве, когда я в невменяемом состоянии убегала от пьяного Яшеньки, надумавшего поделиться мною еще с тремя такими же, меня чуть не сбила машина, а за рулем была она. Таня теперь птица высокого полета, и котелок у нее варит — будьте любезны. С ней-то мы и обмозговали, как нам прокинуть Яшеньку, и я даже не постеснялась взять с нее задаточек... Да только я поступлю хитрее и прокину всех, включая и ее всесильного босса, и ее саму, родненькую, и наше говенное отечество, — бензинчик имеется, успею между выстрелами превратить кучу зелени в кучу пепла!

Раз ты читаешь это строки, значит, уже знаешь, что мне это удалось. Надеюсь, компетентные органы посвятили тебя в детали. Жаль, что я так и не узнала результатов следствия. А может быть, и узнала. Не та ситуация, где можно что-то сказать наверняка.

А больше я не жалею ни о чем.

Все, пора собираться в предпоследний путь. Через недельку-другую, когда сыр-бор уляжется, верный человек бросит это письмо в твой ящик.

Люблю тебя.

Линда.

P. S. Помнишь, где мы собирали солнечную малину? Когда стают снега, наведайся туда. Прихвати лопатку. Под каменной розой найдешь мое наследство».

Нил сложил листки на тумбочку, аккуратно разгладил, придавил гипсом, здоровой рукой кое-как сложил и засунул в нагрудный карман пижамы.

Это длинное письмо она писала в несколько приемов. Разные ручки, разный почерк — местами разлетающийся и торопливый, местами старательный, почти каллиграфический. Оформленные, видимо, не раз обдуманные фразы чередовались с поспешными, то набегающими одна на другую, то почти бессвязными. Настроение тоже менялось. Чувствовалось, что временами ее одолевали сомнения, о том ли следует говорить в последнем послании.

— О том, о том, — шепотом заверил Нил. — Ты умница, девочка...

— Плохие новости? — тихо, чтобы не будить остальных, спросил Кузя.

— С чего ты взял, что плохие?

— Просто лицо у тебя...

Нил улыбнулся.

— Заштопанное у меня лицо, дорогой товарищ. А ты что не спишь?

— Болит, стерва... Слушай, если выйти курить надумаешь, попроси там сестричку, чтобы пришла, еще разок уколола.

— Годится. А ты мне трубочку набей, а то мне не с руки.

Воистину, не с руки, это он правильно сформулировал, поскольку с такой руки, как сейчас его левая, все будет только «не». В гипсе по самое плечо, зафиксирована в позе «а воды здесь повыше пояса». В целом же, можно считать, отделался легко...

Не в том он был состоянии, возвращаясь с генеральской дачи, чтобы обращать внимание на проезжающий транспорт, однако же успел в последнюю долю секунды отпрыгнуть от бампера легковушки, вынесенной юзом на тротуар. Но к борту приложился основательно — синяки, ссадины, сильно содрал кожу на щеке. Больше всего пострадала рука, угодившая под заднее колесо. Помятая машина попала на аварийную стоянку, а Нил и водитель, порезавший лицо осколками лобового стекла, — в Институт скорой помощи. Водителя, обработав порезы, отпустили, а Нила отправили наверх, в хирургическое отделение, где он и валялся вот уже десятый день.

Больничную тоску разнообразили визиты.

Приперлась незнакомая тетка, назвавшаяся страхделегатом — и впрямь была страшна, как Хиросима после атомной бомбы! — притащила кулек конфет, черствый пряник в коробочке и извещение об удержании профсоюзных взносов из текущей зарплаты. Зато каждый день приходила Хопа, то одна, то в обществе Гоши, кормила его вкуснейшей домашней едой, забирала прочитанные книги и приносила новые, рассказывала последние новости. То обстоятельство, что дом находился в четырех остановках от хирургического, нисколько не умаляло его благодарности за заботы. Попутно она по мере надобности ухаживала за другими больными — переворачивала лежачих, выносила судно, меняла флаконы на капельницах. Потом Нил провожал ее до площадки, и они там курили.

— Только Эду не рассказывай, что я все еще дымлю, — говорила она.

— Запрещает?

— Еще как! Обнюхивает, говорит, что целоваться с курящей женщиной все равно, что целоваться с пепельницей.

Именно она принесла письмо с того света, и Нил сразу узнал почерк на конверте, но сразу читать не стал, выждал, когда соседи по палате, получив на ночь предписанные уколы и таблетки, вырубили радио и затихли в своих кроватях, и только тогда включил ночник и вскрыл конверт, помогая себе зубами...

Он вышел из палаты и осторожно прикрыл за собой дверь.

— Не спишь, Баренцев? — Постовая сестричка смачно зевнула, показав розовое нёбо. — Зря от папаверина отказался.

— Ты лучше мою порцию Кузе вколи. Который без ноги. Мается, бедный.

— Фантомная боль — самая паскудная, — кивнула сестричка. — Не повезло парню. А ты курить?

— Да, посижу на площадке немного.

Он раскурил трубку и сомкнул веки... «Я закрываю глаза и вижу пальму... Я закрываю глаза и вижу пальму... Я закрываю глаза и вижу Линду...»

Скала, закрывающая вход, с грохотом раздвинулась, и он, приложив, как того требовал ритуал, обе руки к сердцу, шагнул под каменные своды.

Над неровными красными огнями факелов, освещающих ноздреватые, грубо отесанные стены, подрагивал траурный ореол копоти, но весь чад, вся едкая вонь минерального масла уносились куда-то вверх, а здесь, в коридоре, воздух был холоден и девственно чист.

За поворотом он остановился, медленно прочитал заклинание и лишь затем, склонив голову, откинул полог из медвежьих шкур и ступил в сталактитовый зал.

За серебристой полоской воды, посреди прозрачных колонн восседала на своем хрустальном троне Подземная Жрица. Ее волосы густым белоснежным водопадом ниспадали по обе стороны юного, восхитительно прекрасного лица. Смуглая, унизанная костяными перстнями шуйца лениво перебирала длинную шерстку черного кота, различимого на фоне ее мантии лишь по светящимся зеленым глазам. На резной спинке трона, возле правого плеча Жрицы, нахохлившись, восседал маленький белый сокол.

Приблизившись к воде, он замер в низком поклоне.

— Здравствуй, Пестрый Колдун. Что привело тебя ко мне? — низким, чарующим голосом проговорила Жрица.

— Здравствуй, Жрица. Я пришел поблагодарить тебя и твоего соправителя, Майского Короля, за то, что помогли Охотнице перейти, не обагрив Мост Вечности ни своей, ни чужой кровью.

Внезапно сокол забил крыльями и заклекотал. Жрица медленно улыбнулась.

— Моя сестра Охотница благодарит тебя, Пестрый Колдун, за то, что освободил ее плоть и даровал возможность счастливого воплощения. Теперь мы вместе, как видишь.

Он пристально вгляделся в сокола, и птица трижды кивнула пушистой головой.

— Она еще очень юна, Пестрый Колдун, — заметила Жрица.

— Какое имя носит она теперь?

— Белая Охотница.

— Еще раз благодарю тебя, Жрица. — Он вновь поклонился. — И передай своему соправителю, что у него появились недруги.

Жрица улыбнулась.

— Ты же знаешь волшебство Майского Короля, Пестрый Колдун. Все его недруги либо становятся друзьями, либо превращаются в пыль.

— Но Двуликий Знахарь...

Улыбка Жрицы обернулась презрительной усмешкой.

— Двуликий Знахарь — наш тайный соглядатай. Он не страшен.

— Но при нем Серый Асур. Они готовят донос Начальнику Верхней Стражи. Чтобы уклониться от участия в их кознях, мне пришлось отдать часть своей силы...

Жрица склонилась к коту и что-то прошептала в черное ухо. Кот мурлыкнул, и гладкая вода на мгновение подернулась рябью.

— Дело сделано. Теперь и Серый Асур служит Майскому Королю. Мы довольны тобой, Пестрый Колдун. Ступай. Скоро твоя сила вернется к тебе и возрастет многократно...

— Но почему Пестрый Колдун?

— Шел бы ты в кроватку, Баренцев. И так спишь уже.

Нил встрепенулся, протер глаза, виновато улыбнулся сестричке и поплелся в палату*.

Из больничных ворот он вышел романтическим героем — рука на перевязи, щеку пересекает свежий шрам (врачи заверили, что скоро сойдет). Продираясь сквозь толпы очередей, выплеснувшихся из магазинов на тротуары, он поравнялся с троллейбусной останов-

___
* Опять провидческий глюк! Именно в этот вечер мне был представлен товарищ Асуров, и я дала ему приватную аудиенцию... (*Прим. Т. Захаржевской.*)

кой. Но и тут было изрядное многолюдье, во всяком случае, в первый подкативший троллейбус он войти не сумел. Небо затянуло тучами, закапал мерзкий косой дождик, и настроение Нила стремительно опускалось к отметке «мерзопакостно».

Без толку помокнув еще минут десять, он плюнул и затопал по покрытому лужами асфальту в направлении дома. И тут же возле него бесшумно остановился серый «Москвич».

— Подвезти?

— Спасибо, мне недалеко.

— Садись быстро. Нас могут увидеть.

Нил вздохнул и влез в распахнутую дверцу.

— Как рука?

— А что, хотите привлечь за умышленное членовредительство с целью уклонения от службы? Или как это там у вас называется, гражданин майор?

— Нил, да кончай ты, честное слово!

— Но к исполнению ответственного задания я теперь смогу приступить не скоро. Функциональность утрачена, товарный вид потерян.

— Я не понимаю, о каком задании ты говоришь, — со всей искренностью заявил Асуров.

— Вот как? А наша задушевная беседа у камелька? А фотографии? Помнится, вы с геноссе генералом крайне убедительно склоняли меня к сожительству...

— Оставь, пожалуйста, этот тон. Русским языком говорю тебе — не было никаких бесед, никаких фотографий, никаких заданий.

— А генерала Евгения Николаевича тоже не было?

— В нашем заведении генералов с таким именем-отчеством не числится.

— Ловко... А как, в таком случае, продвигается расследование убийства моей жены? Или убийства тоже не было, и я был прав, когда говорил, что в морге мне показали муляж? Надеюсь, я как муж имею право знать...

Дмитрий Вересов

— Ладно, Нил, не кипятись, — примирительно сказал Асуров. — Мы сильно погорячились с выводами. Ну и получили по шапке. Евгения Николаевича перевели в провинцию, меня — в другой отдел... А в деле появились новые данные, существенно меняющие всю картину.

— И что за данные?

— Компетентные органы задержали матерого рецидивиста Фишмана. Из его признательных показаний следует, что фальшивые доллары, которые так и не доехали до Москвы, предназначались именно ему. За несколько недель до своей роковой поездки Бриллиант связался с Фишманом и предложил приобрести сверхкрупную партию валюты на весьма выгодных условиях. Фишман согласился, собрал требуемую сумму, назначил место и время. Естественно, он не мог предположить, что Бриллиант, которого он знал за отчаянного труса, рискнет подсунуть фальшивку ему, авторитетному валютчику. Когда же ему сообщили, что помимо красивых бумажек Яша вез ему бутылочку любимого виски со специальными добавочками, Фишман взбеленился вконец и сдал следствию не только Бриллианта, которому теперь все до лампочки, но и нескольких других крупных дельцов.

— И Шерова среди них, понятно, не было.

— А вот эту фамилию я настоятельно рекомендую тебе не произносить в данном контексте. Вадим Ахметович — уважаемый человек, коммунист с многолетним стажем, имеет правительственные награды. Он не имеет и не может иметь никакого отношения к этим жидовским штучкам... Разумеется, я не национальность имею в виду, а определенный тип людей. Точнее, нелюдей... Кстати, в подтверждение своего тезиса могу сообщить, что рублики, приготовленные Фишманом для Яши, тоже были отпечатаны где-то на Малой Арнаутской.

— Понятно. Фамилию Тани Захаржевской мне тоже рекомендуется забыть?

— Это твое личное дело. Дерзай, если хочешь, ты знаешь, где ее найти.

«В сталактитовом зале», — подумал Нил и поежился, вспомнив надменный взгляд из-под набеленных бровей Жрицы.

— Нет, — сказал он. — Jedem das seine*.

— Куда едем? — не понял Асуров. — Вроде приехали уже. Или еще куда хочешь?

— Не хочу.

— Я тебе еще позвоню, ладно?

Нил пожал плечами.

— Звони...

В перерыве между занятиями его отловила парторг.

— Выглядишь молодцом, Баренцев! — сказала она, поглядывая на его руку. — Подойди-ка завтра к Кларе Тихоновне. Есть насчет тебя одно мнение...

«В партию звать будут», — обреченно подумал Нил. В партию не хотелось до тошноты, но впрямую отказаться от такого предложения — значит поставить крест на любой форме жизненного успеха в этой стране. Придется придумывать какой-нибудь ход, продемонстрировать свое, так сказать, неполное соответствие. Скажем, забить на занятия? А кого это волнует? Спеть что-нибудь не то на ближайшем кафедральном сабантуе? Пожалуй, слишком стремно, могут вообще с работы вышибить... Нил всю ночь промаялся без сна, но так ничего и не придумал.

В кабинете Клары Тихоновны Сучковой пахло конторским клеем и подогретой на спирали пылью — центральное отопление было до осени отключено. Вид красноносой, кутающейся в толстый платок заведующей кафедрой русского языка нагонял тоску, зато отсутствие двух других сторон здешнего треугольника внушало определенный оптимизм. И правда, действи-

_____
* Каждому — свое *(нем.)*.

тельность оказалась не столь трагичной, как мнилось ему накануне — о членстве в КПСС речи даже не возникло.

— Нил Романович, — сказала заведующая, — вы очень нас выручили с концертом и, я бы сказала, предотвратили международный скандал. К сожалению, формами непосредственного поощрения мы не располагаем, но имеем формы, так сказать, опосредованные. Ведь у вас повышение квалификации запланировано без отрыва от производства?

— Без, — согласился Нил.

— Появилась возможность заменить ее на два месяца ФПК при университете.

Нил не верил своим ушам. Эта двухмесячная халява — практически, дополнительный оплачиваемый отпуск — считалась на кафедре лакомым кусочком, за нее велась активная подковерная борьба, но доставалась она только любимчикам. Ох, неспроста такая щедрость...

— Скажите, Клара Тихоновна, это не в счет отпуска?

— Ну что вы, нисколько! В конце июня принесете бумажку из университета, распишетесь в приказе, получите отпускные — и гуляйте себе до самого октября.

Но и при условиях наибольшего благоприятствования институт не отпустил его без увесистого пинка, и то обстоятельство, что пинок достался не ему одному, а всему преподавательскому составу, радости не добавляло.

Чудо, возникшее в темных недрах родного Минвуза, называлось «Учетная карточка работника высшей школы». Такие карточки, роскошно отпечатанные на плотных глянцевых листах размером 440 на 297 миллиметров, содержали 128 разграфленных пунктов. Каждому преподавателю надлежало самолично заполнить их на пишущей машинке, причем помещенное внизу строгое примечание, категорически возбранявшее «сгибание, сминание, запачкивание, внесение каких-либо исправлений, нечеткое либо бледное пропечатывание, а также забегание сведений или части сведений в соседнюю графу», что не оставляло никаких надежд на легкую жизнь. На время институт превратился в полный дурдом. Высунув языки, народ бегал из кабинета в кабинет в поисках машинки с широкой кареткой, куда поместилась бы злополучная карточка, клянчил друг у друга меловые забивалочки или белила для машинописи, сетовал на то, что графа «пол» занимает целую строчку, тогда как в графу «адрес» можно вбить от силы десять букв, переписывал под копирку длинные ряды цифр, которые требовалось вставить в графы, обозначенные в совершенно каббалистическом духе — ОКОНХ, ОКПО, СООГУ, а то и похуже. Увидев эти графы, Нил вспомнил чудака, встреченного им в пивной на Пушкарской. Колотя себя в грудь, чудак уверял, что старперы из Политбюро — это не более чем марионетки, подставные фигуры, а реальная власть в стране давно и прочно захвачена жидомасонами. Очевидно, в словах того дурика была доля правды — едва ли какая-нибудь другая публика могла бы додуматься столь изощренно пытать народ посредством классификаторов.

Учетная кампания не обошлась без жертв. Так, пожилого профессора-консультанта, которому возвратили его карточку с указанием, что в ней перепутаны местами два кода организации, где полвека назад началась его трудовая деятельность, и категорическим требованием перепечатать все заново, увезли в больницу с инфарктом. Ученый секретарь, в обязанности которой входили проверка и прием поступивших карточек, на четвертый день такой работы с криком: «Вас много, а я одна», запустила чернильницей в декана и была в сумеречном состоянии доставлена в Скворцова-Степанова.

Потратив сутки на заполнение красивой карточки и безнадежно ее испортив, Нил с постыдной дрожью в коленках явился за новым бланком. В коридоре у кабинета ученого секретаря толпились такие же страдальцы, сжимая в потных ручонках папочки со злосчастными карточками, а из-за дверей доносился разъяренный рык делопроизводителя с военной кафедры, командированного на смену занедужившей чиновницы. Лица ожидающих были напряжены. Нил видел дрожащие губы, лбы, покрытые нервной испариной. У дверей кабинета возникла негромкая, но напряженная перепалка:

— А я вам говорю, гражданочка, я здесь с половины десятого и вас не помню.

— А я с половины девятого и, между прочим, в списке отметилась. Товарищи, кто снял с дверей список?

— Какой список? У нас живая очередь!

— А я вам говорю — по списку!

Нил прикрыл глаза и отвернулся. Можно подумать, что там праздничные наборы дают. Но народ, однако! За втыконами и то умудряются давку устроить, будто за дефицитом. Где он, тот край, куда не добралось СООГУ?

Нил решительно вытащил из нотной папки испорченную карточку, порвал на мелкие клочки и выкинул в урну.

— Уеду на фиг! — пробормотал он.

Проходящая мимо лаборантка вылупила на него глаза и отшатнулась, впилившись плечом в противоположную стену.

— И куда же ты уедешь?

— Не знаю. Куда-нибудь подальше. Устроился бы смотрителем на далеком маяке. Или в заповеднике... — Нил поднял руку, предваряя невысказанное возражение. — Ничего не говори, я и сам прекрасно знаю, что на третий день взвою от тоски, а через неделю удеру обратно в муравейник, к стрессам, загазованности, очередям, политсеминарам...

— И?

— И буду снова рваться на волю и бредить ею.

— Жениться тебе надо, амиго, — задумчиво проговорил Назаров. — При правильном подходе обретешь и волю, и покой.

Нил криво усмехнулся.

— Правильном — это как у тебя, что ли?

— А пуркуа бы и не па бы, как сказала бы твоя крошка Сесиль... Кстати, можешь поздравить — в загсе приняли наконец наше с Джейн заявление. Правда, для этого мне пришлось устроиться вахтером в ПТУ и прописаться в тамошнем общежитии. Ну да это ведь ненадолго, надеюсь.

— Поздравляю! — сказал Нил, поднимая бокал.

За столом с остатками скромного банкета их осталось двое. Кир Бельмесов поднялся к себе в башню спать, остальные же отправились в аэропорт провожать счастливого жениха в Стокгольм.

Эдвард Т. Мараховски и Елена Кольцова смогли сочетаться только с третьего захода — первые два раза в самый последний момент выяснялось отсутствие какой-нибудь архиважной справочки, без которой нет ну никакой возможности официально признать брачующихся мужем и женой. Ушлый Эд обзавелся выписками из гражданского кодекса, снял в юридической консультации копии со всех относящихся к делу подзаконных актов и постановлений, добился присутствия в загсе генерального консула США, а Джейн пригнала туда же всех иностранных журналистов, имевшихся на тот момент в городе. Во избежание международного скандала брак пришлось зарегистрировать. Это произошло в последний день пребывания Эда в СССР — истекал срок визы, а в продлении было отказано без объяснения причин. Поэтому торжество получилось скомканным, а по правде говоря — вообще никаким. Зарулили на минуточку между загсом и аэропортом, вмазали шампанского, скушали по бутербродику...

А назавтра провожали уже новобрачную — в Воркуту, где отыскался-таки ее беспутный папаша. Точнее, отыскался он не там, а в заполярном поселке с колоритным названием Мутный Материк, до которого по весне появилась надежда добраться. Отца своего Хопа ни разу не видела, поскольку он ушел из семьи еще до ее рождения и с тех пор никаких поползновений познакомиться с доченькой не предпринимал. Теперь такая необходимость появилась у нее — закон требовал, чтобы всякий, отъезжающий на постоянное место жительства за рубеж, предъявил заверенные расписки от всех ближайших родственников, что они не имеют к отъезжающему никаких имущественных претензий. От матери и старшей сестры такие бумажки были получены без проблем — обеим было обещано, что через годик-другой Хопа заберет их к себе в Америку. Что выкинет отец, оставалось тайной. Хопа везла ему богатые подарки — мерлушковую папаху, американский спиннинг с набором блесен, исландский свитер, японский стереоприемник «Шарп», немецкую электробритву «Браун» и две громадных грелки, залитых отечественным питьевым спиртом.

Через две недели с Мутного Материка пришла отчаянная телеграмма. В ней Хопа сообщала, что старый пропойца требует за заявление две тысячи рублей, а вернуться она не может, поскольку всю ее наличность он пропил. Она умоляла скинуться и переслать ей сто пятьдесят рублей на обратную дорогу.

А еще ей предстояло уплатить родному государству десятка полтора различных сумм — вольную у барина полагалось выкупать! — от госпошлин за нотариально заверенные копии всех документов (подлинники вывозить за пределы категорически воспрещалось) до компенсации за бесплатно полученный диплом медицинской сестры. На круг набегало еще две тысячи. Серьезные деньги неожиданно понадобились и Назарову — у Джейн заканчивалась аккредитация, осенью на собственную свадьбу ей предстояло лететь за свой счет, и она потребовала, чтобы жених оплатил ей дорогу в оба конца.

Никто, естественно, таких денег у Нила не просил, но, едва узнав о возникших у соседей затруднениях, он понял, что должен, может и хочет их выручить. Более того, его не оставляло ощущение, что время неумолимо сжимается до какой-то роковой точки, в которой вот-вот определится вся его дальнейшая судьба, — и неизвестно откуда взявшаяся уверенность, что определится она в некоей строгой параллели с судьбами тех, кто его окружает.

Сбивчивая, поневоле многословная телеграмма Хопы (письмо с Мутного Материка шло бы месяца два, а до ближайшего телефонного узла оттуда, наверное, как от Питера до Москвы) заставила его сломя голову мчаться на телеграф и отправить в Мутный Материк перевод на две с половиной тысячи. А потом — на вокзал за билетом до станции Хвойная…

IV
(Хвойная — Ильинка — Хвойная, 1982, июнь)

Начало июня выдалось погожим и теплым, но ночами было еще прохладно, поэтому Нил прихватил с собой ватник и лыжные штаны, и рюкзак получился объемистый. Видавший виды «пазик» бодро подпрыгивал на колдобинах родимого бездорожья. Вместе с ним подпрыгивал и Нил, втиснувшийся на заднем сиденье между толстой потной теткой в мужском пиджаке и беззубым морщинистым стариком в мятой солдатской шинельке.

— Поворот на Ильинку скоро? — спросил он у тетки после очередного подскока.

Та оглядела его с головы до ног. Крайняя глупость соседствовала в этом взгляде с крайней подозрительностью. Закончив осмотр, тетка фыркнула и отвернулась.

— Зачем в Ильинку-то, сынок? — прошамкал старичок.

— Подснежники собирать. Потом на базаре продавать буду.

— Ишь ты! Вообще-то правильно, все к заработку приварок. У меня внучок тоже головастый, инвалидность оформил, пчел разводит, за два года на машину накопил, теперь на квартиру копит. На подснежниках поди столько не заработаешь.

— Столько, конечно, не заработаешь, но кое-что можно.

— Ну, помогай Бог! Вон и поворот твой.

Тогда, летом, зелень была густой, насыщенной — как по плотности, так и по цвету. Сейчас листва еще пребывала в нежно-фисташковой юности, перемежающейся клейкой коричневатостью почек и влажной чернотой воскресающих ветвей. Травяной ковер только намечался, и, заступив на полшага за край дорожки, Нил по щиколотку провалился в пружинистый перегной. От воздуха, от птичьего гомона голова шла кругом, и Нил едва не прошагал мимо кладбищенского холма и заприметил его лишь потому, что остановился покурить и перевести дух. На вершине, над деревом, породу которого Нил определить не мог, парила белая птица. Хотелось думать, что сокол, хотя здравый смысл заставлял усомниться, что в этих местах на воле водятся белые соколы.

Наверное, какую-нибудь неделю назад куст представлял собой пучок кое-как понатыканных, мертвых на вид прутьев, но сейчас, когда пробуждающаяся жизнь вытолкнула наружу еще мелкие, махристые листочки, он показался Нилу воплощением робкой, пока неясной мечты, устремленной к небу.

— Хорошо бы было еще немного выждать, — пробормотал Нил, поглаживая между пальцев шершавую поверхность листа. — Она бы зацвела. Никогда не видел малины в цвету.

Но выжидать не было времени...

Нил обошел вокруг куста, внимательно глядя под ноги, но так и не нашел камня с изогнутой розой. Тогда он достал из рюкзака короткую садовую лопату и принялся ребром счищать плотный, слежавшийся за зиму слой мертвой травы и палых листьев, перемешанных с землей. Не прошло и минуты, как железо скребануло по камню, и Нил, нащупав на гладкой холодной поверхности полукруглую ложбинку стебля, принялся разгребать мусор руками. Сначала взгляду его открылись роза и крест, потом — чуть ниже — высеченные буквы:

> тельство гра
> ьинская
> ьга Влади
> 09—1904)
> мой маме, бабушке, праб
> ся, милый пра
> ного утра

По краям надпись была безнадежно разъедена многолетней черной плесенью...

Ночь он провел на скамье в полупустом зале железнодорожной станции, накрывшись ватником и положив под голову вместо подушки рюкзачок. Следующую ночь он ехал в общем вагоне, вглядывался в черноту за окном, извлекал из трехлитровой банки маринованные зеленые помидорины, машинально подносил ко рту, жевал, не разбирая вкуса. Задремал только под утро, и ему явилась старушка графиня — сухая, крючконосая, с голубыми буклями, выбивающимися из-под сборчатого ночного чепца. «Ну что, ваше сиятельство Ольга Владимировна, тройка, семерка, туз?» — спрашивал он, краешком глаза отмечая малиновый обшлаг собственного вицмундира. «Они самые, батюшка. Тройка, семерка, дама!» — отвечала графиня и разражалась хриплым, каркающим смехом...

V
(Ленинград, 1982, июнь)

— Гоша, привет! Слушай, как здорово, что ты дома! Давай переодевайся, а я по-быстрому сполоснусь с дороги, и рванем до центра, в какое-нибудь местечко поприличней, поедим, как белые люди.

— А по какому поводу? — Голос у Гоши был тусклый, прокуренный; глаза покрасневшие.

— Да так, есть повод... Тебе Макс не говорил, сколько бабок надо на билет для Джейн?

— Мне Макс ничего не говорил. Он никому ничего не говорил. Он пропал.

— То есть как пропал? Когда?

— Сразу после твоего отъезда. Три ночи не ночевал. И из ПТУ звонили, спрашивали, почему на работу не вышел.

— Так, может, у бабы какой-нибудь загулял?

— С вещичками? Одежду свою забрал, зубную щетку. И ни записочки, ни звонка... Эй, ты куда?

— Я сейчас!

— О, Нил Романыч, здоровенько! — Улыбающийся Асуров поднялся с кресла в безликом гостиничном номере «Октябрьской». — А то я ищу тебя, ищу. Уезжал, что ли, куда-нибудь?

— Подснежники собирать... — пробурчал Нил, делая вид, что не замечает протянутой руки.

— Хорошее дело, хорошее... А у меня для тебя приятное известие. Распишись-ка...

Нил тупо уставился в протянутую ему бумажку, озаглавленную «Расходный ордер». В графе «фамилия, имя, отчество» стоял прочерк, а в графе «сумма прописью» было от руки вписано — «пятьдесят рублей 00 копеек».

— Руководство приняло решение поощрить тебя материально, — отечески улыбаясь, произнес Асуров. —

На основании тщательного изучения предоставленной информации.

Нил вытаращил глаза.

— Какой еще информации?

— Вот этой. — Асуров достал из кожаной папочки, лежащей у него под рукой, несколько листочков. — Отчеты пишешь грамотные, обстоятельные, без помарок, любо-дорого читать. Молодец, бдительно выявляешь антисоветские проявления среди иностранных студентов.

— Но... но такие отчеты каждый преподаватель кафедры сдает заведующей два раза в семестр...

— А от заведующей они куда идут, по-твоему? Да и те ли самые это отчеты, ты приглядись получше.

Нил придвинул листочки к себе. Ксерокопии его машинописных отчетов отличались от оригиналов лишь двумя мелочами — куда-то исчезла шапка «Заведующему кафедрой русского языка доц. Сучковой К. Т., парторгу кафедры ст. преп. Шмурдяк Х. У.», а вместо его фамилии стояла размашистая подпись «Дэвид Боуи».

— Как видишь, служебный отчет легко превращается в агентурный.

— Бред какой-то! — выкрикнул Нил. — Что еще за Дэвид Боуи?

— Твой оперативный псевдоним. Я решил, что тебе понравится...

— Господи... — Нил обхватил голову руками. — В стукачи записали...

— Помнится, ты сам просился в мое учреждение на машинке стучать. Было?

— Но я ж не знал тогда... И за такую фигню вы готовы деньги платить?

— Согласен, материал не Бог весть какой горячий. Но есть и другой. Взгляни.

Перед Нилом лег еще один листочек. Та же подпись, тот же шрифт. Но вот текст... Доношу, что десятого ноль третьего сего года гражданка США Джейн Маккензи Доу, корреспондент газеты «Вашингтон Пост»...

— Благодаря своевременной информации, полученной от агента Боуи, была пресечена попытка крупномасштабной идеологической диверсии. За деятельность, несовместимую со статусом иностранного журналиста, гражданка Доу лишена аккредитации и выдворена за пределы СССР. Агент Боуи представлен к материальному поощрению... — протокольным голосом изрек Асуров.

— Но я же не писал этого! — выкрикнул Нил.

— Сие есть ненужные технические подробности, — снисходительно заметил Асуров.

— Можешь засунуть эти деньги себе в задницу! — бушевал Нил. — Теперь мне все ясно! А Назаров?! Куда вы упрятали Назарова? За что? Что он вам сделал?

Майор Асуров начальственно поморщился, будто услышал от подчиненного бестактный или глупый вопрос.

— Нам ничего, — медленно, с подчеркнутым спокойствием процедил он. — И мы ему ничего. Наша фирма здесь вообще не при чем. Старший лейтенант запаса Назаров Максим Назарович призван на действительную срочную службу с присвоением очередного звания капитан и в настоящее время, насколько мне известно, приступил к курсу переподготовки в одном из центров Министерства обороны на территории Туркменской ССР.

— Туркменской... — упавшим голосом повторил Нил. — Чтобы, значит, поближе к Афганистану...

— Патриотический долг, товарищ Боуи... А у нас с вами — свой патриотический долг, и давайте не будем об этом забывать. В частности, нас очень интересуют отношения новоиспеченной гражданки Мараховски, она же Елена Кольцова, она же Хопа, и гражданина США Эдварда Т. Мараховски...

— Суки! — сказал Нил. — Ну какие же вы суки!

— Нарываешься? — спокойно поинтересовался Асуров. — А ради кого нарываешься? Ради Доу, продажной шкуры, шпионки, лесбиянки? Ради Мараховски, который состоит на жалованье ЦРУ и составляет для них планы уничтожения нашего государства?

— Какое, к матери, ЦРУ?! Да он Чеховым занимается, фаллические символы у него выискивает!

— Неужели? Тогда как тебе такой фаллический символ?

Асуров швырнул на стол еще одну ксерокопию. Нил взял ее и прочел аккуратные строчки: «The Rockford College Annual Convention on Global Strategies Investigation. Edward T. Marachowski. *USSR: The Technology of Collapse*»*.

— Вот так, товарищ Дэвид Боуи... Ладно, свободен. В пятницу жду с докладом по Кольцовой и Мараховски...

— А не пошел бы ты!..

— Дело хозяйское... Коли себя не жалко — других пожалей. Мутный Материк — место дикое, и люди там дикие. Всякое может случиться. Дошло?

Нил молчал.

— То-то... А в пятницу уже займемся главным.

— Главным?

— Ага... Мадемуазель Дерьян.

Сесиль отворила двери своего номера в академической гостинице и замерла на пороге, не веря своим глазам. Вся комната была уставлена, увешана, устелена крупными, пышными белыми розами. Гирлянды роз тянулись вдоль потолка, книжных полок, огромная плетеная корзина, полная роз, занимала чуть не

---

* Рокфорд Колледж. Ежегодная конференция по глобальным стратегическим исследованиям. Эдвард Т. Мараховски. «Советский Союз: Технология коллапса» *(англ.)*.

всю поверхность стола, даже на аккуратно заправленной кровати живописно раскинулась охапка роскошных цветков. Их аромат заполнил все, приглушив не только все другие запахи, но и цвета, формы, пространственные перспективы, так что Сесиль не сразу заметила посреди этого великолепия коленопреклоненную мужскую фигуру в белом костюме. А заметив, не сразу узнала. Приблизилась и с блуждающей улыбкой на устах положила руки на его склоненную голову. Он же бережно взялся за край ее строгой, серой юбки и приложился к нему губами.

— Ниль, — тихо сказала она. — Вставай. Ти запачкайт твой костюм...

Не поднимая головы, он вложил ей в руку продолговатый сафьяновый футляр. Сесиль медленно подняла его, раскрыла. На белом атласном ложе покоилось редкостной красоты ожерелье, крупные синие сапфиры, обрамленные бриллиантами, в оправе из белого золота. Она, не отрываясь, смотрела на камни, и ее маленькие, мутно-серые глаза медленно наливались их синевой.

Нил не видел этого. А Сесиль не видела, как в небесной голубизне его глаз вспыхнули вокруг черных зрачков ярчайшие желтые ореолы, похожие на солнечные короны.

Он ступил на борт судна, отходящего к дальнему берегу.

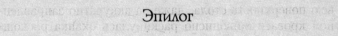

Эпилог

«Богарт, 13—20»
(Санкт-Петербург, 2001)

Мадам Ван-Норден, домохозяйка из кантона Женева, взглянула на часы и поднялась.

— Однако засиделись мы с тобой. Пора и честь знать. Проводишь меня до «Невского Паласа»?

— Интересно получилось, — проговорила она, когда мы уже вышли на Невский. — Ожерелье, про которое ты пишешь, я выиграла в карты у Шерова, а хватилась лишь тогда, когда собирала вещички перед отъездом. И сразу подумала на Линду, но она была уже в недосягаемости... Вот так — наше с ней знакомство началось с кражи, ею же и закончилось... А в результате вещь нашла законного владельца...

— Скажи, а ты знала об помолвке Нила и Сесиль?

— Да. Эту радостную весть мне на следующее же утро принес Асуров. «У них любовь!» — заявил он очень напыщенно. Я не сдержалась тогда, размазала кремовый торт об его ленинскую плешь. А днем Шеров сообщил, что срочно выдает меня замуж и выпихивает за кордон... Первую брачную ночь я провела с Асуровым — сначала выиграла у него двенадцать рублей в преферанс, а потом мы болтали до рассвета. Нам было о чем поговорить...

— Я обещал сводить тебя на съемки...

— Увы, но завтра в девять утра я улетаю домой.

477

— Я приду провожать.

— Не стоит. Все равно проспишь.

Она протянула мне руку на прощание и, миновав почтительно склонившегося швейцара, вошла в аркаду «Невского Паласа». Я стоял и сквозь стеклянную дверь смотрел вслед этой непостижимой женщине, отчаянно рыжей брюнетке в ослепительно черных одеждах...

Утром будильник так и не зазвонил.

Конец первой книги

Париж — Санкт-Петербург,
июль 1999 — март 2001

ОГЛАВЛЕНИЕ

Дмитрий Вересов

ИЗБРАННИК ВОРОНА

Ответственные за выпуск
Е. Г. Измайлова, Я. Ю. Матвеева
Корректор
О. П. Васильева
Верстка
А. Н. Соколова

Подписано в печать 19.02.03.
Формат 84×108^{1}/$_{32}$. Печать офсетная.
Бумага газетная. Гарнитура «Кудряшевская». Уч.-изд. л. 19,25.
Усл. печ. л. 25,20. Изд. № 02-4406.
Доп. тираж 10 000 экз. Заказ № 3446.

«Издательский Дом „Нева"»
199155, Санкт-Петербург, Одоевского, 29

Издательство «ОЛМА-ПРЕСС Звездный мир»
129075, Москва, Звездный бульвар, 23А, стр. 10

Оформление обложки и цветоделение
ООО «Русская коллекция СПб»,
дизайнер Катерина Мельник

Отпечатано с готовых диапозитивов
в полиграфической фирме «КРАСНЫЙ ПРОЛЕТАРИЙ»
127473, Москва, Краснопролетарская, 16